大人のための公民教科書

日本復興の希望を繋ぐために

小山常実 著
Koyama Tsunemi

はじめに——なぜ、『大人のための公民教科書』を書いたのか

近代国家の4つの役割

筆者は、2007(平成19)年以来、『新しい公民教科書』作成に関わり続けている。この教科書の3版(平成23年版)では教科書の基本的骨格をつくり、4版(令和2年版)の作成時から代表執筆者を務めている。3版では公民教科書史上初めて国家の役割論を本格的に持ち込み、4版と5版でも同じ記述を維持し続けている。すなわち、『新しい公民教科書』3版は、単元13「国家の成立とその役割」で、国家成立時における役割を防衛、社会資本の整備、法秩序・社会秩序の維持の三点でとらえた。そして、近代国家の成立について記した単元14「立憲主義の誕生」で、国民一人ひとりの権利保障という役割を近代国家が新たに担うようになったと述べている。

これら4つの役割は、何の変哲もないものである。余りにも当たり前のものである。しかし、驚くべきことだが、国家の4つの役割をきちんと記した公民教科書は、現行版でも『新しい公民教科書』だけである。

4つの役割を捨てた戦後日本

4つの役割を眺めてみると、どんな立場からしても、戦後の日本国家が防衛という政治上一番大事な役割を捨ててしまったことは直ぐに了解できることである。ただし、拙著『自衛戦力と交戦権を肯定せよ』(自由社、2017年)で展開したように、自衛戦力と交戦権を肯定する「日本国憲法」解釈はいかようにもできたことであり、できることである。そうすれば、日本国家が防衛の役割を果たすことは可能であっただろう。「憲法学者」と政治家や官僚が、両者を肯定する解釈の採用を拒否してきたのである。

また、二番目に重要な社会資本の整備という役割も、日本国家は放棄してしまって久しい。国家の4つの役割のうち、防衛以外の3つの役割は、戦後日本は他国以上に果たしてきたといえる。しかし、インフラの高度化どころか、高度成長期に整備したインフラの老朽化に対応することさえも行えなくなっている。経済における国家の役割とは公共財の整備と確保だが、数々の公共財を民間（外国を含む）に売り渡してしまい、社会資本をガタガタにしてしまった。そうなった直接の原因は財務省が均衡財政主義を説き、政治家と国民を洗脳し続けたことであるが、政治家が国家の第二の役割について理解していなかったことの方が本質的な原因である。自然災害の多いわが国では、他国以上に、この二番目の役割が重要なのに、インフラ整備に投資するという発想が消えてしまって久しい年月が過ぎてしまった。

残る2つの役割のうち、国民一人ひとりの権利保障という第四の役割も急速に壊れてきた。特に2016（平成28）年のヘイトスピーチ解消法によって、日本人は日本国内で差別されても文句の言えない存在となった。ヘイトスピーチ解消法は、日本人による外国人に対するヘイトスピーチだけを禁止し、外国人による日本人に対するヘイトスピーチを野放しにした。このような日本人差別は人種差別撤廃条約にも違反したものである。諸外国では、人種差別撤廃条約を遵守し、少なくとも法律上は外国人による自国人に対するヘイトスピーチも許されないものとしている。なんとも、日本のヘイトスピーチ解消法は、自国民を徹底的に差別するすさまじい日本人差別法である。以来、外国人は優遇され日本国民は差別される傾向はますます強くなり続けている。

また、2021（令和3）年から3年間にわたって、日本人は新型コロナワクチンの危険性も副作用も知らされないまま（つまりインフォームド・コンセントを保障されないまま）、何回もワクチンを打たれ続けてきた。諸外国はワクチン接種をやめたのに、日本だけは国民に対して打ち続けている。その結果であろうが、毎年、死亡者が著しく増え続けている。生命・身体の自由さえも、政治家や官僚たちによって侵害され続けているのである。
最後に残った法秩序・社会秩序の維持という役割も、筆者には崩壊し始めているように見える。不法入国した外国人は野放しになっているし、犯罪を犯して捕まってもすぐに釈放されている。バイデン政権が不法入国者を優遇する政策をとっていることを見做っているのだろうか。アメリカの民主党が支配する州では、950ドルまでの窃盗は事実上罰しないという法律をつくったため、小売店が略奪されている。そのため、小売店が撤退し、市民たちは生活必需品を手に入れることにさえも苦労している。このアメリカ民主党の政策を見倣っているのだろうか。ともかく、戦後の日本政治の歴史とは、国家の基本的役割を一つずつ放棄してきた歴史なのである。余りにも出鱈目なことである。それほどに、政治家など日本のリーダーたちは正気を失っているのである。

家族、私有財産、国家を教えない検定公民教科書

では、なぜ、彼らは正気を失っているのだろうか。それは、まずは歴史教育が植え付けてきた自虐史観のせいである。元優等生の多いリーダーたちこそ、自虐史観を過剰に身に付けて大人になってきた。だからこそ、日本の国会は、明確に法の下の平等に反するヘイトスピーチ解消法をほぼ満場一致で成立させてきたのである。

しかし、自虐史観よりも、リーダーたちが国家社会について基礎的なことを学ばずに日本をリードする立場に立っていることの方が大きな原因である。端的には、国家の4つの役割について教えられないまま政治家や官僚になっていくからこそ、平気で4つの役割を捨て去り続けてきた。つまり、公民教育の欠如ないしは欠陥こそが、リーダーたちの正気を奪ってきた第一の原因ではないだろうか。

筆者は、平成に入ったころから30年以上、中学校公民教科書の歴史を研究してきている。研究の中でつと

に感じてきたのは、公民教科書は家族、私有財産、国家の三者を否定しようとしているのではないかということだった。元々昭和20年代以来、公民教科書は国家論を教えてこなかったし、資本主義国であるにもかかわらず私有財産制の意義も教えてこなかった。不十分ながら家族論だけは展開してきていたが、平成20（2008）年度中学校学習指導要領改訂の結果、家族論を書かなくても検定合格できるようになった。今日では家族論を展開する教科書は完全に少数派になった。つまり公民教科書は、家族、私有財産、国家に関する教育を放棄してしまっているのである。

まともな公民教科書をつくりたい

このように本質的におかしな公民教育を受けて、日本人は大人になっていく。日本には、政治、経済、社会、国際社会といった分野に関する当たり前の公民的素養を身に付けられる教科書的なものが存在しない。なんとか、当たり前の公民教科書をつくる必要があるのではないか。そういう想いで、筆者は『新しい公民教科書』に取り組み続けてきた。

しかし、3回の検定を経験して、検定教科書という形ではとうてい無理だということを痛感させられ続けてきた。例えば、平成22年度検定では、戦後日本だけではなく古代から戦前日本まで、いつの時代における表現であろうと君主国、君主と書けば検定不合格になることを知った。また、日本も批准している捕虜条約は軍隊教育や国民教育で捕虜資格などについて教えることを要求しているのだが、令和元年度検定では「捕虜資格について知っておこう」という記述が削除されてしまった。

そこで、検定という枠組みを外れた、大人も学生や生徒も読むことのできる公民教科書の作成を1年ほど前から構想するようになった。そして『大人のための公民教科書』を刊行した次第である。

目次——大人のための公民教科書

第3章「日本国憲法」と立憲的民主政治

序章　現代日本の自画像

現代世界はどのように変化しているだろうか。
現代日本はどのような特徴を持ち、
どういう課題を持った国だろうか。
その解決はどのようにしたらよいのだろうか。

単元1　グローバル化する世界

グローバル化が進むとともに、日本を取り巻く世界はどのように変化しただろうか。

【グローバル化】

１９９１（平成3年）、ソビエト連邦が崩壊し、冷戦体制が終結しました。冷戦終結とともに、アメリカは唯一の超大国となり、旧社会主義陣営をふくむ世界全体を管理するために自由貿易体制を築いていきました。

その結果、現代では、交通手段や情報通信技術の普及により、ヒト、モノ、カネ、サービス、情報が国境を越えて活発に移動しています。日本には世界中からさまざまなものが輸入されています。多くの企業が、海外各地に工場や店や事務所を開設して、世界規模で事業を行うようになりました。そして、インターネットを通じて瞬時に世界と情報交換が行われ、国内外の商品が注文されたり、世界規模で瞬時に株式や通貨が取り引きされたりするようになりました。人の交流も盛んです。多くの人が海外旅行に出かけ、国外からも多くの人が日本を訪問しています。文化の交流も活発になり、アメリカのハリウッド映画は世界中でほぼ同時に上映されています。このように、世界はさまざまな分野で急速に一体化していきました。これを**グローバル化**（またはグローバリゼーション）といいます。そして、グローバル化を進めようとする考え方をグローバリズムといいます。

【負のグローバル化】

しかし、グローバル化した世界で拡大流通するのは、有益なものだけではありません。例えば、一地方で発生した新型インフルエンザや新型コロナが短期間で地球全体に広がり、多数の人が感染し死亡する事態も発生しています。**環境破壊**とその被害も広域化しています。世界経済の活性化によって世界中でエネルギー消費が増大した結果、地球温暖化の加速も指摘されています。また、ヒト、モノ、資本、サービスの移動が拡大した結果、先進国の産業が相対的に賃金の低い国に移転して国内産業が衰退し(産業の空洞化)、国内の雇用機会も減少するため貧富の格差が拡大しています。そして、2008年にアメリカから始まった世界同時不況にみられるように、一国で生じた経済危機が瞬時にグローバル化するという問題もあります。さらに、先進国の文化が他の国々に流入する例が増大しています。その結果、その国が長い年月をかけて築いた文化や伝統が失われつつあります。

低くなった国境の壁を乗り越えて、窃盗や詐欺、麻薬取引などだけではなく、人身売買といった極悪犯罪も国際化し、増加するという事態も生まれています。

【イギリスはなぜEUから離脱したのか】

そこで、グローバル化がもつ危険をコントロールすることは国家の役割であるという考えが強くなりました。このような考え方は欧米諸国で急速に拡大し、2016年6月、イギリスは国民投票でEU離脱を決め、2020年1月に正式離脱しました。

EUは域内におけるヒト、モノ、資本、サービスの「移動の自由」を掲げています。それゆえ、EUの一員であったイギリスは、主権国家であるにもかかわらず、「移動の自由」を制限する法律をつくれませんでした。

EUでは、イギリスやドイツなどの富める国と、東ヨーロッパなどの新規加盟国を中心にした貧しい国との間には激しい経済格差がありました。したがって、EU域内の貧しい国から豊かな国へ多くの労働者が流れ込んでいきました。しかも近年では、ＥＵは中東などからの難民を多数受け入れてきましたから、ＥＵの一員であったイギリスも難民を受け入れてきました。その結果、イギリスでは、それまで存在していたヨーロッパ大陸との距離感に加えて、「移民がイギリス人の職を奪っている」という新たな不満とともに、難民への手厚い社会保障費にあてるための税負担増に対する不満も増大してきました。しかし、ＥＵにいる限り、外国からの移民も難民も受け入れざるをえませんから、イギリス国民は、僅差ながらＥＵ離脱を選択したのです。

【国家とナショナリズムの復権】

イギリスに続いて、グローバル化の本家であるアメリカでも、２０１７年1月、「アメリカ第一主義」というナ**ショナリズム**を唱えるトランプ大統領が誕生しました。「アメリカ第一主義」とは、アメリカ国内の経済や社会の再建を第一に考え、国際問題に関与することをできるだけ控えようとする考え方です。特にアメリカ人の雇用を守りたいという動機から唱えられています。この自国第一主義は、モディ首相のインドやオルバン首相のハンガリーなど、世界各地で広がりを見せています。

ミニ知識　グローバリズムと反グローバリズム

世界は、家族、地域社会、部族、民族、国家といった数多くの共同体から成り立っている。しかし、世界のグローバル化の中で、国境を越え、規制をなくし、世界的規模で雇用、生産、マーケティングなどを展開し、また環境、人口、食糧、エネルギーの問題にも地球的規模で取り組むべきであるという**グローバリズム**の考え方が現れた。

このようなグローバリズムを推進する人たちは、家族や国家などの共同体のいずれにも立脚（所属）せず、いずれに対しても愛着心も忠誠心も持たない。そのため、宗教心や道徳心を失っており、〈今だけ、カネだけ、自分だけ〉の価値観に染まっている。しかも、彼らは国連やEUだけでなく、世界各国で政府組織に入り込み大きな権力を握っており、自己の私的利益を過度に追求する傾向が強く、世界的に極端な経済的格差をもたらしている。この結果、社会の分断化が進み、さまざまな共同体が分裂の危機に陥っている。

しかも、彼らは、国内でも世界でも大きな権力を握っているにもかかわらず、実は国民に選ばれたわけではない。したがって、民主主義さえも軽んじ、自分たちの金儲けにつながる政策を進めるためならば、表現の自由を抑圧し、当然必要な民主的な議論も省略してしまう。それどころか、生命・身体の自由といった国民の基本的人権を奪うことさえ行うのである。

このようなグローバリズムの横暴に対抗して、世界各地で、家族や国家などの共同体を守り、民族や宗教を重視しようとする**反グローバリズム**の運動が大きくなりつつある。今日における世界の最大の問題は、このグローバリズムと反グローバリズムとの対立である。

単元2　情報社会

情報社会とはどういうものか。その利便性と問題点について考えよう。

【情報社会のビッグウェーブ】

現代の私たちは、好むと好まざるとに関わらず世界的な**情報化**というビッグウェーブの中にいます。情報化とは、コンピュータや大量のデータを送受信する光ケーブル、その社会基盤を効率よく動かすソフトウェア、情報セキュリティの要素が、相互に影響しあう進化をいいます。また、**情報社会**は、「知識や情報」

が優位になったデータサイエンス社会ともいえます。それは、ＩＣＴ（Information and Communication Technology＝情報通信技術）、ＡＩ（artificial intelligence＝人工知能）、ＳＮＳ（FacebookやLINEなどに代表されるＷｅｂで提供されるソーシャルネットワークサービス）の発達や、スマホ（通話の機能の他にカメラ・時計・ＴＶ機能・電卓機能などがついたスマートフォンの略称）のアプリの豊富さからも私たちの暮らしと密接に結びついていることが分かります。

【目を見張るＡＩの進化】

世界中で未曾有の自然災害が発生していますが、国民を災害から守る「災害対策」でも、ＡＩが大いに役立っています。全国に設置した多くのセンサーが、常に種々のデータを送出しています。地震の発生直後には、集められたビッグデータ（一般的なデータ処理ソフトウエアで扱うことが困難なほど巨大で複雑なデータの集合）を人のように自ら考え事前学習したＡＩが、津波到達の時間と区域を予測します。それと連動したスーパーコンピュータが超高速計算し、「津波浸水予測区域図」をリアルタイムに「見える化」し報道します。それにより、人々の避難行動を正確に促したり、被害を未然に防げるようになってきています。また、医療では、患者の生体情報を得ながら難しい手術をし、人の命を救うＡＩロボットなどの活躍もあります。身近な例では、不特定多数の人々がスマホを使い日本語や英語などの文章を時間・場所をこえて瞬時に翻訳できるＡＩ技術も進化し、外国からの旅行者が増え続けている昨今、大いに役に立っています。

さらに、最近では、自ら画像や動画、音声ばかりか、記事や小説などの文章の創造まで行う生成ＡＩの活躍範囲が拡大しています。このように私たちの暮らしを変えるＡＩによる社会の構造変化も見逃せません。

【情報セキュリティを考える】

利便性を追求する情報社会の中で、**情報セキリュティ**技術は大変重要です。例えば、スマホを持ち歩くと、その位置情報はクラウド（使用者が、社会基盤を動かすソフトウェアを持たなくても、情報端末さえあればインターネットを通じて、必要な時に必要な分だけサービスを利用できる仕組み）に記憶されます。スマホを落としたらその位置を探索できるので便利ですが、どこを歩いていたか知られてしまいます。このように、利便性とプライバシー侵害の相反する問題が生まれています。人類に突きつけられた大きな課題といえます。

【情報リテラシーと情報モラルを】

このように著しく進化する情報社会を生き抜くためには**情報リテラシー**を身につけることが必要です。情報リテラシーとは、情報を自己の目的に合わせて使用する能力のことです。インターネットやスマホの普及により、ウィルス感染や情報漏洩などの社会の秩序を乱すネット犯罪が増えてきました。また、ネット上で、特定個人のプライバシーや名誉を侵害する情報を流していじめる例が多くなってきました。そして生成ＡＩの悪用などによるフェイク（偽りの）画像・動画やフェイク記事が溢れかえるようになりました。

ネット犯罪やプライバシー等の侵害を行わないためにも、またネット犯罪などから身を守るためにも、そしてフェイク画像などに騙されないためにも、ますます情報リテラシーが必要となっています。また、正しい情報を伝えること、根拠の明らかでない情報を信用したりしないこと、他者のプライバシーや名誉を侵害しないこと、著作権を尊重することなど情報を正しく活用する態度（**情報モラル**）が大切になってきています。

単元3　日本の自画像

世界の歴史のなかで、日本はどのような国を築いてきたか考えてみよう。

【平和な社会】

日本は周りを海に囲まれ、本州をはじめ数千の島々から成り立つ**海洋国家**です。陸地面積は38万㎢で、領土は中小規模ですが、天然資源を採取する権利が国際的に認められている領海及び**排他的経済水域**は約447万㎢もあり、世界第6位の海洋大国です。また、おおむね温帯に属する日本は、水と緑に恵まれ、稲作を中心とした農業を発展させてきたので、多くの人口を養うことができます。今日では、世界第11位にあたる約1億2500万人の人々が住んでいます。

日本は、アジア大陸とは海を隔てているために、他国から侵略されにくく、一貫して国家の独立を維持してきました。これは、世界でも非常に珍しい例です。また、日本では国内の戦争が少なく、あっても規模は小さく、おおよそ平和といえる時代が続いてきました。日本人は社会の決まりをよく守る、親切で礼儀正しい国民で、日本は世界的にみて圧倒的に犯罪が少ない国です。

【経済大国、科学技術大国】

平和で治安のよい日本は、経済が発展しました。日本は、世界第4位の経済大国であり、アメリカ、イギリス、フランス、ドイツ、イタリア、カナダ及びEUとともに、主要な経済先進国が集まる**主要国首脳会議（サミット）**のメンバーです。日本の経済力は、優れた「ものづくり」の伝統と世界有数の科学技術力に支えられています。特許件数は、2021（令和3）年現在、中国、アメリカに次いで世界第3位で、ノーベル賞の受賞者も、近年増加しています。
豊かな社会を築いた日本人の寿命は、女性が世界一、男性も世界で二位です。男女を総合すると、世界一の長寿国になります。寿命がのびた背景には、著しい医療の進歩と栄養バランスの改善があるといわれています。さらに、ご飯とみそ汁を基本に、欧米の料理文化をとり入れた**日本型食生活**の普及も図られています。健康によい日本食は、寿司を筆頭に世界に広がっています。

【文化大国】

ほかにも、漫画、アニメ、ゲームなどの娯楽作品をはじめ、文学や音楽、映画などの芸術作品など、さまざまな日本文化が世界中の人々に親しまれています。
私たちの祖先が築いてきた伝統や文化、国民性、そして国としての品格が国際社会で評価されているのです。日本の誇れるものを保存し、維持することが大事ですが、政府は日本に関するさまざまなものを売り込むために、クールジャパン（かっこいい日本）戦略を推進しています。漫画、アニメ等だけではなく、武道や日本料理、茶道などの伝統文化も、自動車や電気製品などの日本製品も、クールジャパンの例とされています。

単元4　国民の貧困化と少子化

豊かで平等な社会を築いたわが国は、少子化という大きな問題を抱えるようになった。少子化の背景には何があり、とるべき少子化対策とは何だろうか。

【少子高齢化とは何か】

少子高齢社会とは、子供や若者の人口割合が低く、65歳以上の高齢者の割合が高い社会のことをいいます。わが国の総人口は2022（令和4）年10月1日現在で1億2483万人ですが、そのうち15歳未満の人口（年少人口）は1462万人となり、総人口に占める割合は11・6％です。これに対して、65歳以上人口（老年人口）は3625万人となり、総人口に占める割合（高齢化率）も29・1％となっています。高齢化率が7％を超えた社会を高齢化社会、14％を超えた社会を高齢社会、21％を超えた社会を超高齢社会といいます。

高度経済成長が終わったころから、一人の女性が生涯で平均何人の子供を生むのかを示す合計特殊出生率が緩やかに低下して2020年には1・33、2022年には1・26まで低下し、少子化が進みました。他方、医療の発達などにより平均寿命が伸長し、65歳以上の老年人口の割合が増加し、高齢化しています。このように少子化と高齢化が同時に進行する現象を**少子高齢化**といいます。

少子高齢化と一口でいいますが、高齢化自身は日本国民が長生きできるようになったことを意味しており、悪いことではありません。高齢化対策としては、高齢者の就業促進や高齢者がボランティアなどで社会との関りを持つようにする政策をとっています。これに対して、**少子化**は深刻な問題です。少子化が進行した結果、総人口も2008（平成20）年をピークに減少に転じ、わが国は**人口減少社会**をむかえました。このままでは、他国に侵略されずとも、人口が減りすぎて滅亡してしまうことも考えられる状態となりつつあります。

【少子化の原因は国民の貧困化】

では、少子化の原因は何でしょうか。何よりも第1の原因は、**晩婚化**、**非婚化**の進行です。日本は世界第4位の経済大国ですが、消費税を5％に上げてから経済成長しなくなりました。諸外国はすべて経済成長していますから、もうすぐインドにも抜かれると予想されています。当然、一人当たりの国民所得も減少し、国民が貧困化してきました。現代の若者は結婚生活を営めるだけの所得がなくなった結果、晩婚化と非婚化が進行してきたのです。

第２の原因は、結婚したとしても、１人目の子供を育てることはできても、２人目、３人目を育てるための経済的負担が重荷になっていることです。第３の原因は、子供が生まれたとしても子育てを支える社会的環境が不十分であることです。

こう見てくるならば、少子化の根本原因は、経済財政問題、国民の貧困化にあるということがよくわかります。ですから、少子化対策の基本は、日本の経済成長を促すために減税と積極財政の方向に舵を切ることです。そうすれば、国民の貧困化は止まり、結婚年齢が低くなり、婚姻者も増加することになります。また、多様な保育サービスの提供などの子育て支援政策を充実するならば、子育て世帯が２人目、３人目を生み育てられやすくなると考えられます。

単元５　現代日本の課題

我が国が抱える課題には、貧困化及び少子化以外にどんなものがあるだろうか。

【目標の喪失と活力の低下】

戦後、経済成長を続けた我が国は、１９８０年代には、明治以来の国家目標であったアメリカやヨーロッパ諸国並みの豊かな社会を実現しました。いや、豊かであるだけではなく、社会主義国以上に平等な社会を実現しました。その結果、皮肉にも国家目標の喪失に悩まされるようになります。冷戦が終結し、グローバル化という新しい世界情勢に直面して30年経っても、新たな国家目標を見付けられない状態が続いています。

目標喪失という状態は、日本国民から活力を奪うようになりました。子供や若者の意識にも影響をあたえ、21世紀になってからは、子供たちの学習意欲の低下や、若者の勤労意欲の低下が問題になりました。

【国家意識の喪失】

1977（昭和52）年以来、470名もの日本人が北朝鮮によって組織的に拉致されてきました。ところが、日本政府も国会もマスコミも、20年以上もの間、この問題の存在を無視してきました。この**日本人拉致問題**は、ようやく1997（平成9）年に社会問題化しましたが、今日でも解決されていません。国家が果たすべきもっとも基本的な使命は国民の生命と安全を守ることです。基本的な使命をなおざりにしてきた日本政府、国会、マスコミ、そして国民は、健全な**国家意識**を喪失してしまい、同じ日本国民の苦難に共感する力を失ってきているのではないでしょうか。

特に、一番国家意識をきちんと持つべき日本政府の国家意識の欠如には信じられないものがあります。2010（平成22）年9月7日、尖閣諸島沖で、中国の漁船が日本の海上保安庁の巡視船に故意に衝突させる事件が起きました。日本側は漁船の船長他乗組員十数人を逮捕し船長を勾留しましたが、結局、中国側の脅しに屈して、船長を釈放してしまいました。また、最近では、尖閣沖のわが国の排他的経済水域（EEZ）内に中国がブイを設置しても除去しようともしません。同じくEEZ内にブイを設置されたフィリピンがすぐに撤去した行為を見倣うべきです。

このままでは、日本国家は遅かれ早かれ、諸外国、特に中国に侵略されてしまう危険性があります。早急に、国家意識、**主権意識**を回復する必要があります。

【自虐史観】

国家意識の欠如は、「日本国憲法」を口実に自主防衛体制を構築してこなかったことに由来しますが、昭和20年代以来の**自虐史観**にも由来しています。私たち国民は、学校教育とマスコミによって、〈日本は中国や韓国を中心とするアジアを侵略しそれらの諸国に大きな被害を与えてきたから謝罪し続けなければならない〉という物語を教えられてきました。この自虐史観は、1980年代以降には病的なほどに肥大化し、「従軍慰安婦」という言葉が創られ、20万人の「従軍慰安婦」が強制連行され性奴隷にされたという嘘物語が日本人自身によって捏造されました。さらには、アイヌ先住民族説や沖縄先住民族説が捏造され、アイヌ先住民族説に至っては国の法律にまで書き込まれてしまいました。まるで、日本人は、自殺願望にとりつかれた人が手首を何度も切り続けるように、自己の歴史を真っ黒なものに作り変えることによって滅亡への道をひた走っています。

目標の喪失及び活力の低下も国家意識の喪失も、さらには少子化も、自虐史観が一番の根底にはあると言えます。早急に自虐史観を払拭しなければなりません。

◇◇

ミニ知識　瀋陽事件（国家意識喪失の例）

2002（平成14）年5月8日、北朝鮮からの亡命希望者5名が中国の瀋陽にある日本の総領事館にかけこんだ。この5名を追いかけて、中国の武装警官が日本総領事館に乱入し、5名を連れ去るという事件が起こった。領事館の中は我が国の領土と同じとされているため、総領事館への乱入は、明確に日本の主権侵害であり、国際法違反である。ところが、このとき日本の領事館員は、何の抵抗も行わず、ぼんやりと5名が連れ去られるのを見ていたと言われる。

これに対して、同年6月13日、北朝鮮からの亡命希望の父子が韓国大使館に逃げ込んだ。父子を追いかけ、中国の警察は父親を連行した。この時、韓国大使館員は、体を張って父子を守ろうとした。

単元6　文化の継承と創造

現代日本がかかえる問題を解決する手がかりとなる私たちの文化の伝統とは何か。

【文化の調和と融合】

文明が高度化し、グローバル化が進むなかで日本社会がかかえる課題を解決していく手掛かりは、意外と我が国の社会と文化の伝統の中にあります。

私たちの祖先は、神道の起源となった在来の**伝統文化**の上に、外来のさまざまな**異文化**を積極的に受け入れてきました。古代には仏教と儒教に代表される大陸文化に学び、近代以降はキリスト教を基礎としたヨーロッパとアメリカの文化に学んできました。そして、外来の文化を自己の文化と調和、融合させ、新しい独自の文化を育ててきました。卑近な例としては、日本に昔からあるご飯に、インド伝来のカレーソースをかけた料理であるカレーライスや、和菓子に使われる餡を西洋から伝わったパンにはさみこんだあんぱんがあります。ともに、自己の文化と外来文化を融合させた代表例です。

私たちの祖先は、外来のさまざまな文化を**寛容の心**を以て尊重し、それから学びながらも、決して自己の文化を見失わずにきました。今日、グローバル化によって日本の文化が動揺する危機の時代にあって、私たちの先輩の得た経験は大変大きな指針となります。

【社会の融和と連帯】

私たちの祖先は、国や社会などを形成し維持していくにあたって、国内、組織内の融和と連帯を重視し、組織を構成するメンバー一人ひとりを大事にする**和の精神**を大切にしてきました。近代においても、企業に代表される日本の社会組織は、メンバーを平等に大切にして一人ひとりの能力の開発をはかる一方で、先見性や指導力のある人物をリーダーに抜擢し、そのもとで一致協力することによって新しい状況に対応していくという組織文化をはぐくんできました。このような和の精神から、日本人は**合議の精神**、感謝と謙虚の精神を身に付けてきました。

【勤労と勤勉】

私たちの祖先は一貫して、勤労、勤勉をよいことと考え、大切にしてきました。それによって得られる利益とは関係なく、働き、努力をすること、世の中の人々に貢献すること自体に喜びと価値をみいだしてきたのです。この精神のあり方が、自分自身で納得できる良質のものをつくりだし、それを社会に提供しようとする**「ものづくり」**の文化伝統を生み支えてきました。そして道を極める心、職業や**仕事に対する忠誠心**をはぐくんできました。

その象徴として、大阪の金剛組という神社やお寺の建築を専門にする建築会社があります。金剛組は、578年に創業されて以来、1400年以上も継続してきた世界一古い企業です。金剛組だけではなく、わが国には製造業を中心にして、200年以上続く老舗企業が他国と比較してずば抜けて多くあります。この背景には、勤労・勤勉の精神とともに和の精神も関係しています。

【自然との共存】

日本では、八百万の神々と言われるように、極めて多数の神々がおられます。自然神、文化・芸能の神、産業や職業の神、そして人間でも菅原道真などの偉人を神としてお祀りすることもしてきました。

この**八百万の神々の精神**から、私たちの祖先は、**自然との共存**を大切にし、簡素な生活を尊んできました。日本人は、自然と人間を対立させてとらえず、自然を征服するのではなく、山川草木などの自然をわが同胞ととらえる考え方を維持してきました。記紀の国生み神話を見ても、淡路島から順に生まれていった本州、四国、九州といった日本の島々は、皇室の祖先や国民の祖先と同じきょうだいとして描かれています。今日、国際社会における地球環境問題への取り組みにおいて参考になるのが、自然と共存してきたわが国の祖先の生活スタイルです。

【自然と共存する江戸時代の知恵】

自然との共存を重視する考え方から、江戸時代には、人糞と馬糞、古くなったわら草履、台所の生ゴミなどは捨てられるのではなく、全て肥料として用いられました。かまどで燃やした灰も肥料として用いられ、灰を買い集める職業の人もいました。すき返して再生紙として使えるようにするために紙屑を集める屑屋、川底やゴミ捨て場に落ちている金属類を集めるよなげ屋、古くなった傘を張り替えて売る古骨買《ふるほねか》い、蝋燭《ろうそく》のしずくを買い集めて再生する職業までありました。つまり、江戸時代には、徹底した**循環型社会**（リサイクル社会）が成立していたのです。

もっと知りたい　幕末から明治にかけての日本人の生き方

私たちの日本社会はいろいろな課題をかかえている。これらを解決する手がかりは、日本の社会と文化の伝統の中にあるのではないか。

幕末から明治にかけて日本を訪れた外国人は、日本人のマナーの良さやモラルの高さに感銘を受けた。外国人が著した本には、例えば次のようなことが書かれている。

礼儀正しさ

幕末から明治初めにかけて横浜で英字新聞を発行していた、イギリスのジョン・ブラックは、日本人の礼儀正しさについて次のように記した。

「一民族として、日本人はみな柔和で、礼儀正しく、かなりの独立心を持っている。（中略）通りがかりに休もうとする外国人はほとんど例外なく歓待され『おはよう』という気持ちのよい挨拶を受けた。この挨拶は、道で会う人、野良で働く人、あるいは村民からたえず受けるものだった」（『ヤング・ジャパン』1）。

無償の親切、仕事への忠誠心

1878（明治11）年に日本の隅々まで旅行したイギリス人旅行作家イザベラ・バードも、雇った馬子（馬で人や荷物を運ぶ職業）の親切を記している。

「ついきのうも革ひもが一本なくなり、もう日は暮れていたにもかかわらず、馬子は一里引き返して革ひもを探してくれたうえ、わたしが渡したかった何銭かを、旅の終わりにはなにもかも無事な状態で引き渡すのが自分の責任だからと、受け取ろうとはしませんでした」（『イザベラ・バードの日本紀行』上）。

譲り合いの精神

1877（明治10）年に来日し、東京大学動物学教授を勤めたアメリカ人エドワード・モースは、日本人の行儀の良さ、穏やかさに感嘆し、人力車夫について次のように記した。

「大学を出て来た時、私は人力車夫が四人いる所に歩みよった。私は米国の辻馬車屋がするように、彼らもまた揃って私の方に駆けつけるかなと思っていたが、事実はそれに反し、一人がしゃがんで長さの異なった麦藁を四本ひろい、そして籤《くじ》を抽くのであった。運のいい一人が私をのせて停車場へ行くようになっても、他の三人は何らいやな感情を示さなかった。汽車に間に合うために、大いに急がねばならなかったので、途中、私の人力車の車輪が前に行く人力車のこしきにぶつかった。車夫たちはお互いに邪魔したことを微笑で詫びあっただけで走り続けた。私は即刻この行為と、わが国でこのような場合に必ず起る罵詈雑言とを比較した」（『日本その日その日』1）。

簡素で豊かな生活

長崎海軍伝習所の教官であったヴィレム・カッテンディーケは、次のように、幕末日本の民衆について描写している。

「民衆はこの制度の下に大いに栄え、すこぶる幸福に暮らしているようである。日本人の欲望は単純で、贅沢といえばただ着物に金をかけるくらいが関の山である。（中略）上流家庭の食事とても、至って簡素であるから、貧乏人だとて富貴の人々とさほど違った食事をしている訳ではない」（『長崎海軍伝習所の日々』）。

「日本人が他の東洋諸民族と異なる特性の一つは、奢侈贅沢《しゃしぜいたく》に執着心を持たないことであって、非常に高貴な人々の館ですら、簡素、単純きわまるものである。すなわち大広間にも備え付けの椅子、机、書棚などの備品が一つもない」（同）。

このように、江戸時代の民衆は、欲望を持ちすぎず、簡素で豊かな、そして幸福な生活をしていたのである。

もっと知りたい　日本人の精神

日本の伝統である「勤労・勤勉の精神」や「誠実さと利他の精神」は、歴史上いろいろな場面で発揮されてきた。日本人の精神は、今日の私たちにも受け継がれ、発揮されている。

ウズベキスタンの日本人

【日本人抑留者】

中央アジアのウズベキスタンの首都タシケント市に繊細な彫刻に彩られたビザンチン様式の美しい「国立ナボイ劇場」がある。１９４７年建造、収容観客数１４００人、舞台面積５４０㎡を誇る国民自慢の大劇場だ。実は、この劇場は日本人がつくったのである。

大東亜戦争（太平洋戦争）が終わると、ソ連はポツダム宣言に違反して、65万人を超える日本人捕虜を連行した。シベリア抑留である。鉄道、道路、水力発電所、炭鉱の建設や森林伐採、農場開拓など莫大な費用がかかるインフラ整備のために強制労働をさせられた。ソ連は日本人抑留者にろくな食事も与えず、情け容赦なく酷使した。このうち6万人が亡くなったことを思えば、どれだけひどい環境であったかわかるだろう。

当時、ソ連の一部だったウズベキスタンには13の収容所が設けられ、約2万5千人の日本人が分散されて収容された。慣れない気候と過酷な生活によって、栄養失調や病気、事故などで８１３人もの日本人が亡くなっている。しかし、こんな環境にあっても彼らは決して手抜きをせず、まじめに仕事に取り組んだのだ。

ウズベキスタンのお年寄りたちは当時を振り返って、「あの過酷な状況で、日本人たちは捕虜なのにどうしてあんなに熱心に、丁寧な仕事をするのか」と不思議がった。そして、日本人のことを次のようにいっている。「日本人の捕虜は正々堂々としていた。彼らは戦いに敗れてもサムライの精神をもっていた」。さらに、住民から食料の差し入れがあると、差し入れが置かれていた場所に木製の手作りの玩具が必ず置かれていた。受けた恩に誠実に報いようとするその道徳的な態度に、ウズベキスタンの住民たちは大きく感動し、日本人に対して次第に尊敬の念をもつようになっていった。

【タシケント大地震】

冒頭のナボイ劇場を建設したのは約500人の日本人捕虜だった。彼らはわずか2年で大劇場を完成させたのである。

1966年4月26日、タシケント市を大地震が襲った。約8万棟もの建造物が瓦礫の山になるなかで、ナボイ劇場は何事もなかったように凛として建ち続けていたのだ。住民は一様に日本人の技術力の高さに驚愕し、悠然と建つナボイ劇場を日本人への畏敬の念をもって見上げていたという。

【「日本人のように」】

1991年、ソ連の崩壊でウズベキスタンは独立した。その5年後、カリモフ大統領はナボイ劇場に、日本人抑留者の功績を記したプレートを新設した。実は、かつて設置されていた古いプレートには、ウズベク語とロシア語、英語で「日本人捕虜が建てた」と書かれていた。しかし、作り変えられたプレートには、ウズベク語、日本語、英語、ロシア語の順で次のように書かれている。「1945年から46年にかけて、極東から強制移送された数百名の日本国民が、ナボイ劇場の建設に貢献した」。

カリモフ大統領は「ウズベクは日本と戦争をしていないし、日本人を捕虜にしたこともない」と主張し、シルクロードに伝説を刻んだ男たちに「捕虜」という言葉を使うのはふさわしくないと判断したのだという。

ウズベキスタンでは、日本人が造った道路や工場の多くが現在も使用されている。今でもウズベク人の母親は「日本人のようになりなさい」と子供に教えている。

サッカー・ワールドカップの日本人

2018年6月に開催されたサッカーのワールドカップロシア大会で、英国BBC放送が「日本のファンが模範を示した」として、日本人サポーターのゴミ拾いを「日本発の文化」として紹介した。

試合終了後に観客席を掃除する日本人ファンの写真や動画がソーシャルメディアで広がり、コロンビアやセネガル、ウルグアイなどのサポーターにも、清掃活動が波及したのだ。世界各国のメディアは「ゴミ袋を持ったマナーの良いフットボールファンほど良いものはない」と絶賛している。

海外のサッカースタジアムは汚れている観客席が多い。なぜなら、ファンにとって観客席は不満をぶつける場所であって、そこではゴミを撒《ま》いたり、イスを蹴り飛ばしたりするからだ。

勝敗にかかわらず、試合後に清掃してから帰宅する日本人サポーターの姿は、これまでもオリンピックなどの国際大会で話題になってきた。今大会も選手が全力で戦う試合会場を神聖なものとみなし、汚すまいとする日本の美徳が脚光を浴びた。

勤勉、責任感、誠実、利他の精神など、日本人の良い精神が、世界の人々の心をとらえるようになっている。

第1章　家族、地域社会、国家

私たちは、家族や学校などの小さな社会に、
そして地域社会や国家という大きな社会に暮らしている。
それらの社会の仕組みは、どのようになっているだろうか。

第1節　家族の中で育つ私たち

人間が社会的存在であることを理解したうえで、家族について学んでいこう。

単元1　共同社会と利益社会

社会の二つのタイプである共同社会と利益社会の特徴を理解しよう。

【さまざまな社会集団】

私たちは、**家族**のなかで生まれ育ちます。6、7歳以降になると、**学校**も生活の舞台となります。学校を卒業して企業などに就職すると、その職場の一員となります。また私たちは、趣味やスポーツなどのクラブや、ボランティア活動を行う組織などに所属したりします。これらの社会集団の中で協力し合っていかなければ、私たちは生きていけません。ですから、人間は社会的存在であるといわれます。

【共同社会と利益社会】

社会集団は**共同社会**と**利益社会**の二つに分類することができます。共同社会とは血のつながった人々の集まりや、同じ村や町に暮らしてきた人々の結びつきによって自然に生まれた生活のための集団であり、特定の目的のためにつくられた集団ではありません。ですから、その存続自体が目的だともいえます。家族や地域社会は、共同社会の典型です。

共同社会は大災害などによって滅亡しない限り、存続していきます。共同社会への加入は個々人の自由意思によってではなく、そこに生まれたことによって、自然になされます。個々人は、所属する共同社会のために、全人格、全生活をかけることがあります。例えば、自分の子供が危険にさらされれば、命がけで守ろうとすることが共同社会では起こります。若者も、大人も、お年寄りもその共同社会のなかで、助け合い、支え合い、教え合い、生活しています。子供はその中で、いろいろなことを学びながら、育っていきます。国家は、基本的には、広い地域的な結びつきによって自然発生した共同社会としてとらえることができます。

一方、利益社会とは、個々人が特定の目的を実現するために集まり、目的やルールについて合意し、場合によっては明確な契約をとりかわすことによって人為的につくられた集団です。利益を追求する企業や、楽しみを追求するクラブなどがその典型です。利益社会への加入は個々人の自由意思によってなされます。そのメンバーが、合意すればいつでも解散することができます。ただし、本来利益社会である学校や学級、さらには企業でも、同じ空間を共有する中で精神的連帯が生まれ、共同社会の性質をもつことがしばしば起こります。逆に、本来共同社会である国家は、特に経済面では国民が競い合いながら豊かな社会を築き上げていく場でもありますから、利益社会の性質も持っていることになります。

【決まりの意義】

共同社会であれ、利益社会であれ、社会集団には、**決まり**（ルール）があります。決まりが失われると、集団生活そのものが成り立ちません。家族や友達の決まり事、学校の規則、社会の慣習や道徳、マナー、法などの決まりは、社会の秩序を維持するためにあります。

決まりを守ることは、他者の権利を守ることだけにとどまらず、自分の自由を守ることにもつながります。決まりが成立しない社会では、弱い立場にある人の主張は押さえ込まれて力の強い者しか自由を行使できなくなります。決まりを守ることによって、初めて一人ひとりが自由でありながら共存できるのです。社会の決まりを尊重し、自分の利益だけではなく、公共の利益も合わせて考えられる人を「自立した個人」といいます。

単元2　家族の役割と形態の変化

いちばん身近な社会集団である家族とは何だろうか、考えてみよう。

【家族の役割】

家族は男性と女性の愛と尊敬から始まります。そこで生まれた子供は、とても無力な状態にあり、肉体的かつ精神的に一人前になるまで親の長期間にわたる世話を必要とします。家族は、社会集団のなかで最も小さな単位の共同社会であり、家族の一人ひとりはまず何よりも、たがいに信じ合い、愛し合い、助け合い、教え合い、研鑽し合い、励まし合うことにより、家族の絆を強くしていきます。また家族は休息や心のやすらぎを得る場であり、家族の団らんは大切です。親は、子供に言葉を身につけさせ、人格をはぐくんでいきます。子供や孫に慣習と文化を伝え、社会生活のルールやマナーをしつけるという役割をになっています。

家族の生活の基本は、**家計**の維持や**育児・家事**です。将来への備えや看護・介護においても、お互いに協力して助け合わなければなりません。家族の一人ひとりは、それぞれの役割を果たし、個人と社会とを結びつけることによって、家族を安定した社会や国家を築くための基礎とします。

【家族の変化】

戦後の経済成長とともに、家族の形態も大きく変わりました。昔は祖父母、父母、子供までの3世代がともに暮らす**大家族**が一般的にみられましたが、今は「夫婦のみ」「夫婦と子供」「一人親と子供」で構成される**核家族**世帯が増加し、三世代同居世帯の割合は低下しています。近年は、一人暮らしの単独世帯が増加してきています。

【家族と個人】

家族の決まりは「家族生活における個人の尊厳と両性の本質的平等」を規定した憲法第24条とともに、**民法**という法律に詳しく定められています。憲法と民法の基本的な考え方は、家族の一人ひとりを個人として尊重し、法のもとで平等に扱うということです。家族は個人から構成されていますが、個人はまた家族の存在を前提として成り立っています。衣食住などの共同生活を通して、思いやりや協力、責任感、一体感などを個人のなかに育てていきます。

現在の自分と友人や隣人との関係は「横のつながり」ととらえられます。これに対して、家族は、祖父母から父母、そして自分へとつながり、未来の自分の子供へと続く「縦のつながり」ととらえられます。

昔から日本人は祖先を敬い、家族を重んじ、そして地域や社会を尊ぶ伝統を継承してきました。この伝統は自分たちのみならず、子孫のためによりよい社会を築き、国を守り、文化を伝承しようとする努力ともなります。家族は現在の私たちの生活の場としてだけではなく、過去から未来に流れる時間のなかで人々がつながっていく場としてもとらえる必要があります。

ミニ知識　**ポルトマンの生理的早産説**

牛や馬など通常1匹だけで生まれる動物は、生まれてすぐに歩いたり走ったりできる。人間は、無力な状態で生まれ、1年ぐらいしてやっと歩くことができるようになるので、牛や馬と比べると1年ほど早く生まれてくるようにみえる。この現象をポルトマン（１８９７〜１９８２）は「生理的早産」とよんだ。人間は社会的に自立するまで成長期間が長く、その間、教育を受けて育つ動物である。したがって、人間は明確に「大人」と「子供」に分けられている。

単元3　民法と家族

家族の仕組みは法律でどのように定められているだろうか。また、今の家族の状況はどうなっているだろうか。

【民法と家族】

親は子供を愛しいと思い、子供は親から愛されていると感じて、その親と子供が協力して生活を営む共同生活が家族です。

家族の規定は民法で決められています。**民法**は、親が未成年の子供を監護し、教育する権限（**親権**）をもち、その義務を負うことを定めています（民法第８２０条）。監護とは子供の身体を監督・保護することであり、教育とは子供の人格の完成をはかることです。親権者は子供の監護・教育のために住居を指定して、その場所で生活させる権利があります（居所指定権）。また、子供は親権者の許可がなくては職業に就くことができません（**職業許可権**）。未成年者は、法律上、自分の財産を管理する能力を欠いているので、子供の財産は、親権者が管理し、運用することになっています（財産管理権）。

そして民法の規定にはありませんが、監護・教育のために必要と思われる範囲内で叱ったり、罰をあたえたりすることができます（**懲戒権**）。ただし、罰をあたえられるといっても、親が体罰などを行うことは許されません。民法第８２１条は「親権を行う者は、前条の規定による監護及び教育をするに当たっては、子の人格を尊重するとともに、その年齢及び発達の程度に配慮しなければならず、かつ、体罰その他の子の心身の健全な発達に有害な影響を及ぼす言動をしてはならない」と規定しています。

未成年の子供は、このように親の親権に服さなければなりません。一方、親も義務として必ず子供の監護・教育をしなければなりません。これらの規定は、厳しいようですが、親が子供を一人前の社会人に成長するまで保護するために存在します。子供の尊厳を認め、子供の利益になるように、定められているのです。

【家族間の協力】

ほとんどの日本人が農業に従事していた明治以前の日本では、家庭は農産物を生産する場でもあり、夫婦はともに働いていました。わが国に都市型文化が広く普及した大正時代、育児や家事に専念する専業主婦が女性の一つの理想となりました。戦後、日本経済の黄金時代だった１９６０〜80年代に、専業主婦の割合は最も多くなり、家庭を預かる主婦という一つの理想像が実現しました。しかし、近年は価値観が多様化し、より豊かな収入と生きがいを求めて、職業をもつ女性が増えています。

また、昔の親は大家族や地域社会のお年寄りに子育てを教えてもらい、助けてもらうことができましたが、現代では子育てを助けてくれる人が周囲にいない場合が多く、子育ての知恵も受け継がれにくくなっております。したがって、**男女共同参画社会**の考え方に従い、家庭内において夫婦がともに子育てや教育に協力し合って取り組むことが求められています。

家族の大切さは単純な損得では計算できません。計算をこえた、たがいの理解、愛情と協力によって、豊かな家庭生活は維持されます。社会の基礎を形成する家族の絆が弱くなると、社会が不安定になるおそれがあります。それゆえ、各々が家族を維持しようと努力することが大切です。情報化やグローバル化が進展しても、安定した暖かい家族の重要性は変わることはありません。

もっと知りたい　親の懲戒権削除について

2022（令和4）年、民法第822条の懲戒権の規定が削除された。なぜ、懲戒権が削除されたのだろうか。このことは今後の日本社会にどういう影響を与えるだろうか。

【国民に知らせぬまま親の懲戒権が削除された】

2022（令和4）年当時、民法には次のように親の懲戒権の規定があった。

第822条　親権を行う者は、第八百二十条の規定による監護及び教育に必要な範囲内でその子を懲戒することができる。

しかし、この年の2月、法制審議会の親子法制部会で懲戒権を規定した民法第822条の削除が決定した。そして、10月14日、懲戒権削除の民法改正案が閣議決定され、即日国会に送付された。同年12月10日、臨時国会の最終日に民法改正案が通ったが、衆参両院の法務委員会でもほとんど議論されないままだった。

この間、新聞もテレビもネットニュースも、親の懲戒権削除について、ほとんど報道しなかった。本来、家族の姿、社会の姿を根本的に変えてしまうかもしれない改正だから、国民的議論が必要であったはずである。しかし、国民の間の議論を封ずるために、新聞もテレビも、ネットニュースさえもほとんど報道しなかった。ほとんどの国民は、懲戒権削除の事実を知らないのではないか。

【懲戒権の文言は削除するが親の懲戒権は存在する】

しかし、懲戒権規定の削除とは何を意味するのか。そもそも懲戒権とは何だろうか。親は当然**しつけ**を行うことができる。しつけは、**懲戒**とそれ以外の二種類に分けることができる。懲戒とは問題行動を子供が起こした際の制裁・懲罰のことである。懲戒権が削除されても、親は懲戒とそれ以外のしつけを行い続けることができる。国会審議録を読むと、国側は繰り返し、親は今回の改正によってもしつけ全体をできるのだと言っている。つまり、懲戒権の文言は削除するが、懲戒権は廃止されないということである。

例えば、２０２２（令和４）年11月1日衆議院本会議で、永岡桂子文科大臣は、「懲戒権の規定は、……しつけのうち、子に問題行動等があった場面について特に規定を置いたものであり、……今般の改正で当該規定を削除しても、引き続き、……親権者が適切なしつけを行うことはできるものと承知をしております」と述べた。それゆえ、規定がなくなっても、懲戒権というものは廃止されておらず肯定されているのである。だからこそ、国側は、常に「懲戒権廃止」とは言わず、「懲戒権削除」といい続けてきたわけである。

それならば、なぜ改正するのか、なぜ「懲戒」という言葉を削除するのか、という疑問が出てくる。国側は言う。親による虐待は許さないのだというメッセージを発信するためだと繰り返し言っている。

こういうふうに国の見解を整理してみると、いくつも疑問が出てくる。虐待阻止のメッセージの発信が改正目的ならば、体罰禁止だけで十分ではないか。メッセージ発信が目的ならば、そもそも法改正ではなく、政府による広報でやるべきではないか。関連して、メッセージ発信が目的ならば、なぜ、新聞でもテレビでもネットニュースでも、大きく報道し続けないのか。日本の国家も社会も、本当に理の通らないことを行うものである。

逆に言えば、懲戒権が存在するのであれば、なぜ、そのことを明記しないのか、ちゃんと懲戒権を明記した規定があったにもかかわらず、なぜその規定を削除してしまうのか。本当に訳の分からないこと、矛盾することを、国民に黙って国は行ったのである。

【ショック・ドクトリン】

では、なぜ、こんな変なことが起こるのか。それは、直接には２０１９（平成31）年1月に発生した野田小4女児虐待事件の報道が、大きなショックを社会に与えたからであろう。この事件がきっかけになって、〈子供の虐待死は増加してきている、虐待を防ぐために体罰を禁止しよう。それだけでは足りない。懲戒権を削除しよう〉という社会的雰囲気がなんとなく作りあげられた。その後は一瀉千里《いっしゃせんり》である。

その社会的雰囲気に乗って、家庭教育における**体罰**の是非について何の議論も行われないまま、２０１９（令和元）年６月19日、児童虐待の防止等に関する法律と児童福祉法などが改正され、親を初めとした保護者と児童相談所などによる児童（18歳未満）に対する体罰が禁止されることになった。また同時に、親権者の懲戒権を規定した民法第８２２条の規定を見直すことが決定されるやすぐに法制審議会に諮問された。この時点で既に3年後の２０２２年に正式に懲戒権を削除する方向が確認されていたのである。つまり、社会的危機に乗じて（あるいは社会的危機を演出して）、親の懲戒権が削除されてしまったといえよう。ショック・ドクトリンの政策手法がとられたのである。

【親による虐待死は減少していた】

しかし、「虐待」は確かに増加したと言えるのかもしれないが、虐待死が増加してきたというのは、事実に反する。「虐待死」が１００名を超えたのは２００６（平成18）年度から２００８年度の3年間だけである。その後減ってきており、２０１３年度で69名と大きく減少し、その後ほぼ70名台が続き、２０２０（令和２）年度では77名となっている（厚労省「子ども虐待による死亡事例等の検証結果等について（第18次報告）」）。マスコミは、親による虐待死が増加してきたという嘘を流し続けたわけである。

さらに言えば、児童虐待の第一原因は、最近20数年間にわたる日本における貧困の拡大にある。それゆえ、何よりもすべき「虐待死」対策、「虐待」対策は、日本経済の立て直しである。この経済再建を、日本政府はまるでやる気がない。緊縮財政で日本経済を駄目にしてきた結果が、「虐待」の増加であり、悲惨な「虐待死」の発生である。

それゆえ、日本の経済成長こそが第一の虐待・虐待死防止策ではないか。親の懲戒権は、政府の経済無策を覆い隠すためにスケープゴートにされたのである。

【子供が親から奪われる事例が増加していく】

懲戒権削除は、これからどんな影響を日本社会に与えていくだろうか。いくら国側が懲戒権は存在すると回答しても、懲戒権の文言が削除された意味は大きい。既に、厚労省は「心理的虐待」という概念をこしらえている。懲戒権削除は、文句なくこの概念を拡大していくだろうし、この概念からすれば、ちょっとした有形力の行使どころか、厳しい叱責も「心理的虐待」ととらえられ、家庭から子供が連れ去られる事例が増えていく危険性は極めて高くなったといえよう。子供が家庭から切り離されていく事例は、これからずいぶん増えていくのではないか。そうなれば、家族は公的機関によって破壊され、子供の基本的人権が大きく侵害されることになろう（虐待が本当にあった場合でも、その虐待する親からの切り離し自体が、しばしば公的機関による児童虐待の意味を持つ）。

また、もともとあった懲戒権の文言が削除されたのだから、懲戒権は廃止されたのだという学説を立てる人は出てくるし、この学説は一応成立する。懲戒権は廃止されたのだという学説が広がっていけば、自然権ともいうべき親の教育権が否定される効果をもたらす。教育権は懲戒権と切り離して成立するか疑問である。教育権は懲戒権の補助を受けて成立すると考えるからこそ、現行法も教師の懲戒権を認めている。それゆえ、家庭教育を守るために、〈国は懲戒権の存在を認めている〉〈民法改正で懲戒権が削除されても廃止されてはいない〉という事実を広げていく必要があろう。

【懲戒権削除の狙いは家族機能の社会化→民営化か】

しかし、なぜ、懲戒権は必要だと認識しながら懲戒権の規定を削除するのだろうか。その動機とは何だろうか。もう一度言うが、親の懲戒権が廃止されたという学説が拡大していけば、親の教育権も家族も解体されていき、子供を社会の側が家庭から取り上げていくことが容易くなる。

また、この学説が広がらなくても、懲戒権削除によって、単なる叱責が「心理的虐待」とみなされ、子供が親から切り離される事態が格段に増えていくことになろう。そうなれば、子供を養育・教育するための産業（児童養護施設及び児童相談所その他）が不必要に拡大し、同時にそこに税金が投入され利権が拡大することになる。子供を親が育て教育する形であれば、産業は生まれないし、儲けは生まれない。しかし、子供を家庭から取り上げれば、そこに産業も儲けも発生するのである。

つまり、図式化すれば、家族機能の社会化→民営化による利権の拡大ということである。家族機能の社会化というのは共産主義者の思想と一致するものだし、家族機能の民営化というのはグローバリストの思想と一致するものである。共産主義と資本主義の合致である。結局、この問題について、グローバリストと共産主義者の考えは一致しているのである。日本の政党は、ほとんどがグローバリズムと共産主義思想に染まっている。だからこそ、親の懲戒権が必要だと認めながらも、懲戒権の規定を削除したのであろう。

◇◇

ミニ知識　親の懲戒権削除は教育基本法や児童の権利条約に違反する

懲戒権の削除は、理念的に「教育の憲法」と言われてきた教育基本法などの法令に違反する。まず、国際人権規約（B規約）をみると、第23条第1項の規定がある。

第23条第1項　家族は、社会の自然かつ基礎的な単位であり、社会及び国による保護を受ける権利（傍線部は引用者、以下同じ）を有する。

国際人権規約（B規約）が規定するように、家族は自然的な存在であり、親の子供に対する教育権は自然権的なものといえる。それゆえ、教育基本法も次のように規定する。

教育基本法第10条　父母その他の保護者は、子の教育について第一義的責任を有するものであって、生活のために必要な習慣を身に付けさせるとともに、自立心を育成し、心身の調和のとれた発達を図るよう努めるものとする。

2　国及び地方公共団体は、家庭教育の自主性を尊重しつつ、保護者に対する学習の機会及び情報の提供その他の家庭教育を支援するために必要な施策を講ずるよう努めなければならない。

親の子供に対する教育権は自然権的なものであるから、親は子供の成長について、教育について最も責任を負うべき存在である。だからこそ、教育基本法は、「父母その他の保護者は、子の教育について第一義的責任を有するものであって」と規定しているのである。

児童の権利に関する条約にも、次のように親の第一義的責任が謳われている。

第18条第1項　締約国は、児童の養育及び発達について父母が共同の責任を有するという原則についての認識を確保するために最善の努力を払う。父母又は場合により法定保護者は、児童の養育及び発達についての第一義的な責任を有する。児童の最善の利益は、これらの者の基本的な関心事項となるものとする。

このように、第一義的な責任を持つ父母等には、国家社会からの一定の自立性が認められる。特に子供の教育に関して認められる。だからこそ、教育基本法第10条に戻れば、「家庭教育の自主性を尊重しつつ」と規定されているのである。親の第一義的責任ということ、家庭教育の自主性ということ、これら二点のことに注目しておきたい。

さて、教育というものは、一定の強制を伴うものであり、そのことは家庭でも学校でも変わりない。まして、教師ではなく親が子供の教育に一義的責任をもつならば、且つ家庭教育の自主性を尊重するならば、当然に、親の懲戒権を認めるべきである。学校教育についても、学校教育法第11条は「校長及び教員は、教育上必要があると認めるときは、文部科学大臣の定めるところにより、児童、生徒及び学生に懲戒を加えることができる」として教師の懲戒権を認めている。というふうに考えてみれば、親の懲戒権削除は教育基本法と児童の権利条約に違反していると言わねばならない。

さらに言うならば、親の懲戒権削除は徐々に家庭教育を成り立たせなくさせていくだろうし、ひいては家族の解体を結果するだろう。それゆえ、懲戒権削除は、家族が「社会及び国による保護を受ける権利」を有することを定めた国際人権規約（B規約）第23条第1項と、家庭教育に対する支援を定めた教育基本法第10条第2項に違反することを指摘しておこう。

第2節　地域社会と国家

私たちは、地域社会や国家とどのように関わっていけばよいだろうか。

単元4　私たちと地域社会

私たちは、地域社会とどのようにかかわって生きていけばよいだろうか。

【地域社会の変化】

長く農耕社会だったわが国は、**地域社会**を大切に守り育ててきました。しかし、今や**職住分離**（職場と住居が離れていること）が進み、大多数の人が近郊の住宅地から都市中心部の会社に通勤しています。交通や通信手段の発達により、個人は地域とかかわらなくても生活できるようになりました。その結果、住民は日常の地域活動に参加する機会が少なくなり、地域の一員としての意識が弱まりがちになりました。

しかし、人々のつながりを失った地域社会は、単なる住宅の集合でしかありません。住民同士の助け合いや協力が困難になるだけでなく、公衆道徳を重んじる公徳心が失われ、地域生活のマナーやルールが守られなくなるおそれも生じます。地域の秩序や治安が不安定になれば、生活の安心が失われ、個人の自由や権利は制約を受けることになりかねません。

【地域社会の大切さ】

農山村部では若者たちが故郷を出ていき、都市部でも高齢化が進み、新しい住民が増えたことによって、祭りや盆踊りなどの伝統行事や共同作業の担い手が減り維持できない地域が多くなってきました。しかし、地域によっては、伝統行事を守り、復活させ、地域社会を維持する努力がされています。

私たちの周辺にはＰＴＡ、消防団、自主防災組織、自治会、地域パトロール、老人会などが活動しています。また、少子高齢社会をむかえて、子育てや介護などを地域で助け合う活動、生涯学習の講習会やサークル活動なども多くあります。

阪神・淡路大震災や東日本大震災などの大規模災害では、自治会などを基盤にした地域住民同士の助け合いが大きな力を発揮してきました。国や日本社会からの救援活動が本格化する前に、被災地域の人々が協力して多くの住民の生命を救助したりするなどの活動をしてきました。災害が多いわが国では、まして南海トラフ巨大地震や首都直下型大地震が確実に到来すると言われるわが国では、とりわけ地域社会の働きが重要であると言えます。

【地域社会と公共の精神】

産業社会の高度な発展に加え、国際化が進み、人間の行動範囲は飛躍的に拡大しましたが、人間関係はうすくなりました。だからこそ、学校や職場、社会活動を通して他の人との結びつきの大切さが再認識されるようになっています。住みよい**地域コミュニティ**（歴史を共有し、慣習や文化を伝えていく共同社会をコミュニティと言う）が存続するためには、住民の自主的な努力が欠かせません。各個人が地域の一員であるという自覚をもつことが大切です。

個人や家族は単独で生活しているわけではありません。個人や家族の生活は地域社会とともにあり、地域の人の支えがあって初めて成り立つことを理解しなければなりません。そのためには、**公共の精神**が必要です。公共の精神とは、自分の利益や権利だけでなく、国家や社会全体の利益と幸福を考えて行動しようとする精神のことを指します。個人として自由に生きる側面とは別に、公共の精神の持ち主としての観点から見た人間を**公民**といいます。公民と個人のバランスがとれた人が、地域社会の発展に貢献できる人です。それを養うための社会的学習は、学校のなかだけで行われるものではありません。家族の話し合いや地域活動への参加も、学習のよい機会になります。

単元5　家族愛・愛郷心から愛国心へ

愛国心とは何だろうか。また、私たちの生活と愛国心はどのような関係にあるのだろうか。

【愛郷心から愛国心へ】

国民にとって最も大きな社会である**国家**は、共同社会の性質をもっています。自分が生まれ育った祖国を大切に思う心を**愛国心**といいます。オリンピックで日本の選手が活躍したときなどうれしくなるのは、愛国心の自然な表れといえるでしょう。

自分を愛する気持ち（**自己愛**）を、家族や友人も同じようにもっていると気がついたとき、自己愛は他者への愛に広がります。さらに地域社会、郷土、美しい自然環境などの公的なものへと拡大して、愛国心は形成されていきます。故郷をいとおしく思う**愛郷心**（郷土愛）、そして愛国心は自然な感情として芽ばえ、育っていくものです。

経済的および社会的地位、人種や信条などの違いがあっても、同じ国家に属するという共通の意識から、国民は一体感をもつことができます。そして、先人が懸命に伝えてきた伝統・文化や連綿と続く歴史に対する理解が深まると、国家や社会の発展に努力していこうとする気持ちが自然と養われていきます。

【愛国心と国際社会】

世界のどの国も、国民は祖国を大切に思い、よりよい社会を実現するために努力してきました。自国を愛せない者は他国を尊重することはできない、といわれます。なぜなら、外国の人々も、私たちと同様に自分の国に深い愛着の感情をもっているということを理解して初めて、共感をもって他国を尊重できるからです。愛国心は他国に対する憎悪《ぞうお》や蔑視《べっし》と結びつくものではありません。愛国心は、**国際社会**の平和と発展に貢献しようとする精神の土台をなすものです。それゆえ、教育基本法第2条では「伝統と文化を尊重し、それらをはぐくんできた我が国と郷土を愛するとともに、他国を尊重し、国際社会の平和と発展に寄与する態度を養うこと」を教育の目標として設定しています。

【愛国心と社会】

国民の多くが自国を愛する心を失ってしまったら、社会が荒廃して国民生活の安全や自由・権利は保障されなくなり、国家が存続できなくなってしまうでしょう。ですから、１８０７年、ナポレオンの率いるフランス軍支配下にあったドイツでは、哲学者フィヒテは『ドイツ国民に告ぐ』と演説し、独立とともに愛国心を訴え、ドイツ国民をふるい立たせました。愛国心は国家の独立や繁栄と密接につながっているのです。

自分の国の文化と伝統、さらに歴史、国民、社会、自然環境などを大切にする気持ちが愛国心の基礎になります。そこから、その国に生まれ、育ったことを誇りに思う気持ちもわいてきます。そして社会をより良くしようとする気持ちが一人ひとりの心のなかで強くなります。それによってより良い社会をつくろうとする努力が生まれ、良い国になっていきます。

国を愛することはこれから生まれてくる子孫を守ることにもつながっていきます。私たちは、祖先の残したすぐれた伝統や文化を現代に継承しつつ、未来をみつめて次の世代に伝え、そして国家・社会のさらなる発展に貢献しなければなりません。

単元6　国家と私たち国民

私たち国民は、国家とどのように向き合えばよいのだろうか。

【臣民と公民】

第16代アメリカ大統領リンカーンの演説「国民に対する、国民による、国民のための統治（政治）」(government of the people, by the people, for the people) は、国家と国民の基本的関係を簡潔に述べた言葉として有名です。

まず、「国民に対する」とは、国家の統治が国民を対象とするものであり、国民は国家の統治に服従しなければならないということを表しています。国民は、国家の定めた法に従う義務があり、国家の費用を負担するために納税の義務があります。大日本帝国憲法では、「臣民」という言葉を天皇の統治に服する国民という意味で使っていますが、ここでいう「臣民」のことではありません。

次に、「国民による」とは、国民が**公共の精神**をもって国家の統治に参加することを表しています。国民は参政権をもち、議員など自分たちの代表を選挙で選ぶことができます。また、みずから議員や役人になって統治を行うことができます。このような、国家の統治に服従する立場の国民のことを、**臣民**と呼びます。このような、国家の統治あるいは政治に参加する立場の国民のことを**公民**といいます。

【受益者と私人】

また、「国民のための」とは、統治あるいは政治は国民の利益のためになされなければならない、ということです。国民は公共の福祉を享受し、自由と権利が侵されたとき、これを保障するよう国家に求めることができます。このように利益を受ける立場の国民のことを**受益者**といいます。受益者として、国民は自由と権利を守るために裁判を受ける権利をもち、また、社会保障など人間として生きていくために必要な援助を国家に求めることができます。

「国民のための」にはもう一つの意味があると考えることができます。少なくともアメリカや日本などの自由民主主義の国家では、国民には、国家のなかで、統治あるいは政治から自由な**私人**としての立場もあります。私人としての国民は、経済活動の自由や精神活動の自由などの自由権をもっており、自分で自分のことを決めて、他人にたよらないで生きることができます。そしてみずから判断し、みずから自分の行動を決めることができます。すなわち、政治から自由な**自主独立の立場**に立ちます。

【愛国心と独立心】

以上、国家との関係において国民は、臣民、公民、受益者、私人と4つの立場に立ちます。わが国のような自由民主主義の国家では、公民と私人（自主独立の立場の国民）という二つの立場が重要です。公民としての立場は愛国心をとりわけ強く求められます。公民として国家の政治に参加するためには、自分のことのように国家のことを考えることができるように、愛国心を身につける必要があるからです。愛国心を身につけるには、個人は私人として自立し自主独立の立場を確立していなければなりません。独立して初めて個人は、強い愛国心をもつことができるのです。私人という立場を尊重する点が、全体主義と異なるところです。もしも国民が自主独立の立場に立てなければ、人々は自由を奪われ、社会の活力も失われ、世界有数の自由民主主義の国であるわが国が、全体主義国家になる危険性も生じてくるでしょう。

ミニ知識　公民の意義

国民が、自分の利益や権利の追求をこえて、公共の精神をもって国家や社会に向き合うとき、これを広義に公民という。例えば「中学校社会科公民的分野」というときの「公民」はこの広義の公民をいう。狭義の公民は、国家の政治に参加する立場の国民をいい、広義の公民の基礎の上に成り立っている。そのいずれの場合でも、公民としては政治・経済・社会の基礎知識が必要である。

ミニ知識　私人の立場を強調した福澤諭吉

明治の思想家であり教育者であった福澤諭吉は、『学問のすすめ』のなかで「一身独立して一国独立する」と説いている。そして〈国家の独立の根本は人々の独立である。人々の独立の根本は、経済的独立であり、精神的独立である。独立の気力がない人は、国を思う愛国心が弱くなるし、外国人と接したときも、こちらの道理をきちんと主張できない。また、独立の気力がない人は、人に依頼しようとするので、強い者にすり寄って利益を得ようとして悪事をなすこともある〉と述べている。

福澤が最も重視したのは、国民の４つの立場のなかで、私人という立場であり、私人としての独立心だったのである。

第2章　立憲国家と国民

国家という共同社会は、
どのようにして立憲的民主政治にたどりついたのであろうか。
日本の場合は、
どのような道のりを経て立憲的民主国家になったのであろうか。

第1節　世界の立憲的民主政治

国家の成立について見たうえで、世界ではどのようにして立憲的民主政治が生まれたのか、見ていこう。

単元1　国家の成立とその役割

国家はなぜ生まれたのであろうか。国家が果たさなければならない本来の役割について考えてみよう。

【国家の成立】

国家は**農業**とともに生まれました。農業では、開墾、治水など大規模な土木工事が必要です。そこでは、それまでの小さな単位の地域社会をはるかにこえた大きな地域全体の人間が協力して働くようになります。その結果、食糧生産が増大すると、外部の狩猟民、遊牧民や他の農耕民などが奪いにくる場合があります。そうすると指導者（王）のもと、利害の共通する地域全体で軍事組織をつくって防衛する必要が出てきます。城壁もつくらなければなりません。こうして、防衛と共同の工事の必要から、大きな地域全体が一つの生活体となり、共同社会にまとめられていき、やがて国家へと成長します。

古代の人々は宗教と密接にかかわって生活していました。穀物を保管する貯蔵庫に隣接して神殿がつくられ、神官が穀物の豊かな実りを神に祈りました。国家がさらに発展すると、文字が発明されます。文字によって記録を作成・保管し、国家を運営する役人（官僚）が生まれます。

外敵からの防衛に失敗すれば、国家は滅びてしまいます。ですから、王は強力な軍事指導者でなければなりません。同時に、官僚を使って国内を統治し、外部に対しては国家を代表しなければなりません。

【国家の役割】

このような国家成立の経緯から知られるように、国家の第一の役割は外敵からの**防衛**です。国家の存亡に関わりますから、どの国家にとっても一番重要な役割です。第二の役割は、道路や橋の建設など、土木工事などを行って、生産と生活の基盤となる**社会資本**の整備を図ることです。社会資本整備の役割は、特に他国に比べて大規模な自然災害に見舞われてきた日本にとっては、防衛に匹敵するものだと言えます。

さらに国家の役割について考えてみれば、第三の役割として、法を制定し、法に基づき社会秩序を維持し、国内に平和をもたらすことがあります。

【政治権力の必要性】

第三の役割は、なぜ必要とされたのでしょうか。国家成立以前の、単純な群れのようにして暮らしていた社会では、領域も狭く人口も少なかったので、人々はたがいに知り合い同士でした。知人同士の人間関係のなかでは、長老の権威や道徳・慣習などによって秩序を保つことができました。

ところが、国家という社会は、広い領土に大勢の人が暮らすので、おたがいに十分には知り合えません。見知らぬ者同士がいろいろな関係をもちながら暮らさなければならず、長老の権威や道徳・慣習だけでは秩序が維持できません。そこで、社会秩序を維持するために法が生まれました。そして、その法を守るよう命令し強制する力が必要となりました。これが、国家がもっている**政治権力**です。

単元2　立憲主義の誕生

立憲的民主政治はいかにして生まれたか、立憲主義とは何かについて学ぼう。

【自由と平等】

16世紀から18世紀にかけて、ヨーロッパ諸国では、国王が強力な政治権力を握る**絶対王政**が生まれて主権国家が誕生し、国と国の関係を律する**国際法**が発達しました。国際法では、国家はその大小や強弱にかかわりなく、たがいに平等で対等であると考えられました。国際法の考え方によって、外国からの支配を一切受けず、自国の政治ができるようになりました。

こうして外国からの国家の自由が確立し平等であることが認められると、今度は国民が国家に対して自由を求め、自由は平等にあたえられなければならないと主張するようになりました。この要求が、17世紀から18世紀にかけて、イギリスの名誉革命、アメリカのイギリスからの独立、フランス革命などの市民革命を引き起こしました。

市民革命によって身分制は否定され、職業選択の自由や営業の自由が確立し、移動の自由も確保されました。これらの自由によって、自由な個々人の経済活動が行われ、資本主義経済が発達していきました。

【民主政治と国民国家】

市民革命は、人々に政治活動の自由をあたえ、国家を構成するすべての人々（国民）が国家の政治に参加する可能性を開きました。そして国民は、国家の政治に参加する公民となりました。こうして、自由で平等な国民の政治参加によって運営される**国民国家**が成立したのです。

結局、国民国家はそれまでの国家の役割である、防衛と社会資本の整備と社会秩序の維持とともに、**国民一人ひとりの権利の保障**を新たな役割としてとり入れたことになります。この権利保障を支える根本が、**基本的人権**の思想です。

【立憲主義の成立】

国民国家は、権力の濫用を防ぐ**立憲主義**（立憲政治）の思想を生み出しました。絶対王政の時代には、権力者が法を守らず思いのままに権力を行使することがありました。そこで、個々人だけでなく、国家の政治権力も法に従わなければならないという**法治主義**（法の支配）の思想が生み出されました。

政治権力を制限するには、政治権力を立法権、行政権、司法権に分割し、それぞれ別の機関に分担させ、相互に抑制と均衡（チェック・アンド・バランス）をさせるのが最も効果的です。このモンテスキューの**権力分立**または三権分立が、多くの国では国家の最高の決まりである**憲法**に定められました。同じく、抑制と均衡の考え方から、権威と権力を分離し、権威を国王が、権力を首相が分担するイギリスなどの立憲君主制が生まれました。この**権威と権力の分離**の思想は、君主のいない国家にも取り入れられています。例えば、現在のドイツでは、大統領は権威、首相は権力という役割分担を行っています。

ミニ知識　権威と権力

権威とは国民が自発的に服従する存在を意味するのに対して、権力とは望まなくても国民に一定の行動を強制する力をもつ存在を意味する。権威は、神や超自然的な偉大なものに対する畏敬の観念（恐れ敬う心）を背景にして生まれるのに対して、権力は物理的な実力である軍事力を背景にして生まれる。そして権力は、その正当性・正統性を権威によって保障してもらうことによって、権力として成立する。

このように、歴史的由来からして、権威と権力の性格は大きく異なる。権威は国民を一つにまとめ上げる作用をもつのに対して、権力は国民を分裂させ対立させる作用をもつ。そもそも、権力を握る者は、特に法を守らない人たちに対して、法の遵守を強制しなければならない。一つの政策をめぐり国内で激しく意見が分裂し対立するときも、自己の責任で反対者の意見をしりぞけなければならない。こうして国内に生まれる分裂と対立を小さなものに収め、憎しみと恨みを緩和するのが権威の役割である。権威と権力を一人の人間が兼ねていれば、分裂対立を収め憎しみを緩和する存在がいなくなる。国内の意見対立が大きな分裂となり、内乱にまで発展することともなる。

これに対して、権威と権力を別の人間が分担していれば、分裂対立を防ぎ、内乱を防ぐこともできる。内乱が生じても、穏和な形で終息させたり、内乱による傷を癒したりすることができる。この役割を果たすのが、権威である。それゆえ、権威と権力が分離した政治体制は、穏和で安定したものとなる。その点は、イギリスや日本の例を見れば、歴然としている。

単元3　市民革命と人権の歴史

基本的人権の思想と立憲主義を生み出した市民革命とはどのようなものだったか。その後、人権は、どのように発達してきたであろうか。

【名誉革命とイギリス人の権利】

1688年、イギリスでは国王による専制政治が続いたので、議会は国王を退任させ、オランダから新国王を迎えました。新国王は、歴史的に代々継承されてきた権利すなわち国民の権利を再確認した**権利章典**を承認しました。無血で行われたので、これを**名誉革命**といいます。

権利章典によって、国王は、議会の同意なしに法律の制定や課税の決定ができなくなりました。その結果、議会が権力の中心になっていき、18世紀半ばには、議会の信任を基に内閣が形成される議院内閣制が成立します。権力を制限された国王は、基本的に国家の最高権威として存続するようになり、法の支配に基づく立憲君主制が確立しました。

【アメリカの独立と天賦人権】

1776年、北アメリカ大陸の13のイギリス植民地が、植民地の人を本国国民と対等に扱わないイギリス政府に抗議して独立を宣言しました。ロックの思想に大きく影響された**独立宣言**には、人間には神にあたえられた奪われることのない権利があり、その権利を満たすために政府はつくられると明記されていました。

アメリカでは、独立宣言前後から各州の憲法がつくられましたが、それらは権力を州議会に集中させる立法府優位の制度でした。州議会の多数派は自分たちの私的利益を優先し、借金を帳消しにする法律を作ったり、人々の衣食住や信仰の内容まで規定したり、私生活の自由を侵害しました。その結果、基本的人権は侵害され続けました。そこで、1787年のアメリカ合衆国憲法は、基本的人権を守るために、モンテスキューの権力分立の思想をとり入れて立法府と行政府が相互に抑制と均衡をするような体制をつくりました。

【フランス革命と「人の権利」】

1789年、ルソーの思想に影響され王の専制政治の廃止を目指した**フランス革命**が起きました。憲法制定議会で、**『人権宣言』**が採択され、国民主権の思想とともに、歴史にも神にも依拠しない「人の権利」である人権という思想が登場しました。1791年、『人権宣言』の内容をとり入れた憲法は、立憲君主制を定めたものでしたが、やがて革命は過激化し、王政を廃止したばかりか、王を処刑し、今日の「テロ」の語源のテルール（**恐怖政治**）へ突き進んで行きました。

【ドイツと社会権】

19世紀までは、職業選択の自由や信教の自由などの自由権が憲法で保障されました。しかし、資本主義経済が発展して貧富の差が広がると、人間らしい生活を保障しようという社会権が規定されるようになりました。１９１９年、ドイツの**ワイマール憲法**が、その最初の例です。

【世界人権宣言】

第二次世界大戦後の１９４８年、第３回国際連合総会で**『世界人権宣言』**が満場一致で採択されました。世界人権宣言は、「人の権利」の思想を受け継ぎ、確保すべき人権および自由について「すべての人民とすべての国とが達成すべき共通の基準」を宣言したものです。

ミニ知識　権利という言葉

英語で言うrightは、「権利」と「正しい」という意味があり、さらに「右」という意味がある。「右」は右手を表し、法を守る「力」を意味している。ヨーロッパで、「法の支配」や法は権利と正義を守るものという考え方が早くから生まれたのは、このような言葉があったからではないだろうか。以下に、権利の発展をめぐるトピックスを挙げよう。

イギリス

マグナカルタ（１２１５年）

王と貴族のあいだで結ばれた約束で、一般の国民には関係ないものであるが、そのなかで基本的権利にかかわるところがある。

第39条　自由人は裁判によるか、国法によるのでなければ逮捕、監禁、追放されることはない。

名誉革命の権利章典（1689年）

第1条　国王は王権により国会の承認を得ないで法律を停止したり、その執行を停止したりすることはできない。

第5条　国王に請願することは臣民の権利であり、請願したことを理由に、収監、訴追をしてはならない。

アメリカ　合衆国憲法（1787年）……制定の時点では三権分立など国家の組織についてのみ規定していた。基本的人権に関する条文は、1791年に追加された。

修正第4条　何人も、その身体、住居、書類及び所持品について、不当なる捜索及び逮捕、押収を受けることはない。

フランス　『人権宣言』（1789年）

第1条　人は自由かつ権利において平等なものとして出生し、かつ生存する。社会的差別は共同の利益においてのみ設けることができる。

ドイツ　ワイマール憲法（1919年）

第151条第1項　経済生活の秩序は、すべての人に、人たるに値する生存を保障することを目ざす、正義の諸原則に適合するものでなければならない。

世界人権宣言（1948年）

第1条　すべての人間は、生まれながらにして自由であり、かつ、尊厳と権利について平等である。人間は、理性と良心とを授けられており、互いに同胞の精神をもって行動しなければならない。

もっと知りたい　国民主権、人権思想と立憲主義の矛盾対立
フランス革命は、名誉革命やアメリカの独立革命とは異なり、なぜ恐怖政治を生み出したのだろうか。

【フランス革命の恐怖政治】

フランス革命は近代的な国民国家を形成し、自由や平等、基本的人権の思想と民主主義を世界中に広めた。しかし、革命は混乱を極め、恐怖政治を生み出した。革命期には「反革命」として処刑された人間だけでも約5万人存在した。処刑のきっかけは友人や近親者による密告が多かった。それゆえ、フランス人は、身のまわりの人たちを信用できなくなり、革命終了後も長い間、心の平安を得られなくなった。

さらに、内乱で王政維持派及びカトリック教徒を中心に60万人、対外戦争で40万人が死亡した。合計100万人を超える犠牲者が出たことになる。これにナポレオン戦争期の死者を加えると200万人以上となる。フランス革命は、絶対王政以上の専制政治を生み出し、国民の生命・身体・財産の権利を侵害し続けたのである。

歴史・伝統・慣習・宗教の無視——人権思想の怖ろしさ

では、なぜ、恐怖政治が生み出されたのか。革命の同時代人であり、革命当初からその失敗を予見したイギリス人のバーク（1729～97）は、名誉革命とフランス革命を対比して論じた。バークによれば、名誉革命は、歴史的にイギリス国民が代々守り育て継承してきた生命、身体、財産の権利などを守るために行われた。それゆえ、イギリス人は、変えるべきものは変え、国王や貴族院など残すべきものは残すという態度で革命を行った。

対してフランス革命は、歴史（イギリスの場合）とも神（アメリカの場合）とも切り離され、頭の中の理念上に存在する「人の権利」すなわち人権というものを守るために行われた。革命を担った人たちにとって、

フランスの長い歴史、伝統、慣習、宗教などは、全て人権を侵害するものに見えた。それゆえ、彼らはこれら全てを蔑視し破壊するとともに、頭の中でこしらえあげた理想を実現しようという態度で革命を行った。この**人工主義**的な態度こそ、フランス革命失敗の本質的理由であった。

このような人工主義的な態度は、ロシア革命などの共産主義革命の指導者たちに顕著に見られたし、今日のグローバリストたちや共産主義者たちの多くにも見られるものである。

立憲主義を排除した

革命が進行するにつれ、歴史や伝統などを無視する**社会契約説**の考え方が強くなっていく。革命に影響を与えた**モンテスキュー**と**ルソー**のうち、社会契約説と**国民主権説**に基づき立法権の優位を説いたルソーの思想が、立憲君主制を評価して**権力分立**を説いたモンテスキューの思想を圧倒していく。そして、国民主権を代表するものとしてつくられた一院制議会は、王政を廃止して行政権も支配下においた。

権力の中心となった立法部は、やがてロベスピエール個人の支配するところとなる。立法部独裁が個人独裁に転化したのである。それどころか、行政機関が法の上に置かれたため、法治主義さえも否定されてしまう。権力分立、立憲君主制とともに法治主義さえも否定されたわけだから、**立憲主義**が完全に否定され、国民の権利は踏みにじられることとなったのである。いや、権利どころか、多くの国民の命が抹殺されていく。ギロチンによる処刑だけで5万人のフランス人が抹殺されていったのである。

フランス第三共和制

この失敗から学んだフランスは、1875年の第三共和制憲法の中に、イギリスの抑制と均衡の考え方を取り入れた。強大になりがちな立法部を二つに分ける二院制、権力分立、大統領と首相の分離といった原則を掲げたのである。こうして、フランスの立憲政治はようやく安定することとなった。フランス共和制の大統領とは、不本意にも無くしてしまった君主の代替物である。

主権論の暴力性、専制性

ここまで見てきたように、恐怖政治を招いたものは、神や歴史から切り離された「人権」という思想と国民主権説である。

そもそも主権とは何だろうか。主権という概念は、16世紀フランスの思想家ジャン・ボーダン（1530〜96）が提唱した。ボーダンによれば、王権は神が授けたものであり、神に対してのみ責任をとる。それゆえ、王は、法律や慣習法に縛られず、神が定めた自然法（神法）にのみ従って政治を行えばよいとされた。この神によって与えられた無制限で絶対の権力すなわち「最高の権力」のことを、ボーダンは「主権」とよんだ。君主主権説の誕生である。君主主権説は、17世紀から18世紀にかけて、ヨーロッパの絶対王政を支える理論となった。絶対王政は、バラバラであった国家を一つにまとめ上げていったが、専制政治を生み出してしまった。

フランス革命は、専制政治をなくすために絶対王政を倒したものだが、こんどは、国民が無制限で絶対の権力をもつという国民主権説を生み出してしまった。しかし、このような国民主権説では、議会や大衆運動の支持を受けた指導者が、主権者たる国民の代表であると称して無制限の権力を握り、暴力的に専制政治を行うことに対して、何の歯止めもなくなる。実際、フランス革命は、三権分立や法治主義などの立憲主義を排除し、専制政治どころか恐怖政治を生み出した。

主権論と立憲主義との両立

そこで、国民国家が安定期に入っていくと、専制政治を防ぐために立憲主義の方が重視され、主権論は忌避されるようになっていく。「主権」の言葉が用いられる場合でも、ドイツや戦前の日本では、立憲主義の考え方と両立できるように、「主権」の意味が解釈しなおされるようになった。「最高権力」という意味の「主権」は、君主にも国民にも帰属せず、もっぱら、国家に専属するものとされるようになった。**国家主権説**の誕生である。
国家主権説によれば、君主制国家では君主が、共和制国家では国民が、国家における最高の存在（最高機関）と位置づけられる。そして、この「最高のもの」のことを「主権」と呼ぶ用法が生まれた。この場合の「主権」は、国家の政治権力を生み出す源泉、すなわち政治権力を正当化する最高の権威を意味する。従って、君主に最高の権威を認めるものが君主主権説、国民に最高の権威を認めるものが国民主権説というふうに変化した。こうして、君主主権説も国民主権説も、その暴力性を失い、立憲主義と両立可能になった。

現代の恐怖政治

しかし、現代でも、国民（人民）が無制限の権力をもつという国民主権（人民主権）の思想が、暴力性を発揮し、**ファシズム**と**共産主義**という**全体主義**を生み出した。そして、国民主権（人民主権）を代表すると称した党による独裁（一党独裁）を生み出し、百万人あるいは一千万人単位の虐殺を行った。ロシア革命及びスターリンの大虐殺、中国の文化大革命、カンボジアの大虐殺、ナチスによるユダヤ人他の大虐殺などがその例である。

単元4　立憲的民主主義

立憲的民主主義のもと、公民としてどのように政治に参加していくのか、考えてみよう。

【直接民主主義】

立憲主義の民主主義のもと、国民は公民として政治に参加することになりました。政治に参加する方法には、国民が直接集まってものごとを決する**直接民主主義**と、国民の代表が集まってものごとを決する**間接民**

主主義（議会制民主主義または代議制民主主義ともいう）とがあります。では、直接民主主義と間接民主主義とは、どちらが立憲主義にふさわしいのでしょうか。

直接民主主義には、①議論を冷静に論理的に行い、異なる意見を調整して一つの結論にまとめていくのが難しい、②短期的で私的な利益にとらわれた意見が多数を占め、長期的で公共的な利益を損ないやすい、③魅力的なリーダーの意見に扇動され、独裁者を生み出しやすいといった欠点があります。

【間接民主主義】

それに、1か所に集まって全員で話し合うといっても、国民はあまりにも大勢であり、集まることができる場所もありません。たとえ場所があったとしても、一定の時間に効率よく結論を出す話し合いはできません。しかも、近代国家では、古代ギリシャで直接民主主義が行われた時代よりはるかに国民の利害が多様となり、意見もきわめて多様となっています。ですから、異なる意見を調整して一つの結論にまとめていくことは、大変な作業になっています。そこで近代国家では、国民の代表を選び、選ばれた人たちに議会で話し合ってもらう間接民主主義が考えられました。直接民主主義で有名なスイスでも、州民会はスイス全国の26州のうち2州だけで行われています。

間接民主主義では、国民を代表する政治の専門家（職業政治家）が、冷静に論理的に議論を行い、異なる意見を調整しながら長期的、公共的な利益をはかって結論を決めていくことになっています。ですから、間接民主主義の方が、専制政治を防ぐために生まれた立憲主義に相応しい方法なのです。

こうして、**法治主義**、**権力分立**、**権威と権力の分離**、**基本的人権の尊重**とともに、間接民主主義が立憲主義の重要な要素となったのです。

【政党の承認】

間接民主主義では、一般に、国民から選ばれた代表（議員）が、同じ考え方の人たちと**政党**という集団をつくります。政党のメンバーは手分けして政策を研究し合い、政党としての政策を決めていきます。議員一人ひとりで活動して政策研究するより、はるかに効率的です。各政党の政策が決まったならば、議会で、各政党が議論を闘わせたあとに、**多数決**によって過半数をこえた意見が、国民により最も支持された意見であるとして、政策として決定されるわけです。このように、国民の代表を選び政治をしていく間接民主主義は、国家に対する願いを実現するために、国民が政治参加できる大変効率的な方法です。

ミニ知識　**古代ギリシャの直接民主主義**

古代ギリシャのポリス（都市国家）の一つであったアテネでは、成人男子の自由民が全員集まって議会を開く直接民主主義の政治を行っていた。

直接民主主義では大勢の自由民の意見はまとめにくく、それをまとめるために集まった人の感情に訴える魅力的なリーダーが出現しやすい。そこで、魅力的なリーダーが出現し独裁者になることを警戒して、ほとんどの官職は、選挙ではなく、くじ引きによって一年任期で選んで担当させていた。その結果、しろうと同然の人たちが行政を行うことになり、行政は効率的とは言いがたかった。

いっぽう、選挙で選ばれるほぼ唯一の官職は、戦争指導者である将軍職であった。しかし、戦争の多かったアテネでは、この将軍職が軍事だけでなく一般的な行政をうけもつことも多く、今日の大統領といえるような存在となった。彼らの多くは、優秀であったが、長く務めるうちに独裁者になることもあった。それゆえ、独裁者の出現を恐れる自由民たちは、「陶片追放」（追放者を決める投票制度）や弾劾裁判によって独裁者になりそうな人たちの多くを追放した。２００年足らずのアテネ民主政の中で、将軍職についていた34人が弾劾裁判にかけられている。このように、古代ギリシャの直接民主主義には、独裁者が生まれる危険性とともに、独裁を恐れるあまり、有力な指導者を十分育てずに使い捨てにする非効率性があった。

第2節　日本の立憲的民主政治

古代以来、わが国は、どのような道のりを経て立憲的民主国家になったのであろうか。大日本帝国憲法と「日本国憲法」とはどのようにつくられ、どのようなものであろうか。

単元5　日本史上の立憲主義

日本は、なぜアジアで最初の立憲主義国家になったのであろうか。その背景を古代から江戸時代までの歴史のなかに探ってみよう。

【権威としての天皇】

我が国は、世界でもっとも歴史の古い国家の一つです。また、初代天皇以来、同じ男系系統の天皇が即位してきた（**万世一系**）、世界で最も古い君主国です。明治維新を通じて、我が国でも国民国家が形成され、**立憲君主制**が成立しました。この立憲君主制は、西欧諸国の政治体制を参考にしてつくられていますが、本質的には、我が国の伝統的な精神文化、政治文化に基づく**国体**（国柄）に根ざして生成されたものです。

古代、天皇の重要な役割は民のために神に祈ることでした。同時に天皇は、実際に政治を行う政治的権力ももっていました。しかし、歴史が進むにつれ、政治的権力から遠ざかっていきました。特に鎌倉幕府が開かれてからは、天皇は自ら権力を行使することはありませんでした。それでも、天皇の存在は政治権力に対し、政治を行う地位をあたえる権威として存在し続け、政治権力は、天皇の権威を押しいただいて政治を行うことが日本の政治文化としての伝統となりました。わが国では、世界で一番早く、立憲主義の重要原則である**権威と権力の分離**の原則が成立していたのです。

政治権力は、天皇のもとで築いた古い文化を破壊したりすることは少なく、「民安かれ」と願う天皇の思いを受け止めて、民を過酷に扱うようなことは少なかったと考えられます。権威としての天皇が存在し続け、政治が大いに安定し、外国に比べて平和な時代が長く続き、文化は着実に成熟していったと考えられています。

【合議の精神】

日本では古くから話し合って物事を解決し、できるだけ力の争いは避けるべきだという**合議の精神**が息づいてきました。7世紀、聖徳太子は、十七条憲法の第1条において「和を以って尊しとなす」と謳い、政治は一人だけの独断ではなく、人々が議論をつくして行わなければならないと説きました。天皇が政治の中心であった古代律令国家でも、重要な事項は、有力貴族が集まる公卿会議で決めていました。合議の精神は、鎌倉時代からの武家政治においても引きつがれ、江戸時代でも、幕府の重要な役職は複数の人間が担当し、全員の合議で決めていました。

一般社会においても、中世日本では、村寄合や町寄合によって共同体の方針が決められました。また、寺院では僧侶の集会で物事が決められていました。これらの集会で物事を決める際には、しばしば多数決の方法がとられていました。このように、早い時期から、我が国では一般社会において一定の民主主義が存在し、機能していたのです。村寄合や町寄合は江戸時代にも存続し、明治以降の町村議会につながっていったととらえられます。

合議によってものごとを決めれば、極端な結論が避けられ、多くの人も納得する結論になりやすいものです。諸外国に比べ日本史上には独裁者の出現が少ないですが、権威と権力の分離の原則と合議の精神は独裁者の出現を防止してきたと考えられます。

【政治的権力と経済的権力の分離】

さらに言えば、江戸時代には、将軍や大名などの武士たちは政治権力こそ持っていましたが、経済的権力は大坂の大商人たちを初めとした町人が持っていました。この政治権力と経済権力の分離もまた、独裁者の出現を防止してきた要因だと言えます。

ミニ知識　中世における合議の精神

1225（嘉禄元）年、鎌倉幕府に評定会議が設置された。この会議は、幕府の政務及び訴訟に関する最高意思決定機関である。評定会議の意思決定は多数決で行われたが、メンバー一人ひとりには二つの心構えが求められた。

第一に、各メンバーは、自らの主体的な判断にしたがって発言することが求められた。それゆえ、会議の他のメンバーの意向に左右されてはならず、また訴訟の場合であれば、訴訟当事者に対する好き嫌いの感情を断ち切らねばならないとされた。

第二に、各メンバーは、評定会議で決定した結論について共同して責任を負った。それゆえ、正しい決定を主導した場合でも、その功績を誇ってはいけないし、間違った決定であっても、自分は反対したなどといって責任逃れをしてはいけないとされていた。

この二つの心構えは、鎌倉幕府の諸機関に広がるだけではなく、中世寺院の意思決定する際にも求められた。広く、中世の合議体が意思決定する際の模範となったのである。この二つの規範は、今日における合議においても通用するものである。

単元6　大日本帝国憲法

わが国の立憲君主制をつくった大日本帝国憲法は、どのような憲法だろうか。

【万機公論ニ決スヘシ】

幕末の動乱期、幕府の力が弱まり、天皇の権威は大きく上昇し、合議の精神は、国民全体の議論をふまえた**公議による政治**という考え方を生み出しました。明治新政府が発布した**五箇条の御誓文**は、第1条で「広ク会議ヲ興シ万機公論ニ決スヘシ」と説いています。この考えから、地方レベルで議会政治を始めると同時に、政府は、欧米の憲法を調査研究し、日本の古典を参照しながら憲法制定作業を進めていきました。そして、1889（明治22）年、**大日本帝国憲法**を制定しました。

【大日本帝国憲法の特徴】

大日本帝国憲法は、第1条で、万世一系の天皇が国家を統治すると定め、日本の政治は古今一貫して天皇の統治によってなされる、というわが国の政治的伝統を宣言しました。明治政府が刊行した憲法の解説書は、天皇の「統治」を「シラス」という古語で説明し、天皇は国民に対して権力をふるう存在ではなく、国民の幸不幸を一身にうけとめながら国を統治すると説明しています。

政治の実際の形態は、まず、天皇は**統治権**を総攬する一方、その統治は憲法の条規に従う（4条）とされます。つまり**法治主義**が規定され、天皇も憲法に従うことが明らかにされています。次いで**三権分立**が規定され、天皇が三権を行使するにあたっては、法律の制定は国民代表の意思が反映された**帝国議会の協賛（承認）**によること（37条）、行政は国務各大臣が実務の責任を担うこと（55条）、司法は裁判所が行うこと（57条）とされています。憲法条文の明示はなくとも、**権威と権力の分離**の原則、天皇を政治に巻き込んではいけないという伝統は共通に了解されていました。第3条「天皇ハ神聖ニシテ侵スヘカラス」の規定は、間接的に、〈天皇は神聖な権威的存在であるから、実際の政治に巻き込んではならない〉という意味を持っていました。

また憲法は、ヨーロッパやアメリカで定着した憲法の理念をとり入れ、国民の自由と権利を保障し、基本的な自由権と参政権などを規定しました。そして、公共の福祉の観点から、法律に基づく以外、自由と権利は制限できないとされています。

このように、大日本帝国憲法は、法治主義、三権分立など、立憲主義の主要原則をすべて備えた**立憲君主制**の憲法でした。この大日本帝国憲法は、アジアで最初の憲法として、内外から高く評価されました。

【進展した立憲政治】

この憲法のもとで、大正時代には大正デモクラシーの時代を迎え、二大政党が成立し、1918（大正7）年には本格的な政党内閣が生まれました。1924年からは、衆議院で第一党になった政党の党首が内閣を組織し、内閣が総辞職した場合には野党第一党の党首が次の内閣を組織する慣例が生まれました（**憲政の常道**）。憲政の常道を理論的に支えた憲法学者には、当時の代表的な憲法学者である東京大学の美濃部達吉と京都大学の佐々木惣一がいました（ともに「日本国憲法」の成立に反対した）。そして、1925年には、満25歳以上の男子全員に選挙権を認めた普通選挙法が成立しました。

しかし、1930年代に入ると、政党内閣が国際情勢に対応しきれなくなったこともあり、危機感をいだいた軍部が政治に介入してきて、1940（昭和15）年には議会を支える政党が次々に解散に追いこまれました。そして立憲政治が機能不全に陥るなか、わが国はアメリカなどの連合国との戦争に突入していきました。

ミニ知識　国体と政体

大日本帝国憲法は、戦前憲法学の多数説（東京帝国大学憲法学講座の穂積八束と上杉慎吉、京都帝国大学憲法学講座の佐々木惣一、昭和天皇に憲法学を講じた清水澄など）によれば、国体と政体との二元構造からなっていた。条文としては、**国体**は第1条から第3条乃至第4条に定められ、**政体**は第4条乃至第5条以下に定められていると理解されていた。

国体は、古代以来の日本の政治的伝統を現したものと位置づけられ、万世一系の天皇が国家を統治するということが定められていた。政体は西洋の政治理念に従って、あるいは日本の伝統を生かして、立憲主義の原則を取り入れたものである。

そして、国体は変えてはならないものと考えられ、憲法改正によっても変更できないものとされていた。これに対して、政体は、時代の変化に応じて変化していくものとされ、憲法改正の対象となるものとされていた。

単元7　東京裁判

現代日本の在り方の枠組みを決めたのは東京裁判と「日本国憲法」である。この単元では、東京裁判はどういうものだったか見ていこう。

【東京裁判の経緯】

1945（昭和20）年8月、アメリカ合衆国などとの戦いに敗れた日本は、**ポツダム宣言**を受け入れて連合国に降伏しました。休戦状態となり戦闘はなくなりましたが、7年間にわたってさらに戦争は継続しました。連合国が真っ先に取り掛かったのが、東京裁判（極東国際軍事裁判）です。裁判の準備は、マッカーサーが日本に来た8月30日から始まりました。日本の指導層はほとんど根こそぎ逮捕されるか、逮捕されずとも「戦犯にするぞ、我々連合国に協力しろ」と脅され続けました。杉山元元帥や近衛文麿などのように自殺に追い込まれた人もいました。

準備が整うと、連合国は、戦争中の日本の指導者28名に対して、東京裁判を行いました。わざわざ天皇誕生日である1946年4月29日に起訴状を配布し、同年5月3日から裁判を行い、1948年11月12日、未決拘禁中に死亡した松岡洋右ら2名と訴追免除を受けた1名を除く全員に有罪判決を下しました。そのうち東条英機ら7名が皇太子（現上皇陛下）の誕生日である12月23日に絞首刑にされました。終身禁固、有期禁固の者は、判決確定と共に巣鴨拘置所に収容されましたが、梅津美治郎ら4名はあいついで病死しました。結局、28名のうち半数が命を落としたことになります。

【東京裁判は違法】

有罪とされた指導者たちは、松井石根を除けば、1928（昭和3）年から1945年まで「**侵攻的戦争(aggressive war)**」を共同謀議のうえ推進し、主として「平和に対する罪」を犯したと認定されました。だが、ポツダム宣言は、捕虜虐待などの**通例の戦争犯罪**を行った人の処罰を認めているだけです。当時の戦争犯罪は、捕虜の虐待や軍事目標以外の民間物の攻撃破壊、不必要に残虐な兵器の使用などのことでした。当時はまだ「侵攻的戦争」の定義も確立しておらず、「侵攻的戦争」の推進は犯罪とはされていませんでした。つまり、松井を除く24名は、無法にも、**事後法**によって有罪とされたのです。しかも、共同謀議をしたとされる28名の中には東京裁判まで面識のなかった者もいましたし、謀議の中心人物であるはずの東条英機は満州事変開始当時、参謀本部の一課長にすぎませんでした。

松井は、「平和に対する罪」でも訴追されたものの、通例の戦争犯罪を見逃したという不作為犯で有罪、それも死刑に処せられました。この不作為犯理論も第二次大戦以前には存在しないものであり、松井も事後法で有罪とされたことになります。

そもそも、東京裁判は、国際司法裁判を謳っておきながら、手続き的にも非常に不公正なものでした。裁判官は全員が連合国代表で、中立国からも敗戦国からも選ばれていませんでした。また、連合国による数々の戦争犯罪、例えばアメリカの原爆投下や東京大空襲などを不問にしました。結局、東京裁判は、ポツダム宣言にさえも違反しており、違法裁判だというべきです。ちなみに、東京裁判を裁いた11名の裁判官のうち、3名が判決に対する反対意見を表明しました。インドのパール判事は全員を無罪とし、オランダのレーリンク判事は「平和に対する罪」での死刑適用などに反対しました。二人は、裁判後も、東京裁判について批判を続けました。

【自虐史観の形成】

ところが、この違法裁判で示された連合国の歴史観が、教育や学問を通じて日本国民に注入されていきました。その中で、〈日本は世界を侵略した犯罪国家である〉という極端な**自虐史観**が国民の中に醸成されていくことになりました。この自虐史観に今も日本及び日本人は苦しめられています。

ミニ知識　通例の戦争犯罪

ポツダム宣言第10項第一文は、「吾等は、日本人を民族として奴隷化せんとし、又は国民として滅亡せしめんとするの意図を有するものに非ざるも、吾等の俘虜を虐待せる者を含む一切の戦争犯罪人に対しては厳重なる処罰を加へらるへし」と規定している。それゆえ、ポツダム宣言は、「平和に対する罪」などの裁判は認めていなかったが、捕虜虐待などの通例の戦争犯罪に関する裁判は認めていたといえる。通例の戦争犯罪とは、戦争の法規、慣例を犯した罪という意味である。戦争の法規の代表格としては、「陸戦ノ法規慣例ニ関スル条約」（1907年署名、1910年効力発生）の付属文書である「陸戦ノ法規慣例ニ関スル規則」がある。以下に、代表的な戦争犯罪を掲げる。

1、非交戦者の戦闘行為……普通の民間人の服装をして武器を隠し持って戦う行為　2、捕虜の虐待　3、間諜（スパイ）　4、略奪　5、一般住民あるいは非戦闘員である民間人を殺害または傷つける行為　6、軍事目標以外の民間の施設などを攻撃、破壊する行為　7、不必要に苦痛を与える残虐な兵器を用いる行為

なお、東京裁判で有罪とされた人たちは「A級戦犯」と呼ばれている。東京裁判以外にも、国内、中国、東南アジア、太平洋地域で形ばかりの裁判が行われた。そして、「B・C級戦犯」と呼ばれる1068名が、捕虜虐待などの通例の戦争犯罪を犯したとして処刑された。この中には、無実の者も多数存在した。

エピソード　要人に対する検察側による脅し

荒木貞夫陸軍大将を弁護した菅原裕弁護士は、次のように述べている。

「検察側は要人を呼び出しては『お前は証人になりたいか被告になりたいか』とまず浴びせる。九千万人ことごとくが俘虜だ、日本人は誰でも容疑者だと、いわれても文句のつけようがない敵軍の占領中だ。しかし

できるだけ免れたいのが人情の常。『とんでもない、証人で結構です』と答えると『よしそれなら、こちらのいうことを聴け』と薬籠中《やくろうちゅう》に収めたと伝えられた。

しかし中には、検事側が、その意を迎えた供述に多寡をくっていると、さすがに法廷では真実を述べようとする者も現われる。驚いた検事側は、「敵性証人」として弾劾するぞと脅かしたこともあった。東大教授の某氏もこの手を食った」（菅原裕『東京裁判の正体』）。

単元8 「日本国憲法」の成立

「日本国憲法」はどのようにして成立したのであろうか、果たして有効に成立したと言えるのだろうか、みてみよう。

【GHQ案の提示】

ポツダム宣言は、我が国に民主化と自由主義化を求めていました。日本を占領した連合国軍最高司令部（GHQ）の最高司令官マッカーサーは、1945（昭和20）年11月、日本政府に対して、民主化・自由主義化のために必要だとして憲法改正を指示しました。

しかし、ポツダム宣言第10項には「日本国政府は、日本国国民の間に於ける民主主義的傾向の復活強化に対する一切の障碍を除去すべし。言論、宗教及思想の自由並びに基本的人権の尊重は、確立せらるべし」と書かれています。ここには憲法改正の要求は書かれていませんから、例えば憲法学者の第一人者であった美濃部達吉は、大正デモクラシーを復活すれば宣言の要求に応えられるとして、憲法改正に反対しました。とはいえ、占領軍に逆らうわけにもいかず、日本政府でも民間でも憲法改正案が作成されました。その平均的なところは、天皇の統治権総攬と議院内閣制を規定するものでした。
ＧＨＱも、同年12月までは同様の案を考えていましたが、１９４６年1月になると、突然、天皇の統治権総攬を認めない方針を打ち出し、日本政府の案を拒否しました。ＧＨＱの民政局で新憲法案がひそかに英文で作成され、１９４６年2月13日、日本政府に提示されました。日本政府としては受諾する以外に選択の余地のないものでした。

【議員の追放と検閲】

英文の新憲法案を基礎に日本政府は政府案を作成し、3月6日に発表し、4月10日、衆議院議員の選挙を行いました。1月にＧＨＱは戦争の遂行に協力した者を公職から追放するという**公職追放**を発令していました。そのため、この選挙のときは現職の82％の議員は追放されていて、立候補できませんでした。さらに、自由党を率いていた鳩山一郎総裁は、選挙で当選していましたが、東京裁判が始まった5月3日の翌日、総理大臣になる寸前に公職追放となりました。5月から7月にかけて、議会審議中にも貴族院と衆議院の多くの議員が公職追放され、新たな議員に代えられていきました。
また、当時は、ＧＨＱによって、軍国主義の復活を防ぐという目的から、信書（手紙）の検閲や新聞・雑誌の**事前検閲**が厳しく行われました。ＧＨＱへの批判記事は掲載がいっさい認められず、特にＧＨＱが新憲法の原案をつくったということに関する記事は掲載しないよう、厳しくとりしまられました。したがって、憲法審議中、国民は新憲法の原案がＧＨＱから出たものであることを知りませんでした。

【統制された議会審議】

このような状況のなかで憲法改正の政府案は6月から10月にかけて帝国議会で審議されました。帝国議会では、主として衆議院の憲法改正特別委員会小委員会の審議を通じて、いくつかの重要な修正が行われました。しかし、小委員会は、一般議員の傍聴も新聞記者の入場も認められない状態で審議を行いました（小委員会の速記録は1995〔平成7〕年まで非公開）。

議員たちは、GHQの意向について政府側委員から説明されており、その意向に沿って政府案に対する修正を行いました。たとえば、当初、政府案の前文は「ここに国民の総意が至高なものであることを宣言し」と記していました。小委員会もこの案をそのまま承認するつもりでしたが、国民主権を明記せよというGHQの要求があり、「ここに主権が国民に存することを宣言し」と修正しました。

これとは逆に、GHQが反対だと知ると、小委員会は自分たちの立てた修正案を引っ込めました。たとえば、小委員会は全員一致で、貴族院に代わってつくられる参議院を職能代表議員で構成する案を考えていました。しかし、政府委員を通じて、この案にGHQが反対であると伝えられると、職能代表議員案を引っ込めてしまいました。

このようにGHQに統制された議会審議を経て、憲法改正案は可決され、11月3日、**「日本国憲法」**として公布されました。そして、翌1947（昭和22）年5月3日、東京裁判1周年の日に公布されました。

【「日本国憲法」は憲法として無効】

以上、「日本国憲法」は、東京裁判と併行して厳しい検閲が行われる中、日本政府にも議会にもほとんど自由意思のない状態でつくられました。

しかし、考えてみれば、独立国の憲法は、その国の政府や議会、国民の自由意思によってつくられるものではないでしょうか。したがって、その国の自由意思が存在しえない、外国に占領されているような時期には、つくるべきものではありません。それゆえ、戦時国際法は、占領軍は被占領地の現行法規を尊重すべきであるとしています。また、同じ考え方から、フランス憲法は、被占領下の憲法改正を禁止しています。と考えてくれば、成立過程からして「日本国憲法」は憲法としては無効であるということになります。新しい憲法は大日本帝国憲法の改正という形でつくるべきだということになります。

なお、ポツダム宣言第12項は「前記諸目的が達成せられ、且日本国国民の自由に表明せる意思に従ひ平和的傾向を有し且責任ある政府が樹立せらるるに於ては、聯合国の占領軍は、直に日本国より撤収せらるべし」と宣言しています。この条項を基にして日本は憲法改正の義務を負ったとする説がありますが、仮に義務を負っていたとしても、「日本国憲法」は「日本国国民の自由に表明せる意思に従ひ」つくられたものとは全く言えません。ですから、憲法改正の義務を負ったと解釈したとしても、「日本国憲法」は無効であるという結論になります。

ミニ知識　世界における占領下の憲法形成

ハーグ陸戦規則

独立国の憲法は、その国自身の自由意思によってつくられるものである。したがって、外国に占領されているような時期には、つくるべきものではない。1907年にハーグで締結された「陸戦ノ法規慣例ニ関スル条約」の附属書である「陸戦ノ法規慣例ニ関スル規則」も、次のように、占領軍が被占領地の現行法規を尊重すべきであり、原則として改変すべきではないと述べている。

「第43条　国ノ権力が事実上占領者ノ手ニ移リタル上ハ占領者ハ絶対的ノ支障ナキ限り占領地ノ現行法規ヲ尊重シテ（傍線は引用者）成ルヘク公共ノ秩序及生活ヲ回復確保スルタメ施シ得ヘキ一切ノ手段ヲ尽スヘシ」

旧西ドイツの例

だが、旧西ドイツは、連合国によって占領されていた時期に、国家の最高法をつくらされた。ただし、日本の場合と異なり、旧西ドイツは自ら起草した。だが、第146条で「この基本法は、ドイツ人民が自由な決定によって議決した憲法が効力を生ずる日において、その効力を失う」と規定し、「ドイツ連邦共和国基本法」と称した。憲法でなく基本法と位置づけたのである。ちなみに、東西ドイツが統一されても、この位置付けは変わらない。

フランスの例

フランスは、1940年、ナチス・ドイツに占領され、新しい憲法をつくった。その後、第二次大戦が終了した1945年、占領下に作られた憲法を無効と宣言し、新しい憲法の中で被占領下の憲法改正を禁止した。1958年制定の現行憲法でも、第89条第5項で「領土が侵されている場合、改正手続に着手しまたはこれを追求することはできない」と規定している。

エピソード　手紙の検閲を行ったGHQ検閲官の証言

新聞などの事前検閲を行った米軍民間検閲支隊（CCD）は、英語に堪能な日本人を8千名から1万名雇用し、手紙の検閲も行った。CCDに勤務した甲斐玄は、「日本国憲法」に関して次のように記した。

「読んだ手紙の八割から九割までが悲惨極まりないものであった。憲法への反響には特に注意せよ、と指示されていたのだが、私の読んだ限りでは、新憲法万歳と記した手紙などお目にかかった記憶はないし、日記にも全く記載はない。繰り返して言うが、どうして生き延びるかが当時は皆の最大の関心事であった。憲法改正だなんて、当時の一般庶民には別世界の出来事だったのである。

今はかなり年輩の人たちでさえ、我々は昭和二十一年十一月三日あの憲法によって絶対不戦を誓ったではないか、とおっしゃる。戦争の悲惨をこの身で味わい、多くの肉親や友人を失った私など、平和を念じる点においては誰にも負けないと思うのだけれども、あの憲法が当時の国民の総意によって、自由意思によって、成立したなどというのはやはり詭弁だと断ぜずにはおれない。はっきり言ってアメリカの押しつけ憲法である。我々庶民は蚊帳《かや》の外に置かれていた。己の意見を率直に表明する機関も無く、機会も無く、ただ毎日いかにして生き延びるかに必死だったのである。

戦時中は国賊のように言われ、右翼の銃弾まで受けた美濃部達吉博士が、『これでは独立国とは言えぬ』と新憲法に最後まで反対したこと、枢密院議長の清水澄博士が責めを負って入水自殺を遂げたこと、衆議院での採決に当たって反対票を投じたのは野坂参三を始めとする共産党員たちであったことなど、今の多くの政治家（いや、政治屋か）や文化人たちは果して知っているのだろうか」（『GHQ検閲官』）。

甲斐の証言から分かるように、第一に「日本国憲法」に対する国民の支持など存在しなかった。第二に、「日本国憲法」は国民の自由意思によって成立したものではなく、アメリカの押し付け憲法であった。第三に、美濃部や清水といった当時の一流の憲法学者は「日本国憲法」に反対であった。第四に、今日では一番の護憲派に変化した日本共産党も「日本国憲法」に反対であった。補足すれば、共産党が反対した一番の理由は第9条では国を守れないということであった。以上、四点のことを確認しておきたい。

「日本国憲法」成立をめぐる年表

西暦	元号	月日	
1945	昭和20	8/14	ポツダム宣言受諾
		11/ 1	マッカーサー、幣原喜重郎首相に憲法改正を指示
1946	昭和21	1月	ＧＨＱ(連合国軍最高司令官総司令部)による公職追放令
1946	昭和21	2/ 1	毎日新聞、憲法問題調査委員会試案のスクープ
		2/13	ＧＨＱ、吉田外相に憲法改正案を交付
		2/22	閣議、ＧＨＱ案受け入れを決定
		3/ 4～5	ＧＨＱ案を元にした政府案をめぐるＧＨＱとの徹夜交渉
		3/ 6	憲法改正の政府案、発表
		4/10	総選挙
		6/20	憲法改正の政府案、帝国議会に提出
		7/ 1～23	衆議院憲法改正特別委員会で審議
		7/10	ＧＨＱ民政局次長、日本側との会談で国民主権明記を要求
		7/25～ 8/20	衆議院憲法改正特別委員会内小委員会で審議
		8/24	衆議院で、憲法改正案可決
		8/31～ 9/26	貴族院憲法改正特別委員会内小委員会で審議
		10/ 6	貴族院で、憲法改正案修正可決
		10/ 7	衆議院本会議、貴族院から回付された憲法改正案可決
		11/ 3	「日本国憲法」公布
1947	昭和22	5/ 3	「日本国憲法」施行
1952	昭和27	4/28	サンフランシスコ平和条約発効で、占領解除
1995	平成7	9月	衆議院憲法改正特別委員会内小委員会議事録、公開

単元9　「新皇室典範」の成立

本来は憲法と同格または憲法に準ずる位置付けでなければならない新しい「皇室典範」はどのようにして成立したのであろうか。果たして有効に成立したと言えるのだろうか。

【「新皇室典範」の成立過程】

「日本国憲法」の審議と併行して、「新皇室典範」の審議が行われました。1946（昭和21）年6月、臨時法制調査会が設置され、その第一部会で7月から9月にかけて「新典範」の立案が行われました。そして、12月には「新典範」案が第91帝国議会に提出され、簡単な審議の上、原案通り可決されてしまいます。この間、第一部会の幹事たちは、少なくとも12回以上、GHQと連絡を取りながら、「新典範」の内容を決めていきました。

翌1947年1月16日、「新典範」は法律として公布されました。その後、5月2日、旧皇室典範が、皇族会議と枢密院の議を経て、天皇の勅定という形で廃止されました。翌3日、「日本国憲法」と「新典範」が、施行されました。そして、10月13日、「新典範」で作られた皇室会議は、十一宮家の臣籍降下を決定していったのです。

【「新皇室典範」の内容】

「新典範」の内容を見ると、皇室のことは皇室自身が決定するという**皇室自治主義**の精神は、かけらも存在しません。旧典範では、皇室の大事を審議する機関として、天皇を主宰者とし皇族を中心メンバーとする**皇族会議**が存在しました。これに対して、「新典範」では、皇族会議に代わって**皇室会議**が置かれることになりました。皇室会議には、天皇は参加できず、皇族は10名のメンバー中2名のみであり、残る8名は衆参両院の正副議長や内閣総理大臣らで占められることになりました。しかも、最高権力者の内閣総理大臣が議長を務めるのです。これでは、まさしく、皇室は、時々の権力者によって圧迫される事態となるでしょう。

神道の最高祭主という性格も、「新典範」では否定されています。旧典範にあった大嘗祭や神器継承の規定が消えてしまうのです。ただし、**万世一系**という点だけは、「新典範」の規定によって、守られることになりました。「新典範」第1条は、万世一系という言葉こそ使いませんが、「皇位は、皇統に属する男系の男子が、これを継承する」と規定し、男系継承を明確にしたのです。

【「新皇室典範」と臣籍降下は無効】

皇室典範は、本来、憲法と同格または憲法に準ずる位置付けをされる国家の最高法です。ですから、憲法と同じく、占領下でつくられるべきものではありません。しかも、「新皇室典範」の成立過程も、「日本国憲法」の場合と同じく、GHQによって統制されており、日本側の自由意思は基本的に存在しませんでした。また、皇室典範は国法であるとともに皇室の家法という性格も有していますから、天皇及び皇室自身の自由意思による議論が必要なはずですが、これは全く存在しませんでした。ですから、「新皇室典範」は無効だと断ぜざるを得ません。当然、「新典範」で作られた皇室会議が行った**十一宮家の臣籍降下**も無効だということになります。

他に無効理由は多数挙げられますが、手続き的なことを二点挙げておきます。第一に、帝国憲法の定める手続きに違反しています。帝国憲法第74条第1項は、「皇室典範ノ改正ハ帝国議会ノ議ヲ経ルヲ要セス」と規定していました。ところが、「新典範」は、議会の議決に基づき、法律として制定されました。明らかに第74条第1項違反です。「日本国憲法」の場合は、まだ、一番表面的なところでは、帝国憲法第73条の定め

旧皇室典範と「新皇室典範」の主な比較

	旧皇室典範	新皇室典範
法形式	皇室典範	法律
改正手続き	皇族会議・枢密院諮詢のうえ勅定	国会の議決
皇位継承の原則	皇統に属する男系男子	皇統に属する男系男子
庶系庶出の皇位継承権	認める	削除
皇室の審議機関	皇族会議	皇室会議
そのメンバー	成年男子の皇族全員＋内大臣・枢密院議長・宮内大臣・司法大臣・大審院長	皇族２＋衆参両院正副議長＋内閣総理大臣・最高裁長官など、計10名
審議機関と天皇	天皇親臨または皇族中一人が議長	天皇はメンバーではない
神器継承・大嘗祭・元号などの規定	有り	削除
太傅（未成年の天皇を育てる係）の規定	有り	削除

る手続きにそって作られました。これに対して、「新典範」は、あからさまに帝国憲法の定める手続きに違反して作られたのです。

第二に、旧皇室典範の定める手続きに違反しています。旧典範第62条は、「将来此ノ典範ノ条項ヲ改正シ又ハ増補スヘキ必要アルニ当テハ皇族会議及枢密顧問ニ諮詢シテ之ヲ勅定スヘシ」と規定していました。この条文には、改正や増補の言葉はあっても、廃止の言葉はありません。そもそも、旧典範からすれば、廃止はできません。いくら「皇族会議及枢密顧問ニ諮詢シテ」廃止を決めたとしても、その廃止は無効なものです。それゆえ、本来、あくまで「旧典範」が有効なものとして生き残っていることになり、「新典範」は無効なものとなります。

もっと知りたい 国体の四つのポイント

「新皇室典範」は内容的にも国体を毀損する

可能性のあるものです。では、国体とは何でしょうか。

国体の第一のポイント――天皇が最高の政治的権威であること

それでは、日本の国体とは何でしょうか。国体とは、前述のように、〈日本国家の歴史上、万世一系の天皇が国家最高の地位にあり続け、国家権力の正当性・正統性を保証する最高の権威であり続けたこと〉を意味します。その最も重要な第一のポイントは、天皇が国家最高の政治的権威であり続けたことです。最高の政治的権威とは、日本国家の政治権力の正統性・正当性を究極において保証する、あるいは権威づけるものです。すぐれた政治的権威が生まれるためには、さらには政治的権威が幾久しく生き続けるためには、自ら政治権力を行使することはせず、いわば「天意」を受けたと思われる時々の実力者に政治権力を任してしまう方がよいでしょう。歴史上、日本の天皇は、「宗教王」から出発したその出自からして、基本的に政治権力を握らず、政治的権威として純化することによって、長い年月を生き残ってきました。そして、〈天皇を政治に巻き込んではいけない〉という国体上の規範が成立してきたのです。参院選（2016年――引用者）後に話題となった《譲位》の制度は、天皇を政治に巻き込む危険性をはらむものです。慎重な議論が求められます。

ついでにいえば、政治的権威と政治的権力の分離とは、西欧流近代民主主義の大きな構成要素です。この分離という点では、日本の天皇制は、世界の最先端を歩んできたことを忘れてはならないと思います。

国体の第二のポイント――万世一系

幾久しく生き残ってきたということは、それだけで、政治的権威として優れたものとなります。政治的権威は、古くて揺るぎが無いほど、その機能をより果たすことができるからです。政治的権威が古くて揺るぎが無い存在であるためには、できるならば、中国のような易姓革命や諸外国のような王朝の交代を否定することが必要です。易姓革命や王朝交代の否定のためには、万世一系の観念が必要です。

戦後の左翼は、平民が皇帝に上りつめることもある中国の易姓革命と易姓革命を理論化した孟子の思想に魅力を感じてきたわけですが、易姓革命の思想がいかに中国の歴史を戦乱の歴史にしてきたか、というマイナス点を見ようとしません。江戸時代までの日本の知識人は、圧倒的な中国思想の影響下にあったわけですが、易姓革命の思想を否定するという思想的独創性を発揮します。もちろん、万世一系の観念と矛盾するからです。そして、基本的に万世一系が続いたという史実が存在し、その史実を基に万世一系の観念が生まれ且つ生き続けてきたからこそ、日本の歴史は、戦国時代を除けば、概して平和的な様相を呈してきたと捉えられるのです。更に言えば、万世一系の観念が生き続けていたからこそ、天皇という政治的権威が大きく作用し、比較的わずかな犠牲で明治維新をやり遂げることができたのです。

それゆえ、第二のポイントは、万世一系ということです。当然に、皇位の男系継承は絶対に守らなければならないものとなります。男系か女系かは、本質的な問題ではありません。これまで男系でもって万世一系が維持されてきたからこそ、男系継承の維持が絶対命題となるのです。ついでに言えば、男系継承の維持という命題にとって、女性宮家という制度を新設することは非常に危険なものであるといえます。

国体の第三のポイント——皇室自治主義

さらに第三のポイントとして、皇室自治主義ということを挙げなければなりません。すぐれた政治的権威が成立するためには、政治権力を自ら行使しないというだけでは足りません。政治的権威は、時々の政治権力によって、その地位を左右されるようでは、現在及び将来の国民にとって〈有り難味のない〉、権威を感じられないものになってしまいます。また、時々の政治権力は、時に、古来の伝統に対する浅薄な理解から、皇室の在り方を無茶苦茶にする危険性があるものです。

ですから、最低限、皇位継承のことは、日本歴史に基づきおのずから定められた皇位継承法に基づき、基本的に皇室の定めるところに任せなければなりません。そして、時々の政治権力者による皇室に対する圧迫を防ぐために、諸外国のように、或る程度豊かな皇室の世襲私有財産を保障しなければなりません。

天皇が最高の政治的権威たること、万世一系ということ、皇室自治主義ということ、以上の三点は、日本歴史上戦前まで基本的に守られてきた伝統であり、日本及び日本人が守り続けるべき国体の枢要点です。これは、政治学的観点から、最も優れた政治的権威をどのように成立させるか、という観点から考察を続ければ出てくる自明の要点だと考えられます。

国体の第四のポイント

さらに言えば、天皇は、「宗教王」として出発し、神道の最高祭主あるいは「神道のローマ法王」という性格を持ち続けてきました。天皇を国家最高の政治的権威として成立させた根源は、神道の最高祭主という性格にあります。皇室の祭事を伝承していくこと、何らかの形でその祭事に国家的性格を持たせ続けることは、やはり日本の国体が求めるものであると言えるでしょう。

(小山常実『「日本国憲法」・「新皇室典範」無効論』より)

単元10　「日本国憲法」の原則

「日本国憲法」は本来無効な存在ですが、無効の確認がなされるまでは有効なものとして扱われます。では、「日本国憲法」はどのような原則にのっとった「憲法」でしょうか。

【立憲主義の六原則】

第一に、一番重要な点ですが、「日本国憲法」は**法治主義**の原則をとっています。法治国では、憲法によって、議会の定める法律は、法秩序における中心的位置を占めており、政令その他に優越します。国家が行う行為は、すべて法律その他の法に拘束されます。もしも公権力の行使が法秩序に反して個々人の権利を侵害するような場合には、裁判によって権利の保障が行われます。

第二に**間接民主主義**の原則、第三に**国民主権**の原則を示しています。前文は、「日本国民は、a正当に選挙された国会における代表者を通じて行動し……ここにb主権が国民に存することを宣言し」と述べ、「そもそも国政は、国民の厳粛な信託によるものであつて、cその権威は国民に由来し、その権力は国民の代表者がこれを行使し」と述べています。aにあるように、「日本国憲法」下では、国民は国会議員を選挙し、国会議員を通じて間接的に国政に参加します。前文は、直接民主主義の弊害を防ぐために、わざわざ間接民主主義の原則を掲げているのです。

また、bにあるように、主権が国民に存する国民主権の原則をとっています。注目されるのは、cから分かるように、権威と権力を分離し、権威を国民自身に、権力を国民の代表者に振り分けていることです。ですから、国民主権の「主権」とは、権力ではなく権威のことを指します。また、「国民」とは天皇を含む国民全体のことを指します。1946（昭和21）年6月26日衆議院本会議の場で、憲法学者でもある金森徳次郎憲法改正担当大臣は、「この憲法の改正案を起案致しまする基礎としての考え方は、主権は天皇を含みたる国民全体に在り」ということだと説明しました。極東委員会に国民主権の明記を押し付けられた際も、7月25日第1回憲法改正小委員会で自由党の北昤吉は、「天皇を含んだ国民全体に主権が存する」と説明しました。

したがって、国民主権とは、国民の代表者が行使する政治権力を正当化する権威が天皇を含む全国民にあるということです。さらに日本の長い歴史に鑑みれば、この権威は、天皇を含むあらゆる世代の全国民に由来するものだと言えます。間接民主主義は、新たに規定された国民主権によって、さらに強化されました。

第四に、**権威と権力を分離する立憲君主制**の原則に基づいています。天皇は政治権力をもちませんが、単に「象徴」であるだけでなく、あらゆる世代の全国民を代表する最高の権威です。この権威に基づいて、天皇は、権力機関の長である最高裁判所長官と内閣総理大臣を任命します。また諸外国は、天皇を国家の元首と見ています。

第五に、条文本体は「第4章　国会」「第5章　内閣」「第6章　司法」と並べられていますし、明らかに**三権分立**の原則を採用しています。立法司法行政の三権が互いに権力を抑制均衡しあうことを予定しております。

第六に、**基本的人権の尊重**です。「日本国憲法」の第3章「国民の権利及び義務」のなかで強調されています。基本的人権は多数決によっても奪われない国民の固有の権利であり、公共の福祉に反しない限り認めるとされています。

【平和主義】

以上の六点は、前節でみてきたように、国民主権を除けば、いずれも欧米の近代立憲国家が築いてきた立憲主義の諸原則をすべて取り入れたものです。さらに「日本国憲法」は前文で、わが国の安全について諸国民の公正と信義に信頼すると宣言し、第9条第1項で国際紛争を解決する手段としての戦争を放棄すると掲げ、第2項で戦力まで放棄しています。第1項の戦争放棄の規定は諸外国の憲法にも多くみられますが、第2項の戦力放棄の規定は「日本国憲法」だけです。ただし、政府は、他国からわが国が戦争をしかけられた場合は、第9条は自衛の行為をするのを禁じていないと解釈しています。しかし、戦力すなわち軍隊を放棄していて国は守れるのでしょうか。国を守れる第9条解釈が求められます。

ミニ知識　主権は2つの意味で使われる

国家は統治権を持っている。統治権とは、領域とそこに住む国民を排他的に支配する権利のことである。国家がもつ統治権は、何よりも憲法制定権をふくんでおり、国内的にも国際的にも最高性の性質を持つ。この最高性を表すために「主権」という言葉が使われているが、今日では、おおよそ2つの意味で使われている。

国内における主権

第1の意味は、独立国家の国内において、領域と国民を排他的に統治する政治権力に対して正当性を与える最高の権威のことである。「日本国憲法」は、前文で「国政……の権威は国民に由来し、その権力は国民の代表者が行使し」と述べ、国民自身には権威を、国民の代表者には権力を分担させている。したがって、「日本国憲法」下の天皇を含む国民全体は、その代表者が行使する政治権力に正当性を与える権威の役割を果たしている。この意味の主権を国民主権という。

国際関係における主権

第2の意味は、国家がもつ統治権は最高かつ独立の性質をもつので、他の国家から支配や干渉を受けないという、他国に対して国家のもつ固有の権利のことである。この意味の主権を国家主権という。

単元11　「日本国憲法」改正の問題

「日本国憲法」の改正手続きと改正の論点について見ていこう。

【「日本国憲法」の改正手続】

前述のように、「日本国憲法」は憲法として無効な存在です。ですから、これを改正しても正統な憲法は生まれません。しかし、国会の憲法審査会で「日本国憲法」の改正が論じられていますから、「日本国憲法」改正の問題について見ていきましょう。

「日本国憲法」には、改正の手続きが規定されています。憲法は、国の**最高法規**ですから、その改正にあたっては法律よりも慎重な手続がとられます。憲法改正案は内閣または国会議員が作成し、衆議院と参議院それぞれの総議員の3分の2以上の賛成で国民に対して発議（提案）されます。発議された改正案は国民投票にかけられ、過半数の賛成が得られれば憲法改正が成立します。改正された憲法は、天皇により国民の名で公布されます（96条）。しかし「日本国憲法」は、一度も改正されないまま、今日に至っています。

「日本国憲法」が成立してから61年も経過した２００７（平成19）年、「日本国憲法の改正手続に関する法律」が成立しました。この法律によって、国民投票の投票権が満18歳以上の日本国民にあたえられました。同年、国会法が改正され、衆参両院に憲法審査会を設置することになりました。審査会は、改正原案を審議する機関として定められています。審査会の審議を経た改正原案は、衆議院百名以上、参議院50名以上の賛成を得て、内容的に関連する事項別に国会に提出されます。国会による発議も、国民投票も事項別に行われることになります。**事項別の審議**になったため、「日本国憲法」の全体としての問題点を掘り下げる審議ができなくなる弊害が出てきています。

また、「日本国憲法の改正手続に関する法律」には、国民投票成立のための**最低投票率**が定められていません。したがって、「日本国憲法」改正案が国会から発議され国民投票にかけられた瞬間に、例えば10％の投票率でも国民投票は有効なものとして成立しますから、５％強の賛成でも改正案は通過します。明らかに、著しく民主主義に反する制度です。

【憲法改正の論点】

改正に関する一番の論点は戦争放棄に関する第9条です。日本は独立国家ですから、国際法上**自衛戦力**を保持する権利をもっています。それゆえ、第9条を改正して自衛戦力をもてるようにすべきだとする意見があります。一方、戦力を放棄することによって戦争をなくしていこうとする第9条の理念を守るべきだとする意見があり、対立しています。与党が今進めようとしているのが、第9条第1項も第2項も変えないまま第3項を新設して自衛隊を明記する改正案です。これでは**自主防衛体制**を構築できませんから、米中露など軍事大国の傘下に入り、その属国に半永久的になり続けることになります。

次の論点が、戦争や内乱、大規模自然災害などに備えるための**緊急事態条項**の新設です。憲法に緊急事態条項を入れるのは通常のことですが、今これを入れると、パンデミック発生を口実に、日本はストレートに国家を超えた存在に、自分たちが選んだわけでもないＷＨＯの事務局長やビッグファーマ（国際製薬企業）に完全に支配されることになる危険性があります。

また**前文の書き換え**という論点もあります。一般に、独立国の憲法前文は、自国の歴史・伝統・文化に基づき憲法の諸原理を基礎づけています。ヨーロッパ諸国の憲法前文ではキリスト教の神が書かれ、アラブ諸国の憲法前文ではイスラム教の神が書かれ、アジア諸国の憲法前文では、自国の歴史が書かれています。例えば、中華人民共和国憲法（1982年、1999年改正）の前文は「中国は、世界で最もふるい歴史をもつ国家の一つである。中国の各民族人民は、輝かしい文化を共同でつくりあげており、栄えある革命的伝統をもっている」と記しています。ところが、「日本国憲法」の前文は、我が国の歴史や伝統や宗教について何ら規定していません。これらを書き込むべきだという意見もあります。

そのほか、プライバシーの権利、知る権利、環境権などの新しい権利を憲法に規定しようという議論もあります。

もっと知りたい

第一条や前文その他を肯定してよいのか——危険な「日本国憲法」改正

【第1条を肯定していいのか】

第9条改正や緊急事態条項の新設など改正案にばかり焦点がいっているが、さらに問題なのは改正案が提示されない部分である。帝国憲法にも国際法にも違反して不法にアメリカに押し付けられたから、「日本国憲法」は憲法として無効であり、憲法としての権威を持っていない。しかし、もしも、憲法改正が発議され投票が行われれば、10％の投票率であっても国民投票は有効に成立するから、政治的には「日本国憲法」は憲法として追認されたのだと強弁することも可能となる。そして、改憲項目自身は否決されたとしても、改憲項目以外の部分は国民に肯定されたという理屈が成立することになる。であれば、その中には、第1条も前文も入る。

第1条が日本人によって肯定されたとなれば、一気に君主制の危機が訪れる。なぜならば、第1条は「天皇は、……この地位は、主権の存する日本国民の総意に基く」と規定しているからだ。傍線を引いた「主権の存する日本国民の総意」という言い方が特に問題である。「主権」を権力と解し、「国民」を天皇以外の現在生きている国民と解すれば、天皇という地位を法律または国民投票で廃止することも可能となるからだ。

【前文の日本人差別思想を認めてよいのか】

次に前文であるが、前文では、諸外国を「平和を愛する諸国民」とし、日本を「戦争の惨禍」をひき起こした侵略国として描いている。明確に、日本及び日本人を世界の中で下層国として描いているのである。この日本人差別思想が一番現れているのが、「平和を愛する諸国民の公正と信義に信頼して、われらの安全と生存を保持しようと決意した」の部分である。諸外国に生存まで預けてしまうと言っているのである。極端に言えば、もしも諸外国が死ねよと日本に対して言ったら死んでいかなければならないことになる。こういう恐ろしいまでの日本人差別思想が前文で語られていることに注意すべきである。前文で語られた日本人差別思想こそが、自衛戦力と交戦権の否定につながり、ヘイトスピーチ解消法の根拠となり、全く謝る必要のない「従軍慰安婦」問題で日本が謝罪させられたことにつながっているのである。前文や第1条以外にも肯定してしまってはいけないものがあるか、徹底的に検討する必要があろう。

単元12　正しい憲法と皇室典範の作り方

「日本国憲法」は憲法として、「新典範」は皇室典範として無効な存在である。これらを改正しても正統な憲法、正統な典範は生まれない。では、新しい憲法や典範をつくる正しい方法とはどういうものであろうか。

【新しい憲法や典範をつくる正しい方法とは】

新しい憲法をつくる正しい方法とは、**「日本国憲法」の無効確認**を行うとともに正統な憲法である**大日本帝国憲法の復元改正**を行うことです。また新しい皇室典範をつくる正しい方法とは、「新皇室典範」の無効確認を行うとともに正統な典範である「旧皇室典範」を復元改正することです。

では、それらの手続きは、どのように行えばよいでしょうか。両者をまとめて提案していきましょう。手続きは、三段階からなります。箇条書きで、簡略に示しておきます。

【第一段階――即時すべきこと】

①無効確認と復元……「日本国憲法」の無効確認と帝国憲法復元確認を行い、「新典範」無効確認と「旧皇室典範」の復元確認を行います。と同時に、帝国憲法と旧皇室典範の効力を当面停止します。これらのことを、国会決議をふまえて天皇が内閣総理大臣他の輔弼を受けて行います。

②「日本国憲法」について……第9条第2項等を除いた「日本国憲法」と同じ内容の法律を**国家運営臨時措置法**（暫定基本法）として制定します。前文と第9条第2項、特に第9条第2項は日本を亡ぼしてしまうものなので、絶対に削除しなければなりません。改正手続きを定めた「日本国憲法」第96条も不要となるので削除します。

③「新典範」について……「新典範」の内容を一部修正したものを、**臨時典範**または暫定典範として制定します。修正点は、混乱を防ぐ観点から、すぐに修正すべき最低限のものにとどめます。すなわち、皇室典範は皇室の家法であるとの考え方から、皇室会議の構成を、できるだけ旧典範の皇族会議に近いものとします。例えば、皇族議員の比率を5割以上にするとともに、皇族を皇室会議の議長とします。それゆえ、第28条以下の「皇室会議」の章を、しかるべく修正します。

④十一宮家の復活

【第二段階――五～十年間、臨時措置法と臨時典範に基づく国家運営】

①自主防衛体制の確立……自衛戦力と交戦権を正面から肯定し、**自主防衛体制**を確立します。そして、日本人拉致問題や尖閣諸島防衛問題その他に対処します。

②日本歴史と国家論の学習……第9条第2項の存在を正当化するために、戦後日本では**国家論**は忌避されてきました。国家論を学べば、軍隊さえ持てないとする解釈が生まれてしまう第9条第2項は不当な規定であ

るということがすぐに分かってしまうからです。

また、この規定を正当化するために、侵略戦争史観または自虐史観が教え込まれてきました。日本は世界に対して悪事を働いてきたのだから、「日本国憲法」を押し付けられても、第9条第2項を押し付けられても仕方がないのだという理屈をつくれるからです。

それゆえ、戦後生まれの日本人は、国家論も学ばず、正しい**日本歴史**も知らないまま大人になっていきました。特に元「優等生」の多い日本のリーダーたちほど、国家意識を失い、自虐史観によって**「正気」**を失わされてきました。それゆえ、日本歴史と国家論の研究と学習を行いつつ、歴史教育と公民教育を改善することが必要です。そして「正気」を回復しなければなりません。「正気」を回復しないまま憲法や典範の問題に立ち向かっても、ろくな憲法案・典範案が出てくるわけがないのです。

③帝国憲法改正案の構想……「正気」を回復しつつ、政府の下にある憲法改正審議会で、帝国憲法改正案を構想します。

④旧皇室典範の改正案の構想……同じく「正気」を回復しつつ、皇族会議にできるだけ近い組織となった皇室会議で、憲法改正審議会の議論と連携して、旧皇室典範の改正案を構想します。このとき、典範の内容問題とともに、法形式の問題についても議論すべきです。

【第三段階――五～十年後、「正気」を回復させて、新しい憲法と皇室典範の作成】

①復元された帝国憲法の改正手続きを定めます。

・帝国憲法第73条を改正し、国民投票の規定を設けます。

・第73条の「貴族院」を「参議院」に読み替える規定を置きます。

②上記改正手続きに基づき、帝国憲法復原改正という形で新しい憲法を成立させます。

③復元された旧皇室典範の改正手続きを定めます。
・帝国憲法第74条と旧典範第62条を改正して典範の改正手続きを変更します。
・改正には「国会の同意」を要すると規定します。典範は皇室の家法でもあるという観点からすれば、「新典範」のように国会が制定する法律という形式はいただけませんが、典範は国法でもありますから「旧典範」のように議会が全く関与しないのもよくないからです。
④旧皇室典範復元改正という形で新しい皇室典範を成立させます。

当然、細かい点は修正する必要が出てくるでしょう。日本人が「正気」を回復するには、5年や10年では足りないかもしれません。しかしながら、何年かかっても、上記三段階で「日本国憲法」と「新典範」を処理する必要があります。でなければ、日本国には、自虐史観の払拭さえもできぬまま、衰退と滅亡が待っているだけです。

第3章　「日本国憲法」と立憲的民主政治

「日本国憲法」は、国家の形をどのように決めているだろうか。
「日本国憲法」の下で、私たちはどのように生きていけばよいだろうか。

第1節　「日本国憲法」の国家像

「日本国憲法」が定める基本的な国家像とはどんなものであろうか。

単元1　天皇の役割と国民主権

歴史を通じて維持されてきた天皇の地位と役割は、「日本国憲法」下ではどうなっているだろうか。

【歴史に基づく権威としての天皇】

天皇は、日本の長い歴史を通じても、国家安泰・五穀豊穣・国民安寧を祈る**祭祀王**として国民の信頼と敬愛を集めてきました。日本の歴史において、権威と権力が分離するようになったのちは、天皇はみずから権力をふるうことなく、幕府などそのときどきの政治権力に正統性をあたえる**権威**としての役割を果たしてきました。

「日本国憲法」のもとでの天皇も、日本の政治的伝統にならって、権威としての役割を果たしています。天皇は「国政に関する権能」すなわち政治権力を行使する権能をもちません（4条）。しかし、内閣の助言と承認に基づいて、内閣総理大臣の任命など、さまざまな国事行為をとり行います（6条、7条）。法律、条約、政令なども、この天皇の国事行為としての署名によって、国家の手続きが完了します。

それゆえ、「日本国憲法」下の天皇も**元首**と位置づけられます。元首は外国に向けて国家を代表する者をいいますが、一般に君主制の国では国王が、共和制の国では大統領が元首または国家元首とよばれます。1973（昭和48）年6月28日参議院内閣委員会で、吉国一郎内閣法制局長官も、元首を行政権全般を掌握する者と定義するならば元首とは言えないが、「国家におけるいわゆるヘッドの地位にある者」と定義するならば「天皇は、現憲法下においても元首である」と説明しています。

このように元首である天皇は、諸外国から日本国を代表する元首としての待遇を受けています。世界全体の中では、ローマ法王と並ぶ世界最高の権威ある存在なのです。

【国民主権と天皇】

「日本国憲法」第1条は、天皇の地位を「日本国の象徴であり日本国民統合の象徴」と規定しています。これによって、天皇は、日本と国民全体の統合のための**象徴**としての役割を果たしています。この象徴という地位は、第1条後半では、「主権の存する日本国民の総意に基く」とされています。

この「主権の存する日本国民」とは、現在この瞬間に生きている私たちの世代だけを意味するのではなく、祖先から子孫までをふくむ、わが国の歴史に連なる天皇と国民の全体を指しています。それゆえ、前文や第1条の言う**国民主権**とは、代々の天皇と国民を含む国民全体が国民の代表者が行使する政治権力に正当性をあたえる最高の権威をもつという意味です。このように、天皇は、長い歴史をもつ日本の国民全体の総意に基づいて、日本国および日本国民統合の象徴として、また権威として特別な地位についています。

【立憲君主制の模範】

前述の参院内閣委員会において吉国一郎は「わが国は近代的な意味の憲法を持っておりますし、その憲法に従って政治を行なう国家でございます以上、立憲君主制といっても差しつかえない」と述べています。立憲君主制は、世界40か国あまりで採用されていますが、象徴及び権威として公正中立な態度を貫いている天皇は、現代の立憲君主制の模範となっています。

ミニ知識　天皇の国事行為

●第6条第1項　国会の指名に基づき内閣総理大臣を任命すること
●第6条第2項　内閣の指名に基づき最高裁判所長官を任命すること
●第7条

①憲法改正、法律、政令及び条約を公布すること
②国会を召集すること
③衆議院を解散すること
④国会議員の総選挙の施行を公示すること
※この「総選挙」は衆議院議員総選挙のほか参議院議員通常選挙もふくむ。
⑤国務大臣及び法律の定めるその他の官吏の任免並びに全権委任状及び大使及び公使の信任状を認証すること
⑥大赦、特赦、減刑、刑の執行の免除及び復権を認証すること
⑦栄典を授与すること
⑧批准書及び法律の定めるその他の外交文書を認証すること
⑨外国の大使及び公使を接受すること
⑩儀式を行うこと
※この儀式は、天皇が主宰して行う国家的性格をもつ儀式をいう。

もっと知りたい　天皇のお仕事

日本国の象徴、日本国民統合の象徴である天皇はどんなお仕事をされているのだろうか。

【「日本国憲法」下における天皇の第一のお仕事とは】

「日本国憲法」第6条・第7条による内閣の助言と承認に基づいた天皇の仕事を「国事行為」とよぶ。国事行為は国家運営上、重要なものが多く、内閣総理大臣、最高裁判所長官の任命、法律・条約などの公布、国会の召集、衆議院の解散、総選挙の施行の公示、国務大臣などの任免、大使、公使の信任、栄典の授与、外国の大使、公使の接受など、すべての国民を代表して行われる性格のものばかりである。象徴だからこそ可能な、大切な仕事といえる。

天皇陛下は、ほぼ毎日、皇居の「菊の間」で侍従が差し上げた書類を丹念にご覧になり、毛筆で署名（サイン）されたり、印を押される。その数は詔書、そして法律、政令、条約の公布、信任状など、内閣からのものだけで年間千数百件を数え、加えて、宮内庁関係の書類がほぼ同数ある。

わが国では、憲法の規定により、天皇の国事行為によって法律の公布などの手続きが完了する。そのほかにも、外国の要人とのご会見や地方のご視察、全国レベルの各種行事や大会に臨席されるなど、象徴という地位にふさわしい仕事として「公的行為」を精力的にこなされている。

【大災害被災地へ両陛下のお見舞い】

日本は地震や台風などの災害が多いが、深刻な災害にあった地域への天皇皇后両陛下のお見舞いは、被災者の心を慰め、復興にむけての励ましとなり、被災者は大きな勇気を与えられている。

【平成の譲位】

2016(平成28)年、天皇は国民へのビデオメッセージを通して、「譲位」の意向を示された。翌年、皇室典範特例法が成立し、平成は31年で幕を閉じることになった。わが国の伝統をふまえて実に200年ぶりに上皇が復活した。今後も皇位を安定して継承できる仕組みの法制化が待たれている。

【古来から続く天皇のおつとめ】

古代から伝わる天皇の大切な仕事は、神々に祈りを捧げることである。その祈りの内容は、「国民の幸せ」と「平和な世の中」である。天皇がとり行う祈りを宮中祭祀という。

私たちは、今年の1月1日の午前5時ごろ、何をしていただろうか。このころ天皇陛下は未明の寒気のなか、皇居の庭に立たれていた。そして長い時間、屏風に囲まれた空間で、今年一年の平安と国民の幸せを四方の神々に祈られていた。これが「四方拝」という年初めの大切なお祭りである。天皇陛下は国民からみえないところで日々、「国平らかに、民安かれ」とひたすら祈っておられる。

昭和天皇は1988(昭和63)年の秋、大量の血を吐かれて危篤状態になられた。一時、意識をとりもどされたときに言われた言葉は、「今年の米の作柄はどうか?」であった。このような「民安かれ」の願いは、実は歴代の天皇がもち続けてこられた真心であり、皇室の伝統といえるだろう。

石灰壇

千数百年にわたり、歴代天皇は毎朝、石灰壇の上に直接座られ、「天下泰平」の祈りを続けてきた。明治以降、宮中三殿(皇居内の斎場)で侍従による毎朝御代拝にかわった。その時間に、天皇は御座所で祈られている。

単元2　基本的人権と公共の福祉

国民の基本的権利を保障する「日本国憲法」の根底にある思想とは何だろう。また「公共の福祉」とは何だろう。

【国民の基本的権利】

政治権力は法に基づいて行使されなければならないという立憲国家の法治主義は、政治権力の恣意的な支配から国民の自由と権利を守る役割を果たしてきました。この立憲政治の考え方は、憲法が、国民に保障される自由と権利を明確に規定することによって具体化されます。

「日本国憲法」は、第3章「国民の権利及び義務」（10条～40条）において、「自由権」「社会権」「参政権」「請求権」などの幅広い国民の基本的権利の保障を定めています。第11条では、これらの基本的権利を**基本的人権**とよび、これを「侵すことのできない永久の権利」として、現在および将来の国民にあたえられると宣言しています。

この基本的権利の保障の根底にある考え方は、**「個人の尊重」**の思想であり（13条）、人間一人ひとりの人格をかけがえのないものとして尊重するとともに、人格としての人間を平等に差別なく尊重する思想です。

【権利自由の保持・不濫用、公共の福祉のために用いる義務】

第12条は、国民に対して、憲法が保障する自由及び権利を「不断の努力によつて」保持する義務を課しています。また自由及び権利の濫用を戒めています。「濫用」とは自由や権利を利己的・反社会的に用いることです。たとえば、私たち一人ひとりは自宅で自由に音楽を聴く自由をもっていますが、隣近所の人たちにとって騒音となるような大きさで音楽を聴くことは権利の濫用となり、許されません。この権利の濫用の抑制は、近所の人が静かに暮らす権利を守ることになります。すなわち、人間個々人を尊重する精神につながるのです。

そして第12条は、国民は、常に**公共の福祉**のために自由及び権利を利用する責任を負うと規定しています。私たちは一人で生きているのではなく、共同で社会生活を営んでいることを片時も忘れず、自由や権利を行使する必要があります。

一方で、「公共の福祉」の名を借りて、私たちの自由や権利が不当な制限を受ける可能性もあります。自由や権利の制限がなされることが正当か、またいかなる理由でどの程度制限されることが妥当かを判断するのは、裁判所の重要な役割の一つです。

【国民の三大義務】

憲法は、国民の健全な社会生活を成り立たせ、国家と社会を維持・発展させるために、国民が国家の一員として果たさなければならない具体的な義務を定めています。子供に普通教育（子供が大人になるために共通して必要な基礎的、一般的な知識と技能を学ばせる教育）を受けさせる義務（26条）、勤労の義務（27条）、納税の義務（30条）の3つです。これらを**国民の三大義務**といいます。

◇◇◇◇◇◇◇◇◇◇◇◇◇◇◇◇◇◇◇◇◇◇◇◇◇◇◇◇◇◇◇◇◇◇◇◇

ミニ知識　権利か否か、権利の濫用か否かの判断基準

日本語の「権利」は、ドイツ語のＲＥＣＨＴや英語のＲＩＧＨＴの訳語としてつくられた。「利」という漢字の語感からくるのであろうが、日本語の「権利」という言葉は、功利主義的な意味合いが強い。それゆえ、戦後日本では、どのような欲望であれ、個々人のあらゆる欲望を満たすことが権利であるとみなされる

基本的人権を定める憲法の条項

自由権	
身体の自由	
奴隷的拘束及び苦役からの自由	18
法定手続の保障（罪刑法定主義）	31
不当な逮捕からの自由（逮捕令状主義）	33，35
精神の自由	
思想・良心の自由	19
信教の自由	20
学問の自由	23
集会・結社・表現の自由、通信の秘密	21
経済活動の自由	
居住・移転・職業の自由	22
財産権の保障（私有財産制度）	29
権利の平等	
個人の尊重	13
法のもとの平等	14
両性の平等	24
社会権	
生存権	25
教育を受ける権利	26
勤労の権利	27
労働基本権（労働三権）	28
参政権	
公務員の選定・罷免権	15
選挙権	15，44，93
最高裁判所裁判官に対する国民審査	79
憲法改正の承認権	96
地方自治の特別法に対する住民投票	95
請願権	16
請求権	
裁判請求権	32
損害賠償請求権	17
刑事補償請求権	40

傾向がある。そして「権利」は無制限の自己主張に結びついていく。

しかし、本来、ＲＥＣＨＴやＲＩＧＨＴは神によって与えられたものである。「理」に制限された自己主張し得る範囲のことを指す。とすれば、ＲＥＣＨＴやＲＩＧＨＴの正しい訳語は、たとえば、明治前期に使われていた「権理」であるということになろう。だから、「理」のない自己主張は権利とは言えない、あるいは「理」の薄い自己主張は権利の濫用だということになろう。

さて、それでは、その「理」の存在をどのように判断すれば良いのだろうか。権利の濫用か否かの究極の基準は、西欧やアメリカでは、伝統的にはキリスト教の神であった。ここ日本では、日本の神仏、あるいはお天道様といったところになろう。

人が頭の中でこね回して作り上げた権利であっても、神仏やお天道様が許さないものは権利＝権理として成立しないと言うべきである。例えば、２０２３年3月、人権高等弁務官事務所（ＯＨＣＨＲ）等は、小児性愛などを合法化する提案を行っているが、小児性愛は虐待以外の何物でもなく、キリスト教の神も日本の神仏やお天道様も小児性愛を許さないであろう。

単元3　身体の自由と精神の自由

自由を欠く社会における苦しみはどのようなものだろうか。自由を欠く社会で民主政治が行えるのだろうか。

【自由の価値】

自由であることは、人間にとって何にもまさる大切なことであり、また本源的で切実な要求です。しかし、今日でも、一部の支配者による**専制政治**や独裁政治が続く国々では、秘密警察や軍などの暴力によって、人々の自由への希求が抑圧され続けています。「日本国憲法」は、「わが国全土にわたつて自由のもたらす恵沢を確保」することを前文で宣言しており、自由の価値を最大限に高く位置づける自由主義の思想に立脚した憲法です。以下にみるように、憲法は、国民の享受する**自由権**を具体的に規定し、手厚く保障しています。

【身体の自由と精神の自由】

私たちが自由であるためには、何よりも、私たちの身体が不当な拘束や侵害から免れている必要があります（**身体の自由**）。憲法は、何人も奴隷的拘束を受けず、意に反する苦役に服させられないと規定しています（18条）。また、どのような行為が犯罪とされ、いかなる刑罰が科せられるのかが法律で定められていなければならず（**罪刑法定主義**）、犯罪の容疑をかけられた場合であっても、警察による逮捕、取り調べおよび裁判は、法律の定める適正な手続きに基づいて行わなければなりません（31条～39条）。

人間の人間らしさは、その自由で創造的な精神の活動にあります。憲法は、思想・良心の自由（なにごとにも自由に考え、何がよいかを自由に判断できること、19条）、信教の自由（だれからも強制されないで自分でよいと思う宗教を信仰できること、20条）、集会・結社の自由（集会を自由に開き、団体を自由に結成できること、21条）、表現の自由（21条）、学問の自由（23条）など、私たちの内心における思想や信教と、その表現にかかわる自由を広く保障しています（**精神の自由**）。

しかし、中国や北朝鮮といった専制政治の国では、犯罪を犯したわけでもない人たちが、さしたる理由もなく、身体が不当に拘束されています。甚だしくは、「再教育センター」に入れられ、奴隷労働をさせられる人たちもいます。このように身体の自由さえも保障されない国では、そもそも自由にものを考えることもできず、精神の自由が保障されません。

【民主政治と表現の自由】

身体の自由が保障された国でのみ民主政治が行われますが、民主政治の健全な発展にとってとりわけ重要なのが、**表現の自由**です。表現の自由には、言論、出版、報道、学術活動、集会の開催やデモ行進、政党の結成などの結社、インターネットでの発言などがふくまれます。表現の自由は、特に政治権力からの干渉を受けやすいだけに、特別の保障が必要です。

他方で、表現の自由は、他者のプライバシーや名誉を傷つけたり、また社会の秩序や道徳を混乱や崩壊に陥れたりする危険性をあわせもっています。表現の自由といえども、つねに無条件に認められるわけではないことに留意する必要があります。

ミニ知識 世論の専制

政治権力のみならず、社会も、人々の表現の自由を抑圧することがある。大多数の人の考え方とは異なる少数意見の持ち主は、発言の機会が封じられ、沈黙を強いられることがある。

今日のマスメディアの高度の発達は、皮肉にもこのような世論の専制（または多数者の専制）を強める傾向がある。このような表現の自由の抑圧の問題点は、抑圧された当人の苦痛だけではなく、批判的な意見や異質な考え方の多様な表明が抑圧されることによって、社会全体が画一化し、硬直化してしまい、社会の自由で健全な発達が止められてしまうことにある。

福澤諭吉は『文明論之概略』において、「人々が信じていることには実は間違いが多い」「異端妄説こそが科学や思想を発展させた」と指摘し、人々が心を広く開いて公正に語り合い、議論し合うことの重要さを説いた。

単元4　経済活動の自由

精神の自由を支える経済活動の自由とはどういうものだろうか。

【職業の自由】

民主政治が行われるには、私たち個々人が自立した存在である必要があります。自立した存在であるためには、思想・良心の自由や表現の自由をはじめとした精神の自由がとても大切なものになります。精神の自由を支えるものとして、**経済活動の自由**があります。経済活動の自由には、大きく分けて、職業の自由、居住及び移転の自由、財産保持の自由の３つがあります（22条、29条）。

職業の自由は、私たち個々人が従事する職業を選択する自由（職業選択の自由）と、選択した職業を行い続ける自由（営業の自由）から成り立ちます。職業への従事は、私たちにとっては、単に生計の糧を得るためのものではなく、生きがいともなり、自己実現という意味もあります。前近代の社会では身分や家がらで生まれながらに職業が固定されていましたが、近代社会では職業の自由が認められています。私たちが職業を自分の意思で選択し、その職業を行い続けることは、自由な精神をはぐくむことになるのです。

【居住及び移転の自由】

居住及び移転の自由も、自由な精神と関連しています。居住及び移転の自由は、私たちが住む場所を自由に決定すること、そして自由に移動することを指します。当然、旅行の自由をふくみますし、外国旅行の自由、外国移住の自由も含みます。さらには、日本国籍から離脱する自由もあります。ただし、無国籍になる自由はありません。現代社会では、個々人の自由や権利の保障は国家なくしてできません。

【財産権の保障と私有財産制】

財産保持の自由は、憲法に「財産権は、これを侵してはならない」（29条第1項）と規定されています。財産権とは、所有権や知的財産権、債権、営業権など、すべての財産的権利のことを指します。これらの財産権に対しては、原則として、公権力による制限は許されません。

財産権の保障とは、私たち個々人がもっている具体的な財産権を保障するだけにとどまりません。生産手段の私有制を中心とした**私有財産制**の保障という意味ももちます。それゆえ、わが国は資本主義経済を採用して、民間の自由な競争に基づき経済発展し、豊かな生活を維持してきました。ですから、生産手段の公有化体制をめざす社会主義制度は、憲法に違反します。社会主義化しようと思えば、憲法改正が必要であることになります。

【公共の福祉による制限】

しかし、経済活動の自由は、経済発展をもたらしましたが、同時に、貧富の差を拡大してきました。そこで、今日では、公共の福祉の観点から、経済活動の自由に一定の制限を加えることによって、経済的不平等を緩和して国民に最低限の経済的平等を確保しようとしています。

◇◇◇

ミニ知識　居住及び移転の自由と人身の自由、精神の自由

居住及び移転の自由は、財産権や職業の自由とともに、資本主義経済の基礎的条件を整えたものである。従って、居住及び移転の自由は、基本的に経済的自由の一つと言える。だが、自由に住居を定め、自由に動き回ることは、身体が拘束されていないことを意味するので、人身の自由と密接な関連を持つ。

また、居住及び移転の自由は、この自由が保障されてはじめて、いろいろな人と交わり、意見交換を行え

るようになるから、精神的自由の要素も持つ。

これに対して前近代の社会では、住む場所を自由に決めることは許されず、他の土地に移住することもできなかった。かつてのソ連でも、地域間の移動が管理されており、特に農村から都市への移住が困難であった。したがって、居住及び移転の自由だけでなく、職業の自由もきわめて不十分であった。経済発展を遂げた今日の中国も、同じことがいえる。旧ソ連や今日の中国といった社会主義国では、経済活動の自由も不十分であり、精神の自由も保障されないのである。

ミニ知識

経済活動の自由、資本主義と信用

1991年のソ連崩壊以降、ほとんどの国が資本主義経済体制をとっている。資本主義経済は、職業の自由をはじめとした経済活動の自由が保障された社会で成立する。経済活動の自由が成立するには、人々の間に一定の信頼関係、信用というものが成立している必要がある。資本主義社会では、見知らぬ人同士の間でも一定の信頼関係が成立している。会ったことのない人同士でも契約を取り結んだならば契約が守られるものと信じることができる。購買した商品は当然に一定の品質を保っているものと考え、毒入りの食品や偽物の商品を売りつけられることは基本的にあり得ないと信じることができる。遠い外国から輸入された商品であっても、毒入りや偽物ではないと信じることができる。こういう信頼関係が成立して初めて、資本主義経済体制は順調に発達していくのである。

これに対して、世界第二の経済大国であり「社会主義市場経済」を唱える中国では、そもそも企業の中心は国有企業である。また、国有企業はもちろんのこと、民営企業にも共産党支部が存在し、共産党支部が企業を統制している。したがって、民間企業による自由な競争というものが存在しない。

このように経済活動の自由が著しく制限されている中国では、人々の間で信用というものが成立していない。人々は売り手を信用していないし、商品も信用していない。平気で偽物商品を中国国内で、そして世界に売りさばいている。特に国内で売りさばいている。モラルなき経済活動が行われる中国のような国では、経済活動の自由は混乱をもたらす。混乱が起こらないようにするには、政府による自由の制限が必要となり、独裁が必要となる。さらに言えば、人々は会社も、政府も信用しない。政府も国民を信用しないから、必然的に独裁が必要となる。

単元5　権利の平等と社会権

「日本国憲法」は、国民の幸福のために、自由権のほかにどのような権利を規定しているだろうか。

【権利の平等】

「日本国憲法」は、第13条で「すべて国民は、個人として尊重される」と規定し、第14条第1項で「すべて国民は、法の下に平等であつて、人種、信条、性別、社会的身分又は門地により、政治的、経済的又は社会的関係において、差別されない」と定めています。つまり憲法は、人種、信条、性別だけではなく、職業、資格、収入などによる社会的身分や、生まれた家や血筋を意味する門地による差別を禁止しています。第14条第2項では、貴族制度すなわち身分制度を否定し、勲章などの栄典も、授与された個人の功績への一代限りの顕彰であるとして、それが特権に結びつくことを否定しています。このように国民のだれもが一個の人格として差別なく尊重され、自由な社会的活動の機会を等しく享受できることの保障を法のもとの平等、または**権利の平等**といいます。

しかし、憲法が保障する平等とは、あらゆる社会的活動への参加の機会が国民全員に平等に開かれていること（**機会の平等**）であって、各人の努力や、能力、適性のちがいによって生じた社会的役割のちがいや差をなくすこと（**結果の平等**）ではない点に注意する必要があります。ただし、社会的役割の違いや差を認めつつ、結果の平等をできるだけめざすこと、例えば障碍のある人に優先枠を設けて就労の機会を与えようとすることは、憲法の認めるところです。

【社会権の保障】

19世紀に開花した経済活動の自由は、人々の競争を通じて社会を豊かにした反面、著しい貧富の差を生むことにもなりました。20世紀に入ると、国家が国民の自由を保障するだけでは不十分であり、国民の生活に積極的に介入して貧富の差を緩和し、すべての国民に人間らしい生活を営む権利（**社会権**）を保障すべきだ（福祉国家）という考え方が生まれました。「日本国憲法」も社会権及び福祉国家の思想をとり入れ、第25条で「すべて国民は、健康で文化的な最低限度の生活を営む権利を有する」と規定して、国民の**生存権**を保障しています。生存権の保障のために憲法は、生活に困った人々に対する生活保護や、さまざまな年金、健康保険などの社会保障制度を整えること、また公衆衛生の向上・増進に努めることを政府に求めています。

私たちが人格を形成し、社会に参加していくための基礎的能力をつちかうのは教育によってです。第26条は、すべての国民に、その能力に応じて等しく**教育を受ける権利**を保障しています。そして、この権利を保障するために、親など保護者が子供に普通教育を受けさせる義務を課すとともに、義務教育を無償としています。したがって、義務教育期間である国公立の小中学校9年間の授業料と国公私立小中学校の教科書は無償になっています。

また、人は勤労を通じて社会的活動に参加し、生活の糧を得ます。第27条は、すべての国民に**勤労の権利**を保障しています。国家は、公共職業安定所（ハローワーク）を通じて職を紹介する、失職者に雇用保険を給付するなどして、勤労の権利の実質的保障を行っています。

さらに、使用者に対して弱い立場にある勤労者に、労働組合を結成する権利（団結権）、組合を通じて労使間の交渉を行う権利（団体交渉権）、ストライキなどの行動を通じて使用者に要求を行う権利（団体行動権）を保障しています（28条）。これらの勤労者の権利を**労働基本権**と呼び、団結権、団体交渉権、団体行動権を労働三権といいます。

ミニ知識　教育の目的

１９４７（昭和22）年に制定され、２００６（平成18）年に全面改正された教育基本法は、一貫して第１条に教育の目的として「教育は人格の完成を目指し」と規定している。「人格の完成」とは、人間らしく立派な人間になるという意味である。１９４８年国際連合で採択された世界人権宣言にもほぼ同様の教育の目的の規定がある。

教育は一人ひとりの子供の能力を発達させ、個性を伸ばし、将来生きていけるように力をつけさせるという、個人の利益になる面と、そのような力をつけた人たちが社会を支え貢献するという、社会の利益になる面とがある。この2つの面をもちながら、教育は子供たちを立派な人間にしていくために行うものである。

もっと知りたい　権利の平等に関する問題

国民の権利の平等を保障するうえで、現実にどのような課題があり、どのような議論がなされているだろうか。

【部落差別問題（同和問題）】

部落差別は、中世から江戸時代を通じて歴史的に形づくられてきたものであり、明治政府による身分制度の否定ののちも、根強く残ってきた。

１９６５（昭和40）年、政府の同和対策審議会は、部落差別の廃絶が国の責務であり、国民の課題であると宣言した。それ以降、政府と地方公共団体は、部落差別の根絶と同和地区の生活環境の改善に向けて法律的・財政的な措置を積極的に行い、大きな成果をあげた。２００２（平成14）年には国の同和対策事業は終了している。しかしなお、同和地区の出身者に対し、結婚や就職などに関していわれのない差別が残存しているとも指摘されている。

【外国人参政権】

かつて、わが国が韓国を併合したいきさつなどから、今日、わが国には２０２１（令和３）年現在、約44万人の韓国人と朝鮮人が在住している。また近年では、留学や仕事などで来日し、在住する外国人が増えている。これらの日本に在住する外国人に対しては、選挙権や公務員となる権利は基本的に保障されていない。これに対し、外国人に選挙権を与えないのは憲法第14条の法のもとの平等に反するとの訴えが起こされた。しかし、１９９５（平成７）年、最高裁判所は次のような主旨の判決を下し、訴えを退けた。「憲法は第15条で選挙権を日本国民固有の権利としている。また憲法第93条に規定された地方選挙権を有する住民とは日本国民である。わが国に在住する外国人に選挙権を付与しなくても合憲である」。

この判決は、日本の選挙権を日本国民に付与し外国人に付与しないことは、合憲であり、権利の平等・不平等の問題ではないことを示した。

ミニ知識　法の下の平等に反するヘイトスピーチ解消法

2016（平成28）年、「本邦外出身者に対する不当な差別的言動の解消に向けた取組の推進に関する法律」（ヘイトスピーチ解消法）が成立した。この法律は、本邦外出身者即ち外国人に対するヘイトスピーチだけを解消すべきものと捉え、日本人に対するヘイトスピーチを見逃すものである。

第3条　国民は、本邦外出身者に対する不当な差別的言動の解消の必要性に対する理解を深めるとともに、本邦外出身者に対する不当な差別的言動のない社会の実現に寄与するよう努めなければならない。

本来、ヘイトスピーチを規制することは表現の自由を抑圧する危険性が高いから慎重にすべきであるとの意見は根強い。規制を認めるとしても、「本邦外出身者に対する不当な差別的言動」だけではなく「人種等を理由にする不当な差別的言動」全体を問題にすべきである。そして、国民だけではなく日本居住の外国人にも義務を課すべきである。本法は、明らかに、権利の平等に反する日本人差別法である。

この日本人差別法は、わずか2か月の審議で、しかも参院法務委員会で3回、衆院法務委員会ではたった1回審議されただけで成立した代物である。マスコミもまともに報道しなかったため、言論界でも何の議論もなされないまま成立してしまった。さすがに、審議後半には法案に対する疑問や批判が出てきたため、衆参両院で〈国籍、人種、民族等を理由とする差別的言動は、本邦外出身者だけでなく誰に対しても許されない〉とする付帯決議が採択された。しかし、付帯決議には法的拘束力はない。本法の日本人差別性は全く解消されていないのである。

単元6　新しい権利

現代の社会状況の大きな変化に対応して認められてきた新しい権利にはどのようなものがあるだろうか。

【知る権利】

国民の参政権を実質的に保障するために、国や地方の政治に関する情報を得る**「知る権利」**が提唱されました。１９９９年に**情報公開法**が制定され、地方公共団体も情報公開制度の整備を進めています。知る権利を保障するためには、マスメディアの報道の自由がきわめて重要です。また、個々人が医療機関において、自分の病状につき十分な説明を受け、そのうえで治療法を選択する**インフォームド・コンセント**（１３２頁参照）の考え方も広く普及しています。知る権利は、個々人が自分自身の生き方を決定する権利の保障にもつながります。

【プライバシーの権利】

個人生活について各自のおだやかな生活を保障するために、「知られない権利」ともいえる**プライバシーの権利**があります。情報化の進展によって、本人が知らないあいだに個人情報が流れ出し、勝手に利用されて苦痛や被害を生む問題が多発しています。２００３年には個人情報保護法が制定され、行政や企業における個人情報の厳正な管理義務が規定されました。

一方、個人情報保護を理由にマスメディアが取材の制限を受ける事態も発生しており、知る権利とプライバシーの権利とのバランスが課題となっています。

【プライバシーの権利と公共の福祉の調整】

プライバシーの権利については、この権利を重視し**個人情報保護法**を推進した人たちからも、その過保護が問題とされています。例えば､学校においては､かつてはどこでも存在したクラスの連絡網が消えてしまった地域が多いです。一部の保護者が他の子供の保護者に電話番号を知られたくないと考え、あるいは番号の流出を恐れて、連絡網に電話番号を掲載することを拒否するからです。このようなことでは、緊急事態に対応できない危険性が大きくなります。また、運動会などの行事があった後、その行事と関連した写真や氏名を学校側が掲載するのも保護者の許可を必要とする場合も多いです。保護者が拒否すれば、写真は掲載されず、氏名の箇所は「Aさん」「Bさん」になってしまいます。

このように、プライバシーの権利の過剰保護が問題になっています。プライバシーの権利と公共の福祉のバランスを見極め、調整しなおす必要があります。

【環境権】

高度成長期には急速な工業化や都市への人口集中が進み、大気や水質の汚染、騒音や振動、日当たりや景観の悪化など生活環境の破壊が深刻な問題となりました。そこで､「生命、自由及び幸福追求」(憲法第13条)の権利をふまえ、良好な生活環境を求める権利として**環境権**が提唱されました。１９９３年に環境基本法が制定され、１９９７年には開発にあたって事前に環境への影響を調査することを義務づけた環境アセスメント法が制定されました。しかし、経済活動の自由や生活の利便性の保障と環境権の保障は衝突することがしばしばあり、むずかしい問題となる場合が多いです。

もっと知りたい 新型コロナワクチンとインフォームド・コンセント

新型コロナワクチン注射をめぐっては、どのような基本的人権が侵害されたと考えられるだろうか。考えてみよう。

２０２１（令和３）年以来、新型コロナワクチンが日本国民に対して打たれ続けている。このワクチンによる死者数は、１９７７（昭和52）年２月から２０２１年２月までに接種されたあらゆる種類のワクチンによる死者数の合計を越えている。なんと、「死亡」認定申請１１５８件中審査が終了した５４２件中４５３件でワクチンによる「死亡」が認定されている（２０２４年１月公表）。このワクチン注射は、今日ではすっかり普及したインフォームド・コンセントの考え方に反する形で進められている。いや、「日本国憲法」の保障するいろいろな基本的人権を侵害する形で進められている。コロナワクチン注射をめぐる基本的人権の問題について考えていきたい。

【生命・身体に関わる自己決定権】

「日本国憲法」第13条は「すべて国民は、個人として尊重される。生命、自由及び幸福追求に対する権利については、公共の福祉に反しない限り、立法その他の国政の上で、最大の尊重を必要とする」と規定している。この第13条から自己決定権というものが導き出される。特に「その者の人格的生存に不可欠な」事柄に関する自己決定の権利が出てくる。当然、生命・身体のあり方に関しては自己決定権が成立する。

ワクチン接種は、特に多数の死者を出している新型コロナワクチンの接種は、身体に永続的な障害を負わせる危険性もあり、場合によっては生命を失う危険性さえも伴う行為である。だからこそ、ワクチン接種は、生命・身体に関わる自己決定権の問題である。新型コロナでも死ぬかもしれないが、ワクチンでも死ぬかもしれない、いずれを選択するかという問題である。

【インフォームド・コンセントの原則】

生命・身体について自己決定しようと思えば、当然、国民一人ひとりは、例えば新型コロナとその治療薬などの治療法に関して、そしてワクチンなどの予防方法に関して十分な情報を得る権利（知る権利）を持つ。それゆえ、インフォームド・コンセントの原則というものが生まれた。

インフォームド・コンセントの原則のポイントとはどういうものであろうか。日本弁護士連合会（日弁連）が出している「患者の権利の確立に関する宣言」（１９９２年11月６日）は、「医療において、患者がａ自己の病状、ｂ医療行為の目的、方法、危険性、代替的治療法などにつき、ｃ正しい説明を受け理解した上でｄ自主的に選択・同意・拒否できる（傍線部及び記号は引用者）というインフォームド・コンセントの原則」と述べている。

ａｃから分かるように、第１に医療提供側は病気及び病状について正しい説明をして患者側に理解してもらわなければならない。第２に、ｂｃから知られるように、「医療行為の目的、方法、危険性、代替的治療法など」について正しい説明をして患者側に理解してもらわなければならない。つまり、治療薬やワクチンをなぜ用いるのか、どのように用いるのか、副作用などの危険性はどういうものか、治療側が薦める治療法とは異なる別の治療法としてどういうものがあるか説明し理解を求める必要があるのである。そして、正しい説明をして理解してもらったうえで、ｄから分かるように、第３に患者側が「自主的に選択・同意・拒否できる」必要があるのである。

【インフォームド・コンセントの原則は守られたか】

では、新型コロナに関して、３つの原則は守られたであろうか。第１に、新型コロナの病状は、毎日のようにテレビや新聞で極めて恐ろしいものとして喧伝されてきたが、インフルエンザや風邪との比較において正確に伝えられることはなかった。また、新型コロナはなぜか感染症のⅡ類に分類されていたが、同じⅡ類に分類される新型コロナとは比較にならないほど危険な感染症であるジフテリアなどとの比較において伝えられることは全くなかった。新型コロナの病状について多数の説明がなされたが、その説明は客観的・公正な「正しい説明」ではなかった。

第2に「b医療行為の目的、方法、危険性、代替的治療法」については、そもそも説明自体がなかったか、あってもないに等しかった。何よりも医療行為の一環であるワクチンの「危険性」については説明が全くなされてこなかった。今回のワクチン接種後の死亡者に関する情報、重篤な障害に関する情報もほとんど出てこなかった。453件の新型コロナワクチンによる死亡者数が明らかになっても、その情報は一向にマスコミによって拡散されることはなかった。また、「代替的治療法」であるイベルメクチンなどの治療薬についての情報が、いつのまにか隠されてしまった。インドなどの諸外国では日本発のイベルメクチンが治療薬として使われ重症化を防いできたのに、この薬に関する議論も封じられてしまっている。

そのうえ第3に、「d自主的に選択・同意・拒否できる」状況どころか、強制的にワクチンを打たせる状況が続いてきた。ワクチンを拒否すれば失職する可能性さえもあったからだ。結局、インフォームド・コンセントの原則は全く守られておらず、国民の生命・身体に関わる知る権利も、自己決定権も侵害され続けているのである。インフォームド・コンセントの問題として、自己決定権の問題として、ワクチン接種の問題について議論することが求められている。

単元7　参政権と請求権

国民には政治に参加する権利と、権利を侵害されたとき回復を求める権利がある。それらはどう

いうものだろうか。

【参政権】

福澤諭吉は『学問のすすめ』のなかで、国民は「客」として国の法律に従う存在であると同時に「主人」として国の政治を行う存在だ、と述べています。しかし、国民の全員が政治を行うことはできないから、代表者を選んで政治を任せる、とも述べています。

「日本国憲法」は、第15条で「公務員を選定し、及びこれを罷免することは、国民固有の権利である」と規定し、国民がみずからの代表者を選ぶ**選挙権**を保障しています。また、「公務員の選挙については、成年者による普通選挙を保障する」と規定し、社会的地位、収入や性別などに一切かかわりなく、成年に達したすべての国民に選挙権をあたえる**普通選挙**を保障しています。

選挙によって選ばれる公務員とは、具体的には国会と地方議会の議員、および地方公共団体の首長です。これらの職を目指して選挙に立候補する権利が**被選挙権**です。憲法第44条では、成年国民が、人種、信条、性別、社会的身分その他によって差別されることなく被選挙権を有すると規定しています。

以上のような議員と首長の選出と被選出以外にも、憲法は、憲法改正にあたって実施することが規定されている国民投票（96条）、最高裁判所裁判官の国民審査（79条）、特定の地域に実施される法律の可否について住民の意思を問う住民投票(95条)、国民が政治的な要求を国や地方の機関に直接訴える**請願権**(16条)など、国民が政治についての意思を表明し政治に参加する権利を広く定めています。これらの諸権利が、**参政権**とよばれるものです。そして、当然ながら、日本国民であるならば、国家や地方の公務員になる資格があります。公務員になることを参政権の一つととらえる見解もあります。

参政権は、権利であるとともに義務としての性格ももっています。国民は、各自の私生活の範囲をこえる公共のことがらについて関心をもち、みずから判断し、積極的に発言していくことを通して、自分たちの国や地方をよりよく発展させていくことが求められます。

【請求権】

国民の権利を保障するためのさまざまな仕組みにもかかわらず、国民相互の権利の衝突や行政による権利侵害はありえることです。そのため、憲法第32条はすべての国民に**裁判を受ける権利**を保障しており、裁判によって権利の回復を求めることができます。また、公的機関による権利侵害に対する**損害賠償請求権**（17条）、訴えられた人が裁判で無罪となった場合、国に補償を求めることができる**刑事補償請求権**（40条）が規定されています。以上のような諸権利を、**請求権**とよびます。

ミニ知識　各国における普通選挙制度の確立

成年に達した国民の全員に選挙権が保障されるようになったのは、それほど昔のことではない。歴史をさかのぼると、どの国でも、女性であったり、特定の人種であったり、財産（納税額）が少なかったりした場合には選挙権が認められない制限選挙の時代があった。イギリスを例にとると、男子普通選挙権は１９１８年、女子選挙権の確立は１９２８年であった。アメリカでは、黒人は、１９６０年代の公民権運動を通じて、ようやく選挙権を獲得した。

わが国の場合は、大日本帝国憲法のもとで、男子普通選挙権は１９２５（大正14）年に確立し、女子の選挙権は戦後改革期の１９４５（昭和20）年にいずれも確立した。

単元8　平和主義と安全保障

政府は「日本国憲法」第9条をどのように解釈して自衛隊を設置しているのだろうか。正しい第9条解釈と正しい自衛隊の位置付けはどういうものだろうか。

【自衛権と第9条第1項】

いかなる国家も、国民の安全と生存を外部からの侵害から守る権利（**自衛権**）をもつことが認められており、各国は自衛のために軍事力すなわち**戦力**を保有しています。そして、いざ戦争ないし武力衝突となれば**交戦権**を認められます。

しかし、第二次世界大戦に敗れたわが国は、連合国軍による占領のもとで軍隊が解体されました。占領下につくられた「日本国憲法」は、前文で「平和を愛する諸国民の公正と信義に信頼して、われらの安全と生存を保持しようと決意した」と**平和主義**の理想を打ち出したうえで、第9条第1項で「国権の発動たる戦争と、武力による威嚇又は武力の行使は、国際紛争を解決する手段としては、永久にこれを放棄する」と定めています。「国際紛争を解決する」ための戦争とは侵略戦争のことですから、第1項は侵略戦争を放棄したけれども自衛戦争は放棄していないと解釈されています。これは、憲法解釈学の多数説であり政府の解釈でもあります。

【戦力・交戦権と第9条第2項】

しかし、続く第2項は、「前項の目的を達するため、陸海空軍その他の戦力は、これを保持しない。国の交戦権はこれを認めない」と規定しています。それゆえ、政府も多数説も、戦力も交戦権も否定されていると解釈しています。

これに対して、昭和20年代以来、〈第1項は侵略戦争を禁止しているが、自衛のための戦争は禁止していない。また、第2項は、侵略戦争の放棄という第1項の「目的を達するため」の戦力不保持の規定であり、自衛のための戦力の保持を禁止したものではない〉とする自衛戦力肯定説が存在しつづけています。この理屈をさらに進めて、〈第2項は、侵略戦争の放棄という第1項の「目的を達するため」の戦力不保持、交戦権否定の規定であり、自衛のための戦力と交戦権を禁止したものではない〉とする自衛戦力・交戦権肯定説があります。自衛戦力も交戦権もなければ国家の独立は不可能ですから、この説が独立国家の解釈として最も正しいものです。

【自衛隊】

だが政府は、わが国は独立国として自衛権を有しているから、戦力の保有は許されないが戦力に至らない自衛のための必要最小限度の実力を保持できるとして1954（昭和29）年に**陸海空自衛隊**を発足させました。今日では自衛隊の主な任務はわが国の**防衛**、**治安維持**、災害などが発生した際の**救援活動**、**国際平和協力活動**の4つです。防衛が最重要の任務ですが、1957年に定めた国防の基本方針を受けて、軍事大国にならず専守防衛に徹するという基本理念に従い、日米安全保障条約堅持、文民統制確保の方針を維持しています。しかし、世界的にも有数の実力を備えた自衛隊を「戦力に至らない」とする政府の憲法解釈には無理があります。堂々と、自衛隊を軍隊即ち戦力として位置づける必要があります。

もっと知りたい　**平和主義の背景**

何ゆえに、GHQは第9条を押し付けたのであろうか。「日本国憲法」成立時の国際情勢から考えてみよう。

【各国の軍備なき平和】

ＧＨＱが憲法第９条に平和主義を持ち込んだのは、わが国を二度とアメリカやソ連などの連合国に対抗できない国家に作り変えるためであった。それだけではなく、国際連合の提唱者であるアメリカ大統領ルーズベルトは、国連軍が中心になって世界平和を達成する道を考えていた。しかも、ルーズベルトは、アメリカ、ソ連（現在のロシア）、中国、イギリス、フランスの五大国だけが軍隊を保有して国連軍に人員を提供すればよいと考え、五大国以外の軍備を取り上げようと考えていた。その中でも、日本やドイツなどの敵国は、真っ先に軍備を取り上げるべき国だった。この構想が、第９条の背景には存在した。ルーズベルトは、きわめて差別的な国際秩序を作り出すことによって、世界平和を達成しようと考えていたのである。

【各国の軍備による平和】

ところが、国際連合設立のための正式会議直前に、ルーズベルトが亡くなった。そのためか、１９４５（昭和20）年４月25日に始まった正式会議では、ラテンアメリカ諸国の要求とアラブ諸国の熱心な支持により、五大国以外の軍備と武力行使も認められた。国連憲章には各国の個別的・集団的自衛権が認められた。

そして１９４７年以降に米ソ冷戦が始まると、誰の目にも、国連による国際平和の維持は不可能だということが見えてきた。したがって、１９４９年に基本法をつくらされた旧西ドイツの場合は、「侵攻的戦争」（いわゆる侵略戦争）を禁止したけれども、戦力を保持する権利は奪われなかった。つまり、「日本国憲法」の戦力放棄は、正しい考え方だと仮定しても、既に冷戦開始以降には国際社会の考え方と合わないものになっていたことに注意すべきである。

【連合国は自衛戦力肯定説の可能性を認めていた】

さらに言えば、1946年8月1日に衆議院憲法改正小委員会で第9条第2項に「前項の目的を達するため」が挿入されると、9月21日、連合国による日本統治に関する最高機関である極東委員会は、大臣が文民であるべきことの規定を新設するように日本側に要求する決定を行う。連合国側が、「前項の目的」挿入により自衛戦力肯定説が誕生し軍人の大臣が成立する可能性に気付いたからである。連合国自身が自衛戦力肯定説を認めていたわけだから、なおさら、わが国は独立国家として堂々と自衛戦力・交戦権肯定説を採用すべきである。

単元9　間違った自衛隊の位置付けと日本の危機

日本政府は、間違った第9条解釈に基づき、自衛隊を軍隊と位置づけてこなかった。そのことがもたらす危機とは何だろうか。

【自衛隊は法制上軍隊ではない】

前述のように**自衛隊**は、間違った第9条解釈に基づき、戦力ではない、軍隊ではないという間違った位置付けでつくられました。そのため、外国の軍隊のような法制上の仕組みになっていません。警察の場合は、職務上とりえる行動は法律によって決められており、それ以外のことを行うと法律違反となります。これを**ポジティブ・リスト方式**（行ってよいことの列挙方式）といいます。これに対して、軍隊は、国家の生存をかけて武力発動をするものですから、武力発動のしかたについてあらかじめ制限を設けることはできないという考え方に立っています。ただし、戦争の被害の際限のない拡大を防ぐため、行ってはならない行動を国際法が列挙しています。これを**ネガティブ・リスト方式**（行ってはならないことの列挙方式）といいます。

わが国の自衛隊は、憲法上で軍隊として位置づけられていないことから、警察と同様にポジティブ・リスト方式で運用されています。たとえば、外国の軍艦や工作船によるわが国の領海に対する侵犯にさいして、軍事行動としてではなく、法律で定められた海上警備行動として対処しています。また、ＰＫＯ協力活動や人道復興支援などのために国際派遣されるさいには、活動できる地域が非戦闘地域に限られることに加えて、携行できる武器にも制限があり、しかも武器使用は正当防衛と緊急避難の場合に限られています。

このような現状に鑑みるならば、自衛隊が確実にわが国の主権を守り、国際平和維持に効果的に貢献するために、自衛隊の法的地位を改め、軍隊として位置づけるべきです。

【専守防衛では守れない】

間違った第９条解釈、間違った自衛隊の位置付けから、わが国は**専守防衛**に徹してきました。専守防衛とは、相手から武力攻撃を受けたときに初めて防衛力を行使することですし、その反撃も必要最小限、保持する防衛力も必要最小限とするなどの受動的防衛戦略の姿勢をいいます。

国際常識からすれば当然のことですが、専守防衛では国を守れません。自衛隊は、内閣総理大臣による**「防衛出動命令」**が発令されていないときは、敵軍から攻撃されても武力行使できません。武力行使して敵兵を殺せば、殺人罪に問われる可能性があります。「防衛出動命令」が発令されれば武力行使できますが、発令までに何日かかるかわかりません。発令されても、実際に自衛隊が戦える体制になるには、さらに何日も何週間も待たなければなりません。自衛隊が戦える体制になるまでに、日本の敗北は決定します。戦う相手国が普通の中小国であっても、世界有数の軍事力を備えた日本の勝利はあり得ないのです。

それゆえ、間違った第９条解釈に基づきつくられた自衛隊法以下の軍事法制を前提にする限り、わが国はどこかの軍事大国に守ってもらい、その大国の属国になるしかないのです。いや、実態は植民地かもしれません。しかも、問題なのが、頼りにした大国が必ず日本を守ってくれるわけではないということです。今まさしく、日本にはそういう危機が迫っているのです。

もっと知りたい　交戦権のない国の戦いはどうなるか

日本政府は、間違った第9条解釈に基づき交戦権も否定してきた。しかし、交戦権のない国の戦いとはどういうものになるのか、考えてみよう。

【交戦権とされる権利】

政府解釈によれば、日本は交戦権を放棄したとされている。では、交戦権とされる権利にはどういうものがあるだろうか。紙数の関係でほんの一部しか紹介できないが、まず戦闘自体に関連した権利と補給戦に関わる権利を分けて挙げよう。

・戦闘に関わる権利

（1）敵国領土、領海、領空で戦う権利
（2）敵国領土を占領する権利、占領地行政を行う権利、占領地から徴発する権利
（3）突撃する権利、攻囲する権利
（4）捕虜となる権利

・補給戦に関わる権利

（5）海戦に於ける敵国私有財産没収の権利
（6）臨検・拿捕の権利

【ミニ国家にも勝てない日本】

さて、以下では、どこかの外国と日本が一対一で戦うことになった場合のことを想定して考えていこう。戦闘に関わる権利から見ていこう。交戦権を否定した日本は(1)(2)の権利をもたないことは明白である。となると、どうなるか。普通の国家は、自国の領土・領海・領空だけではなく、敵国の領土・領海・領空でも公海及びその上に位置する空中領域でも戦うことが出来る。それゆえ、日本と戦うことになった外国は、日本の領土内に入り込んで日本各地を占領できるし、占領地から必要なものを徴発することができる。日本を全面的に屈服させるために首都東京を占領することも出来る。

これに対して、（1）（2）を否定した日本は、少なくとも敵国の領土・領海・領空で戦うことはできない。それゆえ日本は、戦闘で圧倒的に勝利しても敵国領土に侵入できないし、敵国の首都を占領して降伏させることは出来ない。敵国がミニ国家であっても、日本の勝利はあり得ないのである。敵国からすれば、日本に対して侵略戦争を仕掛けて撃退されても、絶対に日本は追撃して攻め込んでこないわけだから、安心して日本に対して嫌がらせをし続けることができるのである。

次いで（3）突撃する権利、攻囲する権利であるが、これについては微妙である。普通の交戦国は、自国領内でも対手国の領土内でも全面的に突撃と攻囲を行うことができる。これに対して専守防衛の日本は、敵国領土内においてはそもそも戦えないし、自国領土内であっても、突撃と攻囲を常に行えるか疑問が出てくることになる。

例えば敵軍の上陸を許してしまい、膠着状態になって、敵軍と自衛隊が1か月も2か月も睨みあうという状態になった場合、日本側は、侵略軍を攻囲して隙を見て突撃するということができるのであろうか。一旦、戦況が落ち着いてしまったならば、新たに突撃したり、攻囲したりすることは自衛行動とは言えないという理屈が出て来ないであろうか。ともあれ、戦闘自体において、日本側は大きなハンディーを背負わなければならないことに留意すべきである。

【捕虜になれない？　自衛隊員】

（4）捕虜となる権利も微妙である。正規の陸海空軍軍人は原則として正当な戦闘員とみなされ、捕えられたとき、文句なく、捕虜として扱われる権利を有する。これに対して、国内法で軍隊ではなく警察として位置づけられる自衛隊の隊員は、「防衛出動命令」の下で戦う時は捕虜資格が認められるのだろうが、その他の場合にはすんなり認められない。軍人と認められていない自衛隊員は、敵軍に捕らえられた場合、捕虜ではなく単なる犯罪人として扱われる可能性がある。

【補給戦で日本は日干しにされていく】

次に補給戦に関わる権利を見よう。敵国は（5）海戦に於ける敵国私有財産没収の権利、（6）臨検・拿捕の権利、（7）戦時封鎖の権利、すべての権利をもつ。これに対して日本はすべての権利をもたない。

補給戦で重要なのは、海上であり、海戦である。海戦では、陸戦の場合と異なり、日本の敵国は公海上でも自由に日本の商船を拿捕し、積み荷とともに没収できる。しかし、（5）を持たない日本は、敵国商船を没収することは出来ない。

また、相手国は、少なくとも宣戦布告して国際法上の戦争に持ち込めば、中立国商船を通じて資源物資が日本に渡らないようにするために、中立国商船を臨検し拿捕することができるし、日本の港を戦時封鎖することもできる。相手国に一定程度の海軍力があれば、自由に日本に対する封鎖線を設定し、日本が食糧や石油を手に入れられないようにすることができる。これに対して、もう一度言うが、日本側には（6）も（7）も存在しないのである。どんなに自衛隊が優秀であっても、補給が効かない日本は、日干しにされ、戦わずして降参するしかなくなるであろう。

それゆえ、日本は、交戦権を否定している限り、軍事大国の属国にならざるを得ないのである。独立国になるためには、自衛隊を軍隊と位置づけるだけではなく、交戦権も肯定しなければならない。

ミニ知識　捕虜資格について知っておこう

いかに平和主義を掲げようとも、外国の軍隊がわが国土に侵入してくることが起こり得る。そのような場合、第9条をどのように解釈しようが、私たちは、領域内に侵入した外国軍隊に抵抗して戦うことができる。しかし、戦う場合には、戦時国際法（国際人道法）を守って戦わなければならない。戦時国際法は、戦争から不必要な殺傷（民間人や捕虜の殺傷）や建物等の破壊を減らし、残酷なできごとを減らす目的で徐々に形成されてきたルールである。

戦時国際法の中で私たちが真っ先に知っておくべきルールは、不必要又は残酷な殺傷を防ぐために、正当な戦闘員の資格を定め、資格を充たしている者だけが戦闘を行い捕虜になる権利を持つということである。捕虜になる権利といえば、前述のように、原則として軍人は戦闘員の資格を持ち捕虜になる権利を有する。ただし、日本の自衛隊の隊員は、「防衛出動命令」の下で戦う時以外の場合にはすんなりとは捕虜になる権利を認められない。他国の軍人と比べて、自衛隊員は差別的に扱われているわけである。

これに対して、日本の民間人は、外国の民間人と同じく、原則として戦闘員の資格を持たず捕虜になる権利を有しない。しかし、日本の民間人も外国の民間人と同じく、一定の要件をみたせば、捕虜資格を得られる。捕虜資格を得られる正当な戦闘員の要件は、以下の4つである。

1、指揮官を選任すること（指揮官要件）
2、戦闘員と認識できる特殊の徽章を付けること（制服要件）
3、公然と武器を携帯すること
4、交戦法規を遵守すること

このうち絶対に守らなければならない要件は、3の公然と武器を携帯して戦うことと4の交戦法規を遵守することである。4の要件を満たしているか否かの判断は難しい点があるが、3の要件は外見ですぐに判断できる。

仮に、外国軍に侵入された場合、必ず、戦う日本国民も出てくるであろう。だが、4要件どころか、3番目の要件さえも守らず、武器を隠し持って戦う人も出てくるかもしれない。戦う意志のない普通の民間人のふりをしながら、武器を隠し持って外国軍を攻撃した場合は、捕虜資格も得られないし、不法の戦闘、テロ行為を行ったものとして処刑されてしまうことになる。そのような不法な行為をする国民が一部にいれば、他の国民もすべて疑わしいとして大量虐殺されてしまうかもしれない。

だからこそ、わが国も批准している捕虜条約（ジュネーブ第三条約）は、軍隊教育と国民教育で捕虜資格などについて教えることを要求している。わが国は、この捕虜条約を守っていないのである。

単元10　日米合同委員会

間違った第9条解釈は、日本を陰で支配する日米合同委員会という異常な組織を生んだ。日米合同委員会とはどういう組織であろうか。

【米軍に防衛してもらう道の選択】

政府の間違った第9条解釈によって軍隊も交戦権も持たないことになったわが国は、自分自身の力で国土を防衛する**自主防衛体制**を築くことができません。諸外国による侵略戦争を誘発し、東アジアの平和を崩してしまう危険性の高い国です。そこで、1952(昭和27)年の独立以降も、わが国自身は専守防衛に徹するとともに、日米安全保障条約に基づき世界一強力な米軍に基地を提供し、その軍事力によってわが国を防衛し、東アジアの平和を維持する道をとり続けてきました。

【日米安全保障協議委員会と日米合同委員会】

日本をめぐる安全保障についての日米間の大枠の方針は、一年に一度ほど開かれる**日米安全保障協議委員会**で合意されます。日本側は外務大臣と防衛大臣、アメリカ側は国務長官(外務大臣にあたる)と国防長官が参加します。

そして具体的な在日米軍の在り方については、日本政府とアメリカ政府との協議機関として設置されている**日米合同委員会**が決定します(「在日米軍の地位に関する日米協定」)。この日米合同委員会というものは、異常な存在です。米軍駐留を認めている他の国では、駐留米軍に関する問題は、自国の官僚とアメリカ大使館の外交官が協議して決めています。ところが日本では、駐留米軍の問題に関しては、アメリカ大使館も日本政府も外されており、在日米軍幹部と日本の高級官僚が集まる日米合同委員会で決定されています。

【日米合同委員会の組織構成】

日米合同委員会の**本会議**は、日本側6名とアメリカ側7名で構成されます。日本側は、代表の外務省北米局長、代表代理の法務省、農林水産省、防衛省、外務省、財務省の5名の高級官僚が参加します。アメリカ側は、代表の在日米軍司令部副司令官、代表代理の在日米大使館公使と在日米軍の5名の高級軍人が参加します。本会議以外に30以上の分科委員会や部会がありますが、そこには、総務省や国土交通省、経済産業省、農林水産省の高級官僚も参加しています。本会議は月に2回、隔週木曜日の午前11時から開かれます。秘密会議で開催され、合意事項は日米両政府を拘束します。

日米安全保障協議委員会では、アメリカ側は軍事や国際法に関する専門家が参加しているのに対し、日本側は非専門家の大臣が参加しています。日米合同委員会でも、アメリカ側はプロの軍人が6名も参加しており、圧倒的に発言権が強いです。その結果、米軍は日本全土を軍事利用する権利をもち、戦争となれば自衛隊は米軍の指揮下で戦い、米軍兵士が犯罪を犯しても、事実上日本の裁判所は裁くことはできないという密約が生き続けています。わが国は、日米合同委員会を通じて、アメリカに対して軍事的隷属状態に置かれているのです。当然ながら、軍事的隷属は、外交政治経済面における隷属にもつながっています。

第2節　議会制民主政治

わが国の議会制民主政治の仕組みを概観し、議会制民主政治を支える選挙、マスメディア、政党とはどういうものか、見ていこう。

単元11　議会制民主主義と権力分立

議会制民主主義の長所はなんだろうか。また、民主政治においては、議会が万能の権限をもつのだろうか。

【議会制民主主義の意義】

「日本国憲法」は前文で、「日本国民は、正当に選挙された国会における代表者を通じて行動し」と規定し、議会制民主主義をわが国の政治の原則と定めています。選出された代表者は議会（国会）に集まって政治のあり方を討議するので、**議会制民主主義**は間接民主主義、または代議制民主主義ともよばれます。

議会制民主主義は、国民全員が政治に参加する直接民主主義にはない長所をもっています。政治は、幅広い国民の利害や意見をふまえたうえで最善の決定をする仕事です。政治を担う政治家には、ドイツの社会学者マックス・ウェーバー（１８６４～１９２０）によれば、自己の政治的理念実現への情熱、国民に対する責任感、冷静な現実判断力の３つが必要です。議会制民主主義のもとでの国民は、政治家の能力をみきわめ、本当に能力をもった政治家を代表者に選出することが求められます。

【権力分立の重要性】

議会が幅広い国民の利害や意見を反映して運営されていても、その決定が本当にあらゆる国民の自由と権利を尊重しており、また公共の福祉に合致しているかについては、注意深くみていく必要があります。「日本国憲法」は、国家の権力を**立法権**、**行政権**、**司法権**の３部門に分かち、この３部門が相互に抑制し合いながら均衡を保つ仕組みをとっています。この仕組みを、**権力分立**または**三権分立**とよびます。三権分立は、特定者や特定部門に権力が集中することを防止し、国民の自由と権利が侵害されることを防ぐ重要な工夫です。立憲主義の国家にとっては、三権分立は必ず必要な仕組みです。

立法を司る国家機関が国会です。国会は、立法のほかにも国家の予算を決定する重要な権限があります。行政は、国会が定めた法律と予算に基づいて実際に政治を実行していく部門です。国の行政を担うのが政府であり、政府の中心にあって行政の最高決定権と責任をもっているのが内閣です。司法は、法律に基づいてさまざまの争いを解決したり、法律に違反する者を裁いたりすることによって国民の自由と権利を守るはたらきをする部門です。司法を担当する機関が裁判所です。

【三権の関係】

わが国における立法と行政との関係には、国会の多数派が内閣を組織し行政権をにぎる**議院内閣制**という特徴があります。そのうえで、衆議院は内閣不信任決議権を、内閣は衆議院解散権をもち、相互にけん制し合っています。司法は、裁判官の採用や罷免について内閣と国会の統制を受けますが、国会と内閣に対して法律や行政処置が憲法に違反しないかを審査する権限をもっています。

ミニ知識　民主政治に求められる寛容と協調、熟議

民主政治を行っていくためには、各人が、自分の意見をできるだけ明快に説得的に述べると同時に、相手の主張にも謙虚に耳を傾ける必要がある。議論は十分な時間を確保して行われる必要があり、もっともだと思う部分は相手の主張を取り入れて、自分の考えを修正していく**寛容と協調の精神**が必要である。しかし、議論を重ねていけば必ず対立は解消されて合意に至る、とは限らない。むしろ、お互いの主張の違いがいっそう際立ってくるかもしれない。

そのような場合には、各主張のうち、もっとも多数の人が賛成する意見を全体の決定とするという**多数決**の採決原理がとられる。ただし、多数決による決定が少数派も含む全員において受け入れられるのは、すべての意見が表明され、議論が十分に時間をとって行われ、議論が全体として深まったという場合、すなわち熟議の結果なされた決定である場合である。

しかし、多数決によっても決めてはならない事柄がある。たとえば、国民の大多数がある宗教を信仰しているからといって、多数決によって、これを信仰しない少数者に押し付けることは許されない。ここに、憲法が信教の自由や思想と良心の自由など、精神の自由を保障していることの意義がある。

単元12　選挙による政治への参加

私たちは選挙によって国民の代表者を選ぶ。選挙の仕組みはどのようになっているだろうか。

【選挙権と被選挙権】

議会制民主主義のもとでは、選挙によって私たちの代表を選出することが、最も重要な国民の政治参加の方法です。選挙権年齢など選挙に関することは、公職選挙法によって詳しく規定されています。

国会議員を選ぶ選挙は国政選挙、地方議会議員および地方公共団体の首長を選ぶ選挙は地方選挙とよばれます。いずれの選挙でも、選挙に投票する権利である**選挙権**は満18歳に達した国民に対してあたえられています。また、選挙に立候補する権利である**被選挙権**は、衆議院議員や地方議員及び市区町村長の選挙については満25歳、参議院議員や都道府県知事の選挙については満30歳に達した国民に対してあたえられています。

選挙権、被選挙権はともに、「人種、信条、性別、社会的身分、門地、教育、財産又は収入によつて」差別されることなく、日本国籍を有するすべての日本国民に対して認められています（44条）。このように、国民に幅広く選挙権が認められている制度を普通選挙制度といいます。日本の選挙は、**普通選挙**に加えて、1人1票の**平等選挙**、無記名で投票する**秘密選挙**、議員や首長を選ぶ人を選出する間接選挙ではなく、議員や首長を直接選出する**直接選挙**の4つの原則のもとで行われています。

【選挙区制度】

選挙を行う単位の区域を選挙区とよびます。選挙区に関する制度は大きく3つあります。1つの選挙区で1人を選出する**小選挙区制**、2人以上を選出する**大選挙区制**、および、広域の選挙区を設定し、有権者は個人ではなく政党に投票し、各政党の得票率に応じて議席を配分する比例代表制の3つです。大選挙区制のなかでも、1つの選挙区から2～5名を選出する制度は特に**中選挙区制**と呼ばれます。

現在の日本の選挙区制度は、衆議院議員選挙（総選挙）では、小選挙区制（定数289名）と、全国を11のブロックに分けた比例代表制（定数176名）を組み合わせて実施しており、**小選挙区比例代表並立制**とよばれます。参議院議員選挙では、47都道府県単位の選挙区議員選出選挙（鳥取県と島根県、徳島県と高知県それぞれが一つの選挙区に統合されたため45の選挙区）と、全国を1つの単位とした比例代表選出議員選挙の2種類の選挙によって定数248人の半数が3年ごとに改選されます。

【選挙権の保障】

選挙を棄権することは、結果として政治への参加権を一部の人たちに委ねてしまい、民主政治を根底から危機にさらすことになります。近年では、投票時間の延長、期日前投票や海外在住者のための在外投票など、これまで投票に行きにくかった人の選挙権を保障する制度が整備されてきています。また、各候補者や各政党は、選挙後の政策構想を**マニフェスト（政権公約）**として具体的な形で公表し、有権者が政策構想の違いを判断しやすいような選挙運動を展開するようになってきています。

単元13　衆参両院の選挙の仕組み

衆参両院の選挙はどのように行われているだろうか。立候補、選挙戦、投票及び開票という順序で見ていこう。

【衆議院小選挙区選挙】

衆議院から見ますと、衆院は一度に465名全員が改選されますが、小選挙区選挙で289名、比例代表選挙で176名選ばれます。以下、立候補、選挙戦、投票及び開票という順序で、**衆院小選挙区**の選挙から仕組みを見ていきましょう。全国で289存在する衆院小選挙区では、本人もしくは政党などが届け出れば立候補できます。各党は選挙区ごとに候補者を立てますが、無所属、諸派の立候補も可能です。立候補が終われば立候補者個人の選挙戦が12日間行われますが、所属政党も一定の運動が行えます。

選挙戦が終われば投票が行われます。有権者は立候補者名を書き、各小選挙区の得票数第1位の人が当選します。ただし有効投票総数の6分の1以上の得票が必要です。

【衆議院比例代表選挙】

次に全国11ブロックに分かれた**衆院比例代表選挙**の仕組みをみましょう。立候補は、政党が提出する名簿に掲載されればできます。各党はブロック単位の比例代表名簿を順位付けで提出します。小選挙区との重複立候補もできます。重複立候補者同士は同一順位にすることもできます。12日間の選挙戦は、政党単位で行い、立候補者個人の選挙戦は禁止されています。投票のときは政党名を投票用紙に書きます。当選は、**ドント方式**を使い、各党の得票数で議席を比例配分します。各党では、名簿登録順の上位者から当選させていきます。同一順位の場合は、小選挙区の惜敗率で決定します。

惜敗率（%）＝落選者の得票数÷当選者の得票数×100

【参議院選挙区選挙】

参議院選挙に目を移すと、参院は3年ごとに半数が改選されますが、**選挙区選挙**では74名、**比例代表選挙**では50名が選ばれます。各都道府県を1区とする選挙区選挙からみますと、都道府県は47存在しますが、高知と徳島、島根と鳥取は合区とされたため、全国で45の選挙区があります。6人区、4人区、3人区、2人区、1人区が存在します。選挙区選挙では、任期満了日前30日以内に本人もしくは推薦人などが届け出れば立候補できます。選挙戦は17日間で、立候補者個人の選挙戦を行います。投票のときは立候補者名を投票用紙に書きます。投票数の多い者から当選します。当選者は74名です。

【参議院比例代表選挙】

次に比例代表選挙ですが、衆議院の場合と異なり、全国1区で行われます。比例代表選挙では、政党が提出する名簿にのれば立候補できます。17日間の選挙戦は政党と個人の両者で選挙戦を行います。投票のときは立候補者名か政党名を投票用紙に書きます。当選は、ドント方式を使い、各党の得票数（政党票＋個人票）で議席を比例配分します。各党では候補者の個人票の多い順に当選者を決めます。ただし、ある党が「特定枠」の活用を選んだ場合には、その「特定枠」については、あらかじめその党が決めた順位により当選者が決まります。当選者は50名です。

ミニ知識

衆参比例代表選挙の議席配分の方式（ドント方式）

衆参両院の比例代表選挙では、ドント方式で得票数に応じて各党の当選者数を決める。左の表は立候補者12名、定員6名、有効投票3480の場合の各党議席数の決め方を示したものである。1、2、3……のように整数で割り、その商の大きい順に6番目の人までが当選者となる。

名簿届出政党名	A党	B党	C党
名簿登録者数	5	4	3
得票数	1500	1200	780
1で割る	1500①	1200②	780③
2で割る	750④	600⑤	390
3で割る	500⑥	400	260
4で割る	375	300	195
当選者数	3名	2名	1名

もっと知りたい

小選挙区比例代表並立制の問題点

1994（平成6）年の選挙制度改革で、衆議院では小選挙区比例代表並立制が採用された。この制度には問題はないのだろうか。

【小選挙区比例代表並立制の導入】

１９９４（平成６）年、衆議院の選挙制度改革が行われ、1選挙区から2名から5名の議員を選出する中選挙区制に代わって、小選挙区比例代表並立制が採用された。小選挙区制から300名、比例代表制からは200名の議員が選出される。小選挙区制からみれば、全国で300の小選挙区がつくられ、1つの選挙区から1人の議員が選出される。有権者は、候補者の名前を1人だけ書いて投票する。一番多数の票を集めた候補者が当選する。

比例代表制では、11の地域ブロックに分かれて選挙が行われる。有権者は、立候補している政党の中から一番支持する政党の名前を書いて投票する。各政党は獲得した票に比例した議席数を得る。各政党は、獲得した議席数を、各政党が事前に用意した名簿の上位から順に割り当てていく。その後、小選挙区制と比例代表制の議員数配分は変化していくが、基本的な形は変わらない。

しかし、なぜ、小選挙区制と比例代表制が併用されることになったのか。小選挙区制の長所は、1選挙区から1人だけ当選するから小さな政党が淘汰され、政治が活性化して二大政党制が出来上がっていくとされることである。対して比例代表制の長所は、多様な民意が各政党の議席数に反映されるので公平な制度であることである。

しかし、小選挙区制では、当選者一人に投票された票以外はすべて死票となり民意がきめ細かく反映しないとされる短所がある。対して比例代表制は、多様な民意が各政党の議席数に反映される結果、小さな党が乱立して政治を不安定化する短所がある。

そこで、小選挙区制と比例代表制の長所を併せて生かそうとして小選挙区比例代表並立制がとられたのである。

【議員の劣化】

しかし、この選挙制度改革以来、徐々に衆院議員の劣化、特に政権政党である自民党の議員の劣化は進んでいく。小選挙区では党の公認は1人だけだし、比例区での順位も党が作成する名簿によって決まっていく。小選挙区でも比例区でも、いずれの選挙でも党中央の力が圧倒的に強いわけである。いざ当選した後も、党中央に逆らえば党公認をもらえなくなるから、党の方針に逆らえなくなる。その結果、自分の頭で考え、自分の判断で行動をとる議員が極めて減少してきたし、国会においてもきちんとした議論が行われなくなっている。それゆえ、LGBT法の制定時に見られたように、自民党中央の暴走を止められず、本当は反対な法律案なのに賛成してしまう事態も生じるわけである。

このまま、今の制度を続けていてよいのだろうか。せめて、小選挙区制だけでも廃止し、中選挙区制に戻すことが必要ではなかろうか。

もっと知りたい　合区制度と参議院の性格

参議院選挙では合区制度が採用された結果、参議院議員を出せない県が現れた。これは不公正なことである。参議院の性格について根本的に考え直す必要があるのではないだろうか。

【「1票の価値」の格差問題】

衆院でも参院でも、大都市では有権者数が多いにもかかわらず議員数が少ない。これに対して、地方では有権者数が少ない割に議員数が多い。このように、大都市と地方で有権者数と議員数との比率が大きく異なってしまうことが問題にされてきた。「1票の価値」の格差問題である。

【参議院議員を出せない県が現れた】

そこで、この問題解決のため、大都市選出の議員数を増やし、地方選出の議員数を減らす改革が行われ続けてきた。そして、２０１６年の参議院議員選挙から、鳥取県と島根県を合わせて一つの選挙区に、徳島県と高知県を合わせて一つの選挙区にする改革が行われた（ともに1人区）。合区制度である。その結果、鳥取県を代表する議員が1人も選ばれない事態が生じた。自民党は、各県を代表する議員が必ず選ばれるべきだという考え方から、２０１８年の公職選挙法改正によって「特定枠」を設けた。公職選挙法によれば、各党は、「特定枠」を使うかどうかも、適用する人数についても自由に決められる。自民党は、「特定枠」を活用して、鳥取県、島根県、徳島県、高知県の4県すべてで議員を出せるようにしたいとの考えである。

しかし、この目論見通りにいくかは分からない。いや、そもそも、このように歪な制度がなぜ出来上がったのであろうか。「日本国憲法」第43条第1項は「両議院は、全国民を代表する選挙された議員でこれを組織する」と規定している。参議院と衆議院を同様の機関として捉えている。つまり、参議院議員は衆議院議員と同じく「国民の代表」と位置づけられてしまったのである。そのため、参議院議員も衆議院議員と同じく人口比例で選ぶことになった。そして、人口比で選ばなければならないという規範ができてしまったため、「1票の格差」是正が叫ばれ、人口の少ない鳥取県などを代表する参議院議員が一人も選ばれない可能性のある選挙制度ができてしまったのである。

【諸外国の上院議員の選出方法】

しかし、鳥取県を代表する参院議員が選ばれない選挙制度とは、何かおかしいものではないだろうか。世界を見渡すと、二院制を採用している国では、上院と下院の性格を異なるものにするために、議員選出方法を異なるものにしている。一般的には、下院議員は、**「国民の代表」**と性格づけられているので人口に比例して選出される。対して上院議員は、貴族制度の存在するイギリスのような国では「階級の代表」という性格をもち、存在しないアメリカやフランスなどの国では**「地域の代表」**という性格をもつので、必ずしも人口に比例して選出される必要はない。アメリカでは、人口の少ない州も多い州と平等に2名の上院議員を選出する。

【参議院議員の性格について議論しよう】

日本でも、衆参両院の性格を異なるものにするために、上院である参議院の議員は、「地域の代表」と捉えるべきではないだろうか。そもそも国家論からすれば、国家を構成するものは、主権に加えて国民と国土である。衆議院議員は国民を代表するということでよいだろうが、参議院議員は国民とともに国土を代表すると捉えるべきではないだろうか。

更に考えるべきは安全保障のことである。人口密度の低い地方は、特に海に面している地方、いや多数の島々を有する地方は外国からの侵略の的となる。安全保障の観点からすれば、人口密度の低い地方の人口減少を食い止めるためにも、それらの県の利害を代表する議員数を単なる人口比以上に確保すべきではないだろうか。

ついでに言えば、国家としては、人口が少なく安全保障上重要な地方の振興策を講じて予算を投入して、その地方の人口を増やしていくべきであろう。

このように考えてくるならば、「1票の価値」の格差は、下院である衆議院の選挙においては極めて問題をはらむものだが、上院である参議院においては余り大きな問題ではないと言える。参議院議員の性格をどう位置づけるか、「国民の代表」か「地域の代表」か、あるいは二つの性格を併せ持つのか、さらには他の性格を持つのか、大いに議論すべきであろう。

単元14　マスメディアと世論の形成

テレビ、新聞、インターネットなどを通じて、私たちは世の中のことをどのようにして知るだろうか。これらマスメディアの問題点とは何だろうか。

【マスメディアのはたらき】

マスメディアのマスとは「媒介、媒体」という意味です。マスメディアは単にメディアとよばれることも多いが、マスコミュニケーション（マスコミ）とよばれることもあります。マスメディアには、新聞、テレビ、ラジオ、月刊誌などの雑誌、インターネットなどがあります。マスメディアが伝える情報に基づいて、私たちは、国の政治や社会のできごとについての意見を形成することができます。

マスメディアは内閣への支持・不支持や支持政党など、または教育や医療といった特定の社会問題について広く**世論調査**をしばしば実施し、その結果を報道します。世論調査はマスメディア以外にも政府機関や民間の調査機関によって行われる場合もありますが、国民は、その調査結果をマスメディアで知ることになります。

いっぽう、政治家や政党は、マスメディアを通じて、自己の主張や政策の構想を国民にアピールし、**世論**の支持を訴えることもあります。新聞、雑誌などには投書欄が設けられており、一般の読者も投稿して意見や主張を発表することができます。世論の動向は政治の方向を左右する大きな力となりますが、マスメディアは世論の形成に不可欠な役割を果たしています。

【公正な世論形成のために】

しかし、マスメディアは世論を特定の方向に誘導していくことも可能です。ですから、マスメディアは、立法・行政・司法と並ぶ**「第4の権力」**と呼ばれることもあります。マスメディアは、政治についての特定の意見や主張をもっていることがあります。また、事実の報道においても、各マスメディアは「どの事実がより重要か」についての判断基準をもって記事をつくります。

【メディア・リテラシーを】

したがって、私たちの方も、マスメディアの情報を批判的に読み解く視点を持つ必要があります。でないと、世論はマスメディアによって歪められたり、意図的に特定の方向に誘導されたりする危険性があります。公正で偏りのない世論を形成するためには、各マスメディアの報道に違いがある時には、種類や立場の異なる複数のマスメディアを比較したり、マスメディアの情報について他の人と意見交換をしたりする必要があります。何が確かな情報かをみきわめ、そのうえで、自分の意見を形成する**メディア・リテラシー**の能力が大切です。

近年における一番の問題は、ある事件が起きた時マスメディアが一斉に同じ内容の報道をすることです。例えば、２０２１（令和３）年に新型コロナのワクチン注射が行われ出した時、ワクチンの危険性については全く報道されず、ワクチンによる多数の死亡についてもほとんど報道されませんでした。今も同じ状態が続いています。また、２０２２年にロシアがウクライナに侵攻した時も、２０１４年以来ウクライナがロシア系住民を大量虐殺していた事実（国連も認めていた）は報道されず、ウクライナを正義としロシアを悪とする一方的な報道が行われました。このように重要な事実を隠して一方に偏した報道を全マスメディアが行うと、日本全体の世論も一方に偏することになり、日本の政治家及び政府の判断も間違うことになります。

ですから、マスメディアには、事実を隠蔽することなく、一方に偏することのないように**公平な報道**を行うことが求められています。また、私たちの方も、ほとんどのマスメディアが一斉に同じ報道をするときにはおかしいなと思わなければなりません。今日では、インターネットを通じて情報を探せば、マスメディアと違う情報を見つけることができます。そういう情報とマスメディアの情報とを比較検討し、確かな情報を見極める能力を付けていかなければなりません。

単元15　政党と政党政治

政党という存在は、政治においてどのような役割を果たしているだろうか。

【政党の役割】

私たちが国や社会のあり方に疑問をもち、それを変えていこうとするとき、その方法には、マスメディアを活用して主張をアピールする、社会運動に参加する、投票を通じて自分の考えの実現を政治家に託すなどがあります。なかでも有力な方法が、みずから**政治家**を目指すことです。議会制民主主義をとる日本の政治では、政府は国会で定めた法律に基づいて行政を実施していきます。したがって、自分の考えを実現する最も効果的な方法は、**国会議員**となって、自分の考える政策を盛りこんだ法律を国会で可決させ、政府に実施させることです。

しかし、国会で法律を通すためには、出席議員の過半数の賛成が必要です。そのため、政治家は、自分と共通の考えをもつ他の多くの政治家と共同して、政策の実現を目指します。そのような政治家を中心につくられる集団が**政党**です。政党を結成する目的は、国会の多数派となって政権を担当することです。そのために政党は、選挙で自分たちの主張する政策の実施を約束し、有権者の支持を求めます。選挙の結果、国民の幅広い支持を獲得し、国会（衆議院）の議席の過半数を占めた政党は**与党**とよばれます。与党となった政党の党首が内閣総理大臣となって内閣を組織し政権を担当します。一つの政党だけで過半数に達しないときは、複数の政党が与党となって内閣を組織する場合もあります。これを**連立政権**といいます。一方、政権を担当しない政党は**野党**とよばれ、与党の政策への批判や対案の提示を通じて、与党の政治をチェックする役割を果たします。

【政党政治】

国民一人ひとりの政治に対する願いは千差万別であり、政治はそのすべての要求に細かく応じることはできません。政党は国民の多様な願望のうち、大きく共通する部分を集約し、国民のあいだにある対立から合意を形成します。そしてそれを政策として実施していく役割を担っています。国民は、選挙で自分の考えに最も近い政党を選び、その政党や候補者に投票し、その政党の国会での活動を通じて自分の考えの実現を目指します。このように、政党の活動を中心にして運営されていく政治のことを**政党政治**とよびます。

政党政治には、ヨーロッパの多くの国でみられるような、有力な政党が3つ以上ある**多党制**と、イギリスやアメリカのような、2つの大政党が存在する**二党制**（二大政党制）の2種類があります。わが国は、政権交代が起きやすく、長期政権に発生しがちな腐敗を防止する長所をもつ二大政党制を理想としてきました。しかし、自由民主党以外に安定的に政権を担うことができる政党が形成されなかったため、２０１２年と２０１４年、２０１７年、２０２１年の衆議院議員選挙で勝利した自由民主党が中心となって連立政権の与党となる一方、複数の野党が存在し、多党化しています。

第3節　三権のはたらき

立法権を担う国会、行政権を担う内閣、司法権を担う裁判所はそれぞれどういう働きをしているだろうか。

単元16　国会の仕組み

日本の国会には衆議院と参議院の二つが置かれているが、その役割の違いとは何だろうか。

【二院制】

憲法第41条は、**国会**を、「国権の最高機関」であり、「国の唯一の立法機関」と定めています。これは、国会が国家の最も上位の意思決定機関であり、国の法律を制定する唯一の機関であることを意味しています。また、第43条は、国会が「全国民を代表する選挙された議員」によって組織されるとしています。これは、国会議員が、単に当選した選挙区を代表するのではなく、国民の全体を代表する存在であることを意味しています。

国会は、**衆議院**と**参議院**の両議院から成り立っています。国会が2つの議院からなるしくみを**二院制**といいます。一院制の国も存在しますが、イギリスやアメリカなど多くの国で二院制がとられています。衆議院と参議院では、議員定数、議員の任期、被選挙権者の最低年齢、選挙の方法などに違いがあります。二院制の利点は、審議を2回にわたって慎重に行い、また2つの議院が相互にチェックし合うことによって、国会の議決を誤りや偏りのないものにすることができる点にあります。参議院には、議員の任期が6年と衆院議されています。

員の4年より長く、また衆院と違って解散がないため、より長期的な視点から調査と審議を行うことが期待

【衆議院の優越】

両院のうち衆議院は、議員の任期が短く、また任期満了前でも、しばしば解散による総選挙が行われます。これは、衆議院に、国民の意思を反映させる機会をより多くもたせることを意図したためです。国民の最新の意思が反映したとみなされる衆議院は、いくつかの点で、参議院よりも強い権限が認められています。これを**衆議院の優越**といいます。

国会の議決は、両院の議決が一致することが原則です。ですから、法律案が衆議院で可決され参議院で否決された場合には成立しません。衆議院の出席議員の3分の2以上の賛成で再可決すれば法律になります（59条）が、与党としては、衆議院で過半数を占めていても、参議院で過半数を占めていなければ、国会運営は厳しいものとなります。予算案は、先に衆議院が審議する権限をもちます（先議権）。衆議院が予算案を可決し参議院が否決した場合には、衆参各院から10名ずつ選ばれた議員で構成する**両院協議会**を必ず開く必要があります。両院協議会を開いても両院の意見が異なるときは衆議院の議決が国会の議決となります、また参議院が受け取った予算案を30日以内に議決しないときもそうなります（60条）。

条約の承認と内閣総理大臣の指名については、先議権こそありませんが、予算案と同様の衆議院の優越が認められています（61条、67条）。また、内閣の不信任決議は、衆議院だけが行うことができます（69条）。

【国会の種別】

国会には、毎年1月から150日の会期で開かれる常会（通常国会）、国政に重要、緊急の課題が生じた

ときなどに召集される臨時会（臨時国会）、衆議院が解散し総選挙が行われてから30日以内に開かれる特別会（特別国会）の３つの種類があります。特別国会では、内閣総理大臣の指名などが行われます。国会の会議は公開が原則ですが、出席議員の３分の２以上の多数で議決したときは秘密会を開くことができます（57条）。なお、衆議院の解散中は参議院も閉会となりますが、衆議院の解散中に緊急の必要がある場合、参議院は緊急集会を開くことができます（54条）。

【国会議員の特権】

なお、国会議員が外部からの干渉や圧力を受けず、独立して良心に従って自由な調査と審議を行うことができるように、国会議員には特権がいくつか認められています。議員活動に必要な経費として国庫からの歳費を受けとることができる**歳費特権**（憲法第49条）、国会の会期中は法律の定めがない限り逮捕されない**不逮捕特権**（50条）、議院での演説・討論・表決について議院の外で責任を問われない**免責特権**（51条）といったものがあたえられています。

単元17　国会のはたらき

国会の最大の仕事は法律をつくることである。国会はそのほかにどのような権限をもっているだろうか。

【法律の制定】

国会の最大の仕事は、**法律**を制定することです。法律は、国家のあり方を基本的に形づくり、方向づけると同時に、国民生活と密接に結びつき、人々の権利・義務や利害関係を大きく左右するものです。したがって、法律の制定には公正な手続きと十分な審議が必要です。法律ができるまでの過程を追ってみましょう。

法律案は、議員か内閣によって、国会のどちらかの議院の議長に提出されたのち、まず審議を能率的に進めるために専門の**委員会**で審議されます。両院ともに、予算、外務、法務などの常任委員会と、特定の問題について開かれる特別委員会とがあります。そのさい、必要な場合は、公聴会を開いて専門家や国民の意見を聞きます。委員会で議決された法律案は、議院の全議員で構成される**本会議**に送られます。本会議で賛成・反対の両立場から討議された法律案は、採決が行われ、出席議員の過半数の賛成をもって可決されます（56条）。可決された法律案は、もう一つの議院に送られ、そこでもう一度同じ手続きがとられたのち、議決されます。その後、天皇がこれを公布し、官報に掲載されて法律となります。

議員による法律案の提出を**議員立法**とよびます。法律案の提出には、発議者以外に、一定数の議員の賛同者を必要とします。わが国では従来、議員による法律案提出が少なかったのですが、近年は増加の傾向にあり、臓器移植法、青少年ネット規制法、国民投票法（憲法改正手続法）、肝炎対策基本法、こども基本法などがつくられました。

【予算の議決】

法律とならんで、**予算**の議決も国会の重要な仕事です（60条、86条）。予算とは、租税（税金）など国家の歳入（収入）と、政府が行政のために歳出（支出）する費用の見積りの、次年度（4月1日から翌年の3月31日まで）の1年分の計算書のことです。予算は、政府の行政に対する費用の裏づけであり、どのような予算が組まれるかは国民生活に大きな影響をおよぼします。予算案は内閣が国会に提出し、国会は、予算案の議決を通して内閣の行政を監視する役割を果たします。

【内閣総理大臣の指名】

国会は、**内閣総理大臣の指名**を行います。内閣総理大臣は、通常、衆議院において多数を占める政党の党首が指名されます。ただし、衆議院と参議院で異なった人を指名した場合は、衆議院での指名が国会の指名となります(67条)。内閣総理大臣は、国務大臣を任命して内閣を組織する権限をもつ日本の行政の最高責任者です。したがって、内閣総理大臣の指名権は、国会が内閣の行政権を監視する強力な手段です。もし国会が、内閣総理大臣の行う行政を信任できないときには、衆議院において内閣の不信任決議を行うことができます(69条)。

ほかに国会は、**条約の承認**(61条・73条)や**憲法改正の発議**(96条)、裁判官の罷免を決める**弾劾裁判所**の設置(64条)を行います。弾劾裁判所は、衆議院議員7人、参議院議員7人で構成されます。国会議員からなる裁判官訴追委員会が、裁判官が職務上の義務に違反するか、裁判官に相応しくない行動をしたとして訴追した場合、その裁判官を罷免させるべきか否か判断します。

そして衆参各院は国政調査権をもっています(62条)。衆議院と参議院はおのおの、国政に関して調査を行うことができます。その手段としては、内閣や各省庁などへの資料提出の要求、証人の出頭証言(証人喚問)の要求、参考人の招致要求などがあります。

単元18 内閣の仕組みと議院内閣制

政府・内閣は、どのような仕組みで国の行政全般を行っているのだろうか。日本の議院内閣制はどのような仕組みになっているのだろうか。

【内閣の構成】

国会で制定された法律と議決された予算に基づいて行われる実際の政治のことを、**行政**とよびます。行政を担当するのが政府であり、**政府**の行政全体を統括していく行政の最高責任機関が内閣です。内閣は、**内閣総理大臣**（首相）の指揮監督のもと、**各国務大臣**（閣僚）によって構成されます。内閣総理大臣は国務大臣を任命し、また罷免することができます。

国会に立脚する内閣という議院内閣制の原則をふまえて、内閣総理大臣は国会議員でなければならず（憲法67条）、内閣における国務大臣の過半数も国会議員でなければなりません（68条）。また、内閣総理大臣と国務大臣は、ともに文民でなければなりません（66条）。文民とは軍人でない人のことです。この規定はシビリアン・コントロール（軍に対する文民による統制）の原則によります。わが国では、自衛隊の最高指揮・監督権を文民である内閣総理大臣がもっています。ですから、内閣総理大臣には、安全保障に関する知識素養と、有事の際に必要な適切な判断力と胆力が求められます。ところが、この条件を満たす総理大臣が全く現れない状況が続いています。

各国務大臣は、各省庁の大臣または長官として、各省庁の行政を指揮監督します。内閣総理大臣と国務大臣は、閣議を開いて行政の方針を決定します。定例閣議は毎週2回開かれ、内閣官房長官が司会を行います。閣議は非公開で行われ、閣議決定は慣例として全員一致が原則となっています。

【議院内閣制】

行政府と立法府の関係のあり方としては、大きく、アメリカに代表される大統領制とイギリスや日本に代表される**議院内閣制**とがあります。大統領制では、大統領も議員と同じく、国民の選挙によって直接選出され、議会に対して責任を負いません。

これに対して議院内閣制では、内閣総理大臣も国務大臣も国民の選挙により直接選出されるわけではなく、内閣は国会に対して、行政権の行使に関する責任を連帯して負っています（66条）。このように議院内閣制では、国会の信任に立脚する内閣という原則をとっています。内閣の行政権は、国家のあり方や国民生活に絶大な影響力をもつ強力な権力です。この権力が濫用されることを防ぐために、内閣を国民の代表者からなる国会の統制のもとにおいているのです。

衆議院は、内閣が国会の信任に背いて行政を行っていると判断したときには、**内閣の不信任決議**を行うことができます。内閣不信任決議案が可決された場合、または内閣信任決議案が否決された場合には、内閣は、10日以内に衆議院を解散する権限（解散権）をもちます。しかし、**衆議院の解散**を行わない場合には、内閣は**総辞職**しなければなりません（69条）。

一方、内閣による衆議院の解散権は、内閣不信任決議案の可決または信任決議案の否決に対抗し、これをけん制するために内閣がもつ権限です。また、衆議院解散権は、衆議院の内閣不信任決議がなくとも、政治的に重要な局面で、国民の判断をあおぐために内閣自身の判断で行使される場合があります。

ミニ知識　内閣不信任決議と衆議院の解散

内閣の衆議院解散権は、憲法第69条による解散の場合も内閣自身の判断による解散も、第7条が規定する内閣の助言と承認に基づく天皇の国事行為として行使される。内閣自身の判断による解散権の行使は、憲法第7条の規定のみに基づくため、特に「7条解散」と呼ばれることがある。

戦後、総選挙は20数回行われているが、そのほとんどが任期満了ではなく、内閣の衆議院解散による総選挙である。衆議院の内閣不信任決議に対抗して行われた解散は4回だけであり、内閣独自の判断による解散（7条解散）の事例がほとんどである。近年では、２００５(平成17)年の郵政民営化法案の是非を問う解散(自由民主党・小泉純一郎首相)、２０１７年の国難突破解散（自由民主党・安倍晋三首相）がこれにあたる。

単元19　内閣の仕事と行政の課題

内閣の仕事には、どのようなものがあるだろうか。わが国の行政が直面する課題は何だろうか。

【内閣の仕事】

内閣の主要な仕事は、行政各部門の仕事を指揮監督し、**法律**で定められたことがらを**予算**に従って執行することです。

内閣は国会に提出する法律案や予算案を作成し、内閣総理大臣が議案として国会に提出します（憲法72、73条）。行政上必要な場合には、内閣は法律を実施するための細かい事項を政令として制定します（73条）。国の法規の体系を示すならば、憲法を最高法規として、その下に国会の定める法律があり、その下に内閣の定める政令があり、その下に各省で定める省令があります。

天皇の国事行為には、内閣が助言と承認を行います（7条）。内閣は国家の対外関係に責任をもち、外交関係を処理し、外国と条約を結びます（73条）。内閣は**最高裁判所長官**を指名し、天皇がこれを任命します（6条）。他のすべての裁判官は、内閣が任命します（79、80条）。内閣は、刑に服している人の減刑や刑の免除を決定することもあります（73条）。

【公務員】

内閣の指揮監督のもとで、実際の行政の仕事を担当する職員が公務員です。公務員には、国の機関で働く**国家公務員**と、地方公共団体の機関で働く**地方公務員**の2種類があります。憲法は公務員について「全体の奉仕者であつて、一部の奉仕者ではない」と定め（15条）、公務員が職務上もつ権限を特定の人の利益のために用いることを禁じています。公務員は、国民全体の生命、安全をはじめとする基本的権利にかかわる重要な仕事を担当するため、労働基本権のうち団体行動権（ストライキなど）が認められていません。

【行政改革とその課題】

行政機関は、国民生活を基本的に成り立たせるため、多岐にわたる仕事を行っています。また、国民生活の質をたえず向上させていくことが求められるため、行政の仕事はますます増加する傾向にあります。しかし、その結果として、行政組織が複雑化し、行政の権限、費用、人員がとめどなく肥大化するという問題が起こっています。

それによって、国家の財政が圧迫され（財政赤字）、細分化された行政組織の相互の意思疎通がなされず（縦割り行政）、専門知識と技術をもつ行政官が、政府の行政や国会の立法について事実上の決定権をもってしまう（官僚支配）といった問題も生じています。このような**行政の肥大化**は、多くの国が共通にかかえる問題ですが、わが国の場合、特に財政赤字の深刻さが喧伝されてきました。

しかし、政府の負債にだけ注目して財政赤字が1千兆円で深刻だと言われますが、資産にも注目すれば借金は半減します。また、政府と政府の子会社である日本銀行を統合した会計を見ると、負債は540兆円ほどになります（2020［令和2］年度）。しかも、540兆円の中身は日本銀行券（現金紙幣）等であり、返す必要のない負債です。深刻な財政赤字は存在しないのです。

近年、行政の仕事の整理と縮小を目指して、行政のもつ許認可権をみなおす（**規制緩和**）、国の権限と業務を地方に移す（**地方分権**）、行政の仕事を民間に委ねる（**民営化**）などの行政改革が活発に行われてきました。規制緩和の事例としては、薬局でしか購入できなかった風邪薬や胃腸薬、ドリンク剤などが、2004年よりコンビニエンスストアで販売されるようになったことがあげられます。民営化の事例としては、１９８７（昭和62）年に行われた明治以来国家が運営していた鉄道事業の民営化（**国鉄分割民営化**）や、明治以来国家の事業であった郵政が、２００７（平成19）年、民間に移管され、２０１０年10月から、政府が百％の株を持つ日本郵政株式会社と３つの株式会社に分割されて再発足したことが挙げられます。

しかし、行政改革の行きすぎや弊害を指摘する声もあがっています。そもそも鉄道や郵政は社会資本（インフラ）の重要な一部であり、国家が責任を持って整備し運営すべきものです。そういう重要な事業を民間に移行した結果、地方の交通と郵便等が不便となり、地方衰退と少子化の原因になっています。わが国の政府と政治家・官僚は、国家の第二の基本的役割である社会資本整備という役割を放棄してきたのです。特に民営化にはストップをかける必要があります。

単元20　司法権の独立と違憲審査権

公正な裁判、誤りのない裁判が行われるために、どのような工夫がなされているだろうか。

【法と裁判】

人々のあいだで争いが生じたり、また犯罪が起こった場合、それらを解決するための明確で公正な判断基準をあたえるのが成文化された法（法令）です。法に基づいて人々のあいだの争いを解決したり、犯罪者を裁くはたらきを**司法**（裁判）といいます。法には、最も広い意味では、言葉で明文化されていない慣習法や条理なども含まれます。民事裁判では、争いごとを解決するにあたり、従う法律がない場合、慣習法や条理に基づいて判決を下す必要が出てきます。

この司法・裁判を担当する機関が裁判所です。裁判所には、**最高裁判所**と**下級裁判所**があり、下級裁判所には、高等裁判所、地方裁判所、家庭裁判所、簡易裁判所の4つの種類があります。最高裁判所の長官は、内閣の指名に基づいて天皇が任命し（憲法第6条）ますが、他の最高裁判所の裁判官は内閣が任命します（79条）。最高裁判所の裁判官は、衆議院選挙のさいに国民審査によって適任・不適任が審査されます。下級裁判所の裁判官は、最高裁判所の指名名簿に従って内閣が任命します（80条）。

【司法権の独立】

裁判所が公正に司法権を行使するためには、裁判所が、国会や内閣、またはマスメディアなど外部から圧力や干渉を受けず、独立した存在であることが必要です。これを**司法権の独立**といいます。司法権の独立を維持するために、裁判官は身分が保障されており、弾劾裁判所によって罷免されるか、国民審査によって不適任とされるなど特別の場合でないかぎり罷免されません。この身分保障によって裁判官は、みずからの良心に従い、法にのみ拘束されて、国民の司法への信頼を裏切らないように、公正で厳正な裁判を行うことが求められます。

【三審制】

裁判において、第一審の判決に不服である当事者は、上級の裁判所に控訴し、さらに不服である場合には上告することができます。原則として、一つの事件について3段階の裁判を受けることができます。これを**三審制**とよびます。これは、裁判をできる限り慎重に行って、誤りのない判決を下すための仕組みです。また、判決が確定しても、裁判のやり直しを求める再審請求が認められる場合があります。再審請求ができるのは、有罪判決を受けた者の利益となる新たな証拠が発見されたときや、有罪の根拠となった証拠が虚偽であると証明されたときなどの場合です。

【違憲審査権】

憲法は国家の最高法規ですから、国会の制定した法律、地方公共団体の制定した条例、行政機関の発した命令や行った処分などはすべて憲法に違反してはなりません。裁判所は、法令や処分が憲法に違反していないかどうかを審査し決定する権限をもっており、最高裁判所がその最終決定権をもっています。この権限を違憲審査権（**違憲立法審査権**）とよびます（81条）。違憲審査権は、国民が選挙で選んだわけでもない裁判官の権力が強くなりすぎないよう、慎重に行使しなければなりません。

違憲審査は、具体的な事件の審理のなかで必要となった場合に限り行われ、ある法令や処分を違憲とする判決が下されても、違憲判決の効力はその事件にしかおよばず、その法令自体や他の場所での同じ種類の処分については無効になりません。しかし、その判決は、判例として、その後の裁判が従う基準となりますから、結局、違憲とされた法令は改正されていくことになります。

ミニ知識　**最高裁判所の違憲判断**

事例として、1973（昭和48）年「尊属殺事件」違憲判断がある。「尊属」（親など）を殺害した場合、その他の殺人よりも量刑が重いという規定をもつ刑法第200条を、憲法第14条（法のもとの平等）に反すると判断した。

また、選挙における「1票の格差」違憲判断というものがある。1票の格差とは、立候補者に対する有権者数の比率の差である。最高裁は憲法第14条および第44条（選挙人資格の平等）に基づき、衆議院では2・30倍（2011年判決）、参議院では5・00倍（2012年判決）で違憲状態であるとの判決を下している。

単元21　裁判の仕組みと人権の保障

民事裁判と刑事裁判における仕組みと人権の保障はどうなっているだろうか。

【裁判のしくみ】

裁判には、**民事裁判**と**刑事裁判**があります。民事裁判は、お金の貸し借りや遺産の相続といった、生活のなかで起こる争いやもめごとを解決に導くものです。裁判の審理は、自分の権利を守ろうとする人が裁判所に訴えることによって開始されます。訴えた側（**原告**）と訴えられた側（**被告**）がそれぞれの意見を主張しますが、法律や裁判手続きなどの専門的知識が必要となりますので、一般に弁護人（弁護士）が訴訟当事者の利益を弁護します。裁判官は原告被告両方の言い分をよく聞き、証拠を調べたうえで、法令に照らして判決を下します。裁判は時間と費用がかかるため、当事者が話し合って和解したり、調停委員が両者のあいだをとりもって調停に導いたりすることも行われます。

刑事裁判は、盗み、殺人、傷害などの犯罪行為を裁くものです。犯罪が発生すると、**警察官**は罪を犯した疑いのある者（**被疑者**）を逮捕し、取り調べ、犯罪を裏づける証拠や証言を集めます。被疑者の容疑が固まると、警察官は**検察官**に事件を送致します。検察官は事件の解明を行い、起訴すべきと判定したとき、被疑者を被告人（刑事被告人）として裁判所に起訴します。刑事裁判の場合も法律や裁判手続きなどの専門的知識が必要となりますから、ほとんど百％近く弁護人（弁護士）が被告人の利益を弁護します。裁判官は、検察官、被告人および被告人の弁護人それぞれの主張を聞き、証拠や証人の証言を吟味し、法律に照らして、有罪か無罪の判決を下します。有罪の場合には、刑罰を言いわたします（量刑）。

さらに、家庭内の争いや少年犯罪などについては家庭裁判所が、比較的低額の金銭上の争いや軽微な犯罪に関しては簡易裁判所が担当します。このほか、国民が課税や土地の収用などに関して行政が行う処分を不服として起こす行政裁判がありますが、民事裁判に準じた手続きがとられます。

【裁判と人権】

憲法は、刑事事件の捜査にあたって国民の自由権が不当に侵されることのないよう、捜査の手続きを定めています。警察官は裁判所の発行する令状がなければ、現行犯を除いて逮捕や捜査をすることはできません（33条、35条）。被疑者は自己に不利な供述を強要されず、拷問などによる自白は証拠となりませんし、被疑者の自白だけで有罪とすることはできません（38条）。

刑事被告人は、公平な裁判の迅速な公開裁判を受ける権利をもっています（37条）。刑事裁判においては、どのような行為が犯罪であり、それに対してどのような刑罰を科すかについて、あらかじめ法律で定められていなければなりません（**罪刑法定主義**）（31条）。ある行為が、その後にできた法律で犯罪とされても、行為の実行時点で適法であれば刑事責任を問うことはできません（**遡及処罰の禁止**）（39条）。また、検察官が、被告人が犯罪を行ったことを十分に証明しない限り、単に疑わしいというだけでは被告人を有罪にすることはできません（**疑わしきは罰せず**）。無実の人に罪を着せること（**冤罪**）が起こらないようにするためです。

【司法改革】

近年は被疑者の人権のみでなく、犯罪被害者の人権を十分に尊重しているかが問われています。２００４（平成16）年には犯罪被害者等基本法が成立し、２００８年から、重大犯罪の被害者やその遺族が裁判に出席し、被告人に対する質問や、量刑などへの意見表明を行うことができる**被害者参加制度**が発足しました。

また、国民との距離を縮めて司法を身近なものにするために、２００６（平成18）年からは、だれもが司法に関する情報やサービスを手に入れやすいように、日本司法支援センター（**法テラス**）が設立されました。2009年からは、国民が裁判員として司法に参加しています（**裁判員制度**）。

ミニ知識　**刑罰の種類**

死刑　監獄内において絞首する（殺人罪、強盗殺人、放火罪など）
懲役　受刑者を監獄内に入れ、一定の労働をさせる（1か月以上20年以下。無期もある）
禁錮　労働をさせず、受刑者を監獄に入れる（期間は懲役と同じ）
罰金　犯罪の罰として金銭を国に納める（1万円以上）
拘留　主に軽犯罪に対して、科せられる（1日以上30日未満、刑事施設に入れる）
科料　最も軽い刑罰で、罰として金銭を国に納める（千円以上1万円未満）
没収　犯罪行為に関するものをとりあげる（例えば、ピストル、盗品の売却代金）
＊なお、2022年に刑法が改正され、懲役と禁錮は拘禁刑に一本化されたが、まだ施行されていない。

もっと知りたい　**裁判員制度**

裁判員裁判とはどういうものだろうか。その問題点とは何だろうか。

【裁判員制度の趣旨】
2004（平成16）年、刑事裁判員についての法律が制定され、裁判員制度が5年の準備期間をおいて2009年から実施されている。
裁判員裁判は、殺人など一定の重い犯罪について、専門の裁判官3人と、法律の専門家ではない民間の裁判員6人の9人で行われる。

法律の専門家ではない者がなぜ裁判にかかわるのだろうか。それまでの刑事裁判は、法律の専門家だけで行われており、国民には分かりにくいものであり、公正な判決と効率的運営が行われていないのではないかと懸念されてきた。そこで、国民が刑事裁判に参加することを通じて国民の良識が刑事裁判に反映され、司法に対する国民の理解と信頼が高まることを期待して、裁判員制度が導入された。裁判員には、専門的な法律の知識がなくても、文書や証人尋問などの証拠や検察官や弁護人の主張などを、専門の裁判官とは違った眼で見て、国民の信頼を高める公正な判断ができるのではないかと期待されたのである。

【裁判員の選任、権限など】

裁判員は、一つの事件ごとに、選挙人名簿などから抽選で選ばれた候補者の中から支障のあるものなどを除いて選別される。選ばれた場合には、特別の理由がない限り、辞退することができない。また、被告人側も、裁判員裁判を拒否することはできない。裁判員は、裁判官と一緒に、有罪か無罪だけではなく、死刑か懲役何年にするかなどの量刑も相談して決めている。

専門の裁判官以外の一般国民が裁判に関与する制度は世界各国において採用されている。その制度には、大きく分けて、陪審制度と参審制度とがある。次の比較表から分かるように、我が国の裁判員制度は、陪審制度よりも参審制度に近いことがわかる。だが、事件ごとに裁判員が抽選で無作為に選抜される点は、陪審制度に近いものである。

【裁判員裁判の流れ】

裁判員裁判は、以下の順に行われる。

陪審制、参審制、裁判員制度の比較

	実施の国	裁判官関与	裁判員等の権限	選び方	任期	被告人の拒否
陪審制度	英米	関与せず	有罪無罪の決定	抽選で	事件ごと	可能
参審制度	独仏北欧	裁判官と共同	量刑も決定	抽選又は団体等の推薦	任期制	拒否できぬ（独仏）
裁判員制度	日本	裁判官と共同	量刑も決定	抽選	事件ごと	拒否できぬ

公判前整理手続→冒頭手続→証拠調べ手続→弁論手続→評議→判決宣告

裁判員が関与する前に行われる公判前整理手続で、裁判官、検察官、弁護人との間で争点が整理される。その後、裁判員の参加する裁判の手続きが始まる。

冒頭手続とは、検察官が起訴状を朗読して、弁護人が弁護の基本方針を述べることである。証拠調べは、検察官と弁護人の冒頭陳述から始められる。検察官の冒頭陳述は、証拠によって証明しようとする具体的な事実を述べるものである。

その後、裁判長から公判前整理手続で整理された争点が明らかにされ、まず、被告人や関係者を取り調べた調書などの文書が提出される。次に、証人尋問や、被告人質問などが行われて、証拠調べが終了する。

次の弁論手続では、まず、検察官が論告と呼ばれる被告人をどうすべきかの理由と求刑を述べる。次に、弁護人も、被告人をどうすべきか意見を述べることになる。

弁論手続きが終わると、裁判官と裁判員とが評議室に入り、被告人をどうすべきか討論する。これを評議と言う。そして、全員が法廷に戻って、被告人に対して出た結論（判決）を伝える。これを判決宣告と言う。

【裁判員の守秘義務】

以上が、裁判員裁判の具体的な進行であるが、裁判員には絶対に守らなければならない義務がある。裁判員は、裁判が続いている間も、裁判が終わった後も、裁判の内容をしゃべってはいけないことになっている。これを守秘義務という。

【裁判員制度の問題点】

現在、裁判員裁判が始まっておよそ10数年経過している。裁判員制度については、特別な事情がない限り、裁判員を辞退できないとされているにもかかわらず、辞退が認められた裁判員候補者の割合が年々増加していることが問題になっている。また、被告人が望まない場合にも裁判員裁判を強制する必要があるのかどうか、等々について議論されている。さらに、裁判員に選ばれたとき原則として拒否できない点が苦役からの自由を規定した「日本国憲法」第18条に違反しているではないかという指摘もある。

そして、何よりも、素人が参加する裁判員制度という制度自体が「日本国憲法」に違反しているのではないかという疑問が出てくる。「日本国憲法」第32条は「何人も、裁判所において裁判を受ける権利を奪はれない」、第37条第1項は「すべて刑事事件においては、被告人は、公平な裁判所の迅速な公開裁判を受ける権利を有する」、第76条第1項は「すべて司法権は、最高裁判所及び法律の定めるところにより設置する下級裁判所に属する」と規定している。これらの規定はすべて、裁判は裁判所が行うとしている。

そして、第80条第1項は「下級裁判所の裁判官は、最高裁判所の指名した者の名簿によつて、内閣でこれを任命する」と定めているから、裁判員制度が導入されている下級裁判所は裁判官だけで構成されるべきであるということになる。文理上裁判員制度を合憲と捉えることはかなり困難なことだといえよう。

にもかかわらず、最高裁判所は２０１２年に裁判員制度が合憲だと判決している。裁判員制度と比べたら、自衛戦力肯定説に基づき軍隊をわが国に設置することは、第9条の文理上はるかに容易なことである。さらに言えば、戦力・軍隊の設置は、国家論及び国際法の立場からして当然なことであるから、自衛隊を軍隊と位置づける法律改正は「日本国憲法」上も許されるというべきである。

第4節　地方公共団体の仕組みと課題

地方自治の仕組みはどうなっているだろうか。また、その課題にはどういうものがあるだろうか。

単元22　地方公共団体の役割

地方自治の意義とは何だろうか。国家レベルの行政や立法だけでは、どうして不十分なのだろうか。

【地方自治】

私たちは日本国民であると同時に、必ずどこかの都道府県民であり、またどこかの市町村（または区）民でもあります。このような都道府県、および市（区）町村を**地方公共団体**または**地方自治体**とよびます。**地方自治法**において特別区とされる東京都の23区は市とほぼ同等の権限を持っています。

憲法は、第92条で「地方公共団体の組織及び運営に関する事項は、地方自治の本旨に基いて、法律でこれを定める」と規定しています。この規定に基づいて、１９４７（昭和22）年、「地方自治の本旨」を実現すべく地方自治法が制定されました。

行政には、国家が一律に行うよりも、各地方がそれぞれの特性や実情をふまえて行うほうが効率的なものが多くあります。地方自治体が設置、運営、管理を行うものは、多くは生活関連のもので、道路、上下水道、学校、図書館、公園、病院、介護・福祉施設、交通、警察、消防、ごみ処理などですが、ほかに、法定受託事務もあります。法定受託事務には、戸籍、住民登録、生活保護、国民年金、パスポートの交付、国政選挙などがあります。

【地方政治の仕組み】

地方自治体の立法機関と行政機関は、それぞれ議決機関、および執行機関とよばれます。地方政治も国の政治と同じく**間接民主主義の原則**で行われますから、執行機関の長は行政権を、議決機関である地方議会は立法権を持っています。

執行機関の長は**首長**とよばれ、都道府県知事と市（区）町村長がそれにあたります。首長は、自治体住民の直接選挙によって選ばれ、執行機関の最高責任者として地方行政を統括し、予算や条例の案を**地方議会**に提出します。条例とは、法律の範囲内で制定され、その地方自治体のなかでは法律と同じはたらきをするものです。

一方、議決機関である地方議会の議員も住民の直接選挙によって選ばれます。地方議会は一院制であり、予算の審議と決算の承認、および条例の制定・改廃について議決を行います。

ともに住民の直接選挙で選ばれる首長と地方議会は、対等の立場にあり（**二元代表制**）、たがいにけん制し合う関係にあります（**権力分立**）。首長は、議会の議決が不服であるときには議決を拒否して再議を要求することができます。一方、議会は首長に対し、行政に関する説明を要求でき、議会が首長の方針に反対ならば不信任の決議をする権限があります。不信任決議が可決されたときには、首長は10日以内に議会を解散できますが、解散しないときには首長はその職を失います。

【住民の意思の反映】

地方自治の意義は、住民の意思を、自分たちの住む地方の政治に適確に反映させること（住民自治）ができる点にあります。住民の参政権を整理すれば次のようになります。

陳情・請願権	住民（外国人も含む）
住民投票権	日本国民たる住民
直接請求権	日本国民たる住民
議員と首長の選挙権	日本国民たる住民
議員の被選挙権	日本国民たる住民
首長の被選挙権	日本国民

まず住民（外国人を含む）は、首長や議会に対し陳情したり、紹介議員の署名を得て請願を行ったりすることができます。そして、参政権は日本国民がもつ国民参政の原則から、日本国民たる住民は、首長や議員の選挙権と罷免権をもちます。すなわち、首長や議員の解職及び議会の解散（**リコール**）を求める**直接請求権**を認められています。これらの直接請求権は、有権者の3分の1以上の署名が集まれば成立して**住民投票**が行われ、過半数の賛成があれば、これらのリコールは確定します。

また、直接請求権には、有権者の50分の1以上の署名を以て条例の制定、改廃を求めるものもあります。この直接請求権が成立したならば、議会はこの請求について審議し、首長を通じて結果を公表します。制定・改廃は、立法権を有する議会の自由意思に任されています。

住民投票と言えば、国が特定の地方自治体にだけ適用される法律（地方自治特別法）をつくるさいにも、その地域の住民投票による承認が必要です（憲法95条）。近年、地方自治体のなかには、独自の住民投票条例をつくり、条例の制定・改廃についての是非を問う住民投票を実施しているところがあります。しかも住民投票権を単に当該自治体に通勤通学する人だけではなく外国人にまで広げている例もあります。

しかし、住民投票には、間接民主主義の原則から本来議会で決定すべき問題を住民の直接投票にゆだねることによって、住民間に対立の構図を直接持ち込み、分断と共同体の破壊をもたらす危険性があります。

また、住民投票で可決されたことに対しては、首長も議会も反対の意思を表明するには大きな勇気が必要ですから、結局、住民投票で可決されたことが自治体の意思となっていきます。それゆえ、住民投票権というものは、本来議会が有すべき立法権を住民が奪ってしまう危険性を持っています。つまり、住民投票権は選挙権を超えるほど強力な参政権の一つなのです。ですから、住民投票制度をつくるとしても限定的に慎重に行うべきでしょうし、最低限、住民投票権は日本国民たる住民に限定すべきものです。

直接請求権の行使

内容	必要な署名	請求先
条例の制定、改廃	有権者の50分の1以上	首長
事務の監査	有権者の50分の1以上	監査委員
議会の解散	有権者の3分の1以上	選挙管理委員会
議員・首長の解職	有権者の3分の1以上	選挙管理委員会
主要な職員の解職	有権者の3分の1以上	首長

単元23　地方自治の課題

地方自治体の財源は、どう確保されているだろうか。地方と国との関係は、どう変わってきただろうか。

【地方財政とその課題】

地方自治体が住民への行政サービスを行っていくためには、財政の裏づけが必要です。財源には、使い道が限定されていない**一般財源**と使い道が限定されている**特定財源**があります。一般財源には、地方自治体の住民や事業者が納める**地方税**と、国からの**地方交付税**（**地方交付税交付金**）があります。地方交付税は、国が地方間の収入格差を是正する目的で支出するものですが、地方自治体にその使用のしかたが任されています。特定財源には、国から出る**国庫支出金**と、長期借入金である**地方債**があります。国庫支出金は、義務教育の実施、道路整備などの公共事業、社会保障関係の業務などに使用のしかたが指定されています。また、各地方自治体独自の収入である地方税は**自主財源**、国からの補助である地方交付税と国庫支出金は依存財源とよばれています。

近年、地方自治体の支出は、**高齢社会**に対応した福祉の充実、環境問題への対応の必要などからふくらみ続けています。一方、過疎化、高齢化や長引く不況のため、歳入は伸びなやんでいます。そのため、多くの地方自治体が、職員の削減や事業の廃止・縮小などを行って行政の効率化と財政の建て直しにとり組んでいます。また、２０１１（平成23）年に発生した東日本大震災によって被害を受けた地方自治体には、国を挙げての復興支援が行われています。被災地の地方自治体には、復興支援のため、あらたに震災復興特別交付税の配分や国庫支出金の増額などが行われています。

【地方分権の推進】

1995（平成7）年には、それまで国の役割とされてきた権限と業務の多くを地方自治体に移す地方分権推進法が制定されました。1999（平成11）年には、各地方自治体が特性を生かし、みずからの判断と責任に基づいて地方行政を行うための地方分権一括法が制定され、国と地方は対等な関係とされました。

しかし、**地方分権**を推進していくために地方自治体は、できる限り自主財源を豊かにし、財政的に自立していくことが求められます。このため、地方分権一括法では、国税収入を地方税収入へと移す、地方自治体が独自の税を設定できるなどの対応がなされています。また、市町村合併によって地方自治体の規模を大きくし、財政を豊かにするとともに、それまで各自治体が行っていた行政の業務を集約して効率的にしようとする動きが活発化しました。市町村合併は、1995（平成7）年の**市町村合併特例法**の改正によって促進されました。「平成の大合併」と呼ばれるこの合併により、1995年から2007（平成19）年までの12年間で、1400以上の地方自治体の名前が消えました。

【民主政治の学校】

このように現在、地方に自立性が求められ、地方自治体の権限と責任が大きくなっています。住民も、自分たちの地方の行政と財政に、いっそう積極的な関心をもつことが求められます。自治体のなかには、条例を制定して行政の情報公開を制度化したり、**オンブズマン**制度を導入したりするところが増えています。

オンブズマンとは、苦情処理人、行政監視人という意味です。職務は行政に関する苦情処理、行政の不正に対する監視、行政の制度改善の提言などです。この公的オンブズマン制度の活用により、札幌市などいくつかの都市で、公的な道路の不法占拠の撤廃が実現しています。なお、公的なオンブズマンの他に、市民団体がオンブズマンと称して様々な活動を行っています。
私たちが、自分たちの住む地域に愛着をもち、地方議会や行政に積極的な意思表示を行うことは、公民として、国家の民主政治を運営していくときに役立つ、大切な学習経験となります。それで、地方自治は**「民主政治の学校」**とよばれることがあります。

もっと知りたい　地方自治と防災・防衛

災害や他国からの武力攻撃に襲われたときの地方自治体の務めとは何だろう。

【避難よびかけ、犠牲となった職員】

2011（平成23）年3月11日午後、東日本大震災に襲われた直後、宮城県南三陸町の危機管理課に勤めていた遠藤未希さん（当時24歳）は、防災対策庁舎にある放送室に飛びこんだ。「6m強の津波が予想されます」「早く逃げて下さい」。遠藤さんは防災無線のマイクをにぎりしめ、町民に避難をよびかけ続けた。多くの住民は放送を聞いて高台に逃げた。ところが予想をはるかに上回る巨大な津波は防災庁舎をのみこみ、遠藤さんも命を落とした。その尊い犠牲が町の人たちの命を救ったのだ。

震災をはじめ台風、豪雨、火山の爆発など大きな自然災害が起きると、自衛隊や近隣地域の消防隊、警察などが住民の救済のため派遣される。しかし、発生直後に住民を避難誘導したり、助けたりするのは、地元市町村や消防職員たちの大きな務めだ。

それはみずからの身にも危険がともなう仕事で、東日本大震災のときには、遠藤さんだけでなく、多くの地方自治体の職員や消防署員、警察官らが犠牲となり、町長が津波に流され亡くなったという町もあった。

【住民の命守るのは最大の任務】

自然災害の多い日本では、1人でも多くの住民の命と財産を守ることは、地方自治体にとって、最大といってもいいほどの任務である。特にいつ襲ってくるか予測がむずかしい地震や、それにともなう津波に対しては、どれだけ早く住民に正確な情報を伝え、安全な場所に避難させられるかが、カギとなる。

このため各市町村では、都道府県や国とも協議しながら、事前に避難場所の設定から誘導の仕方など綿密に計画を立てる。また、自衛隊の派遣の要請のタイミングなども検討している。災害に襲われても、被害を少しでも小さくするために大小河川の改修や、堤防の強化、建物の耐震化など社会基盤の整備も進められている。

むろん災害が起きた後の復旧も自治体の大きな仕事だが、これには都道府県や国の援助も不可欠だ。

【大災害からの教訓】

地方自治体がこうした防災対策に本腰を入れ始めたのは1959（昭和34）年9月の伊勢湾台風からだといわれる。紀伊半島から東海地方を襲ったこの台風で愛知県を中心に5千人以上が犠牲になり、阪神・淡路大震災が起きるまでの戦後最大の自然災害となった。被害者の多くは伊勢湾から堤防を乗り越えてきた高潮にのみ込まれたのだった。

被害をこれだけ大きくした要因は、避難誘導の遅れにもあった。台風が襲ったのは土曜日の夜だった。当時の土曜日は午前中だけ働く「半ドン」が普通で、名古屋市など多くの自治体でも職員は帰宅した。このため想像を上回る伊勢湾台風に襲われたとき、市町村は避難命令どころか、正確な情報すら住民に知らせることができなかった。また住民の命を守るための防潮堤もほとんど役に立たなかったことがわかった。

今、どんな災害時も比較的迅速に避難命令や勧告が行われるシステムができたのも、こうした大災害の教訓によるものだ。また政府も伊勢湾台風の後、「治水事業十カ年計画」をたて、防潮堤の整備などにあたった。

それでも、東日本大震災のように、想定をはるかに上回る大災害に襲われる可能性は否定できない。警報などが出たときには、すでに避難が困難になっていたケースもある。

また宅地開発にともなう局地的大水害も増えている。大都市で交通機関が全面ストップし、帰宅困難者が多数でるなど、都市化による新たな難問にも対応を迫られている。私たちも国や自治体任せではなく、みずから被害を最小限にとどめるための日ごろの準備が必要である。

【国民保護法と避難の在り方】

2004(平成16)年、「武力攻撃事態等における国民の保護のための措置に関する法律」(**国民保護法**)が制定された。この法律は、わが国への武力攻撃に対して、国民の生命、身体及び財産を保護することを目的とする。

2022(令和4)年、相次ぐ北朝鮮の弾道ミサイル発射やロシア・ウクライナ戦争などの情勢を受けて、多くの自治体が地域住民も参加する訓練を策定するようになった。Jアラート(全国瞬時警報システム)を用いて警報を発令し、国や自治体の機関が、情報提供や避難所の開設、避難誘導、救助、医療活動などにあたる。有事の避難は自然災害の時と共通点が多いが、ミサイルは警報から着弾まで数分間しかない。「自助」の行動が大切であり、自然災害と同様に普段から実践的な国民保護訓練が欠かせない。国や自治体は全国に約5万の「緊急一時避難施設」を指定しているが、長期のシェルター機能はなく、爆風や熱線を防げる設備の拡充が望まれている。

〔避難の一例〕(国民保護ポータルサイトより)

・警報が発令されたら、屋内ではドアや窓を全部閉め、ドア、壁、窓ガラスから離れて伏せる。屋外では近くの頑丈な建物や地下などに避難する。

・爆発が起きたら姿勢を低くし、身を守る。落下物が止むまでは、テーブルなどの下に身を隠す。

・がれきに閉じこめられたら、粉塵を立てないよう動きまわらない。配管などを叩いて自分の居場所を知らせる。

・核兵器攻撃で閃光や火球が発生した場合、失明のおそれがあるので見ない。とっさに遮蔽物の影に身を隠すか、溝や窪地に伏せる。

第4章　国民経済

国民経済とは何か、生産面、支出面、所得面、それぞれについて見ていき、貨幣を最終的にコントロールする政府の役割とは何か、考えていきたい。そして、30年間にわたって衰退してきた日本経済を建て直すにはどうしたらよいか、検討してみよう。

序節　総説

国家の役割を再確認するとともに、私的財と公共財の違いに留意しつつ国民経済の全体構造の仕組みを概観する。

単元1　国民経済

経済とは何だろうか。国民全体の豊かさを示す指標であるＧＤＰとは何だろうか。

【国家の４つの役割と経済】

第2章では、近代国家は、第一に防衛の役割、第二に**社会資本整備の役割**、第三に治安維持・法秩序維持の役割、第四に国民の権利を保証する役割を持っていると述べました。第一の役割は主に軍隊が担いますし、第三の役割は警察や裁判所などが担います。第四の役割は、主に立法機関や裁判所が担います。残る第二の役割は、国土交通省を中心にした行政機関が責任を以て、民間と協力して担います。この社会資本整備の役割は広く国民経済全般に関わるものであり、国民経済を一番根底で支えるものです。

【経済とは何か】

「経済」は**「経世済民」**または「経国済民」の略語であり、幕末維新期にeconomyの訳語として用いられた言葉です。では、「経世済民」または「経国済民」とは何を意味するものでしょうか。字義に忠実に考えれば、世の中または国をうまく治めて民を救済すること、という意味になります。つまり、「経済」は極めて国家または政治と密接な概念なのです。現代風に「経済」という語を定義すれば、〈うまく政治を行い（国家の運営を行い）国民に生活の安定をもたらし豊かにすること〉ということになります。

国民の生活を安定させながらも豊かにするにはどうしたらよいでしょうか。端的には、物価を安定させながら、我々が購入する財やサービスの生産を増やしていくことです。

【GDP三面等価の原則】

国民全体の豊かさ、一国全体の豊かさを表わす指標としては、今日では**GDP**という指標がよく使われます。GDPは、gross domestic productという英語の略称です。**国内総生産**という意味です。これは、生産面に注目したGDPです。他に、支出面に注目した**国内総支出**という意味、所得面に注目した**国内総所得**という意味があります。

これら3つの側面のGDPは、どういう関係にあるでしょうか。生産者（農家や工場労働者など）は付加価値を付けてモノやサービスを生み出します。そのモノやサービスは、家庭や企業・政府などに供給され、消費や投資の需要にまわされます。その際、家庭や企業・政府などは、生産者に対して、モノやサービスの購入代金として貨幣を支出します。この貨幣の量が生産者の所得になります。ですから、国内総生産＝国内総支出（国内総需要）＝国内総所得ということになります。これら3つの側面のGDPは、すべて同じ量になります。これをGDP三面等価の原則といいます。

このように、GDPが多い国ほど、生産も消費・投資も所得も多いわけですから、豊かな国であると言うことができます。

単元2　経済財と3つの経済主体

経済生活においてやり取りされる経済財とは何だろうか。

【経済財と3つの経済主体】

生産者が生産し家庭や企業などの消費者が購入するモノやサービスのことを**経済財**といいます。経済財は、自由財と対比されます。自由財の代表例は空気です。空気は、人間が生きていくために一時もなくなってはならないものですが、自然界に豊富に存在するもので希少性がなく、人間が努力しなくても手に入れられる財です。このような財を自由財といいます。これに対して、食料などは自然界に十分に存在しないもので希少性があり、人間が努力してつくりだすものであり、おカネを払わないと手に入らないようなものです。このように人間の生活にとって価値がありながら十分に存在しない希少性のある財を経済財といいます。前単元で見たGDPの統計に入ってくるのは経済財だけです。自由財は入ってきません。

経済財は**有形財**と**サービス**に区分することができます。有形財は食料や衣服、住宅などのような形のあるモノであり、サービスは理髪師や医師・教師の仕事などのように形のないものです。

人々が生きていくために経済財をやりとりする活動を経済活動といいます。経済活動の主体は、**企業**、**家計**、**政府**と三種あります。企業は経済財を生産する主体です。家庭は経済財を購入して消費する主体です。そこで、家庭を消費の単位とみて家計といいます。政府は、財政活動を主とする主体です。具体的には、行政サービスを通じて、社会に必要な道路や橋を作ったり、人々の幸せのために福祉を向上させたり、経済活動全体の管理を行ったりします。

【消費財と生産財】

また、経済財は**消費財**と**生産財**に区分することができます。消費財は、家庭が消費目的で購入する財のことです。消費財は、食料品や衣料品など短期間で消費されてしまう非耐久消費財と、冷蔵庫や自動車など長期間使用できる耐久消費財に分かれます。生産財は、生産者が生産目的で購入する原材料や部品、設備などのことです。生産財のうち、原材料や部品は生産によって消費されてしまいますから、消費財と同じく、GDPの支出面のうち消費に分類されます。これに対して、設備は生産によって消費されてしまわない財であり、将来の生産に利用される財です。つまり、投資に使われる財です。

【私的財と公共財】

さらに経済財は、おおよそ**私的財**と**公共財**に区分することもできます。私的財はおカネを払って購入した人だけが利用することができる財です。例えば、スーパーで購入した食べ物や飲み物は、購入者だけが飲食できます。公共財は、典型的には、社会の誰もが利用できてお金を払っていない人を排除できない財です。道路や公園、警察や消防、国防などがその例です。

単元3　私的財と市場経済

私的財について、生産と消費はどのように調整されているだろうか。

【需要と供給】

もう一度言いますが、おおよそ、経済財には**私的財**と公共財があります。公共財の生産や消費については政府が管理統制すべきですが、私的財の生産や消費については、市場経済に任せるのが基本的な在り方です。商品が自由に売買される場を**市場**といいます。市場では、さまざまな商品が生産、販売され、購入、消費されています。人々が購入しようとする商品の総量を需要量、販売しようとする商品の総量を供給量といいます。需要と供給の関係は、商品の価格によって変化します。価格が高くなると、販売の利益が大きくなるので、生産・販売者が増え、供給量が増えます。逆に価格が下がると、購入・消費者が増え需要量が増えます。

このように需要量と供給量は、価格の変化により変動しますので、なかなか一致しません。しかし、ある一定の価格のとき一致します。需要量と供給量が一致するときの価格を**均衡価格**といいます。この均衡価格を中心にして、商品の実際の価格、すなわち**市場価格**が決まります。

【独占と寡占】

市場では、多数の売り手と買い手とが参加し、有利な商品売買をしようと**自由競争**しています。生産者は、消費者のニーズに合うものをより低い費用で生産し、買ってもらおうと競争します。消費者のニーズに合わない商品を生産したり、ニーズに合った商品でも高すぎる価格で売っていたりすれば、買われなくなります。そうすれば、企業は倒産するかもしれませんから、絶えず良い商品を開発し、低い費用で生産するよう、努力しています。

こうして市場ではたえず競争が行われていますが、競争がなくなったり、弱くなったりすることがあります。例えば、自動車市場で、自動車を生産する企業が1社しかない場合は、競争がなくなります。消費者はその企業の生産する自動車しか購入できないわけですから、販売価格も自由につり上げることができますし、少数の自動車しか生産せず社会の需要を満たさないことも起こります。また、競争がないわけですから、現在販売している自動車以上に良い自動車を開発する努力もしなくなります。このように1企業しか生産していなくて競争のない状態を**独占**といい、その状態で決めた価格を**独占価格**といいます。

自動車を生産する企業が2社とか3社とか少数の場合も、競争が弱くなり、似たようなことが起こります。この状況を**寡占**といい、その状態で決めた価格を寡占価格といいます。

そこで、消費者の利益を守るためには、市場において独占（寡占）状態が起こらないようにしなければなりません。市場が健全に機能し競争が健全に行われるように、日本では、独占禁止法が施行され、たえず健全な競争が行われるように、公正取引委員会によって、監視が行われています。

単元4　公共財と統制経済

公共財にはどんなものがあるだろうか。その供給は誰が担当し、その価格はどのように決めるべきであろうか。

【三種の公共財】

経済財は、同時に一人だけが利用できるか、それとも複数の人が利用できるか（**競合性**）という観点と、おカネを払った人だけが利用できるか払っていない人も利用できるか（**排除可能性**）という観点から、以下の四種に分けて捉えることができます。

第一に、同時に一人だけが利用し（競合性）おカネを払っていない人を排除できる（排除可能）**私的財**です。第二に、一般道路や公園のように、同時に多くの人が利用し（非競合性）おカネを払っていない人も排除できない（排除不可能性）**純粋公共財**です。他に、警察、消防、国防、行政サービスなどがあります。第三に、同時に多くの人が利用し（非競合性）おカネを払っていない人を排除できる（排除可能性）準公共財です。このタイプの準公共財は、会費を払えばみんなが使えるという会員制クラブのイメージと重なりますので、**クラブ財**と言います。クラブ財には、高速道路・電車や電気・水道・ガス、インターネット回線などがあります。第四に、おカネを払っていない人を排除できないけれども（排除不可能性）、同時に多くの人が利用できない（競合性）ものもあります。このタイプの準公共財を共有財といいます。水資源や灌漑、牧草地、森林、漁獲資源に加えて、渋滞した道路などがその例です。共有財は、量に限りがあり、多くの人が一斉に消費すると枯渇してしまうものです。

	排除可能性	**排除不可能性**
競合性	私的財	準公共財（共有財・共有資源）
非競合性	準公共財（クラブ財）	純粋公共財

【公共財は政府が供給する原則】

以上４種のうち、第二、第三、第四のものを**公共財**といいます。ですから、公共財の定義は、複数の人が同時に利用できるか、おカネを払っていない人も利用できるもの、ということになります。

公共財は、敷設のために最初に巨大な費用をかけなければいけません。公共財を私企業が供給するのは困難ですし、私企業が独占することになれば不当に高い価格で売りつけることも生じます。公共財は、原則的に政府が生産し供給しなければなりません。この点は、特に純粋公共財にあてはまります。ですから、公共財は、私的財とは異なり、一種の統制経済の下に置かれることになります。

【公共料金】

政府が供給する例としては、水道の例のように地方公共団体によって生産し供給するものがあります。また、鉄道や乗り合いバスのように私企業によって供給する場合もあります。いずれの場合も、公共財は、生活するうえで欠かせないものであり、適正価格で安定供給しなければなりません。これら公共財の価格は市場のなかで決められないので、国や地方公共団体が認可したり、決定したりして価格を決めています。これを**公共料金**といいます。

単元5　市場経済と計画経済

市場経済を計画経済と比較しつつ、その優れたところはどこか考えてみよう。

【市場経済と計画経済】

私的財の生産・消費については**市場経済**に任せ、**公共財**については**統制経済**に任せるのが適切です。ですから、私的財を中心に考えていけば、経済全体を市場経済で運営するのが良いという考え方が出てきます。反対に公共財を中心に考えれば経済全体を統制経済または**計画経済**で運営するのが良いという考え方が出てきます。市場経済と統制経済の対立です。

歴史的に振り返るならば、19世紀までの欧米諸国では、経済全体が市場経済で運営されてきました。国家は警察と防衛だけを行えばよく、それ以外のことはすべて民間に任せるべきだ（**夜警国家**）という考え方が支配的でした。市場経済では、常に市場価格をふまえて生産量と消費量が調節される結果、各種の商品が社会のすみずみまで効率的にいきわたっていきますし、生産者同士の**自由競争**を通じて、消費者の需要に合った新商品がたえず開発され、生産技術の向上も常に行われていきます。こうして市場経済は、経済を成長させ、豊かさを増大させてきました。しかし、自由競争の結果、勝者と敗者を生み出し、貧富の差を拡大してきました。

そこで、旧ソ連をはじめとする社会主義国家を建設した人たちは、貧富の差すなわち分配の問題を解決するために、各種の経済財の生産量と価格、消費量、賃金まで国家の計画に基づいて決めていく計画経済を採用しました。計画経済の考え方としては、経済財の生産量に過不足が起こらず、平等で貧富の差のない社会を築くことができるとされました。

【市場経済の優越】

ところが、計画経済の仕組みでは、競争がなくなり、労働者は努力や工夫の有無にかかわらず賃金が同じであるため、労働意欲が減退し、技術の発展も停滞しましたので、効率が悪くて経済が成長せず、国民の豊かな経済生活を実現することはできませんでした。また、特に消費者が消費する経済財の種類や量の予測はきわめて困難であり、経済の動きをあらかじめコントロールすることは不可能なことでした。

不可能なのに私有財産を否定して生産活動全てをコントロールしようとしましたから、国民の反発を抑えるために強大な権力が必要となり、独裁化が必然でした。それゆえ、計画を決める国家官僚は、権力と特権を手にして独裁政治を行い、国民の自由を抑圧してきました。結局、計画経済は、非効率的で不公正な経済制度であることが明らかとなりました。

これに対して、第二次世界大戦後の西側先進国では、各種公共財を政府が提供し社会保障制度も整えるとともに、私的財については公正な自由競争を行わせることによって経済成長を達成し、自由を抑圧せず、結果として豊かな生活を効率よく実現することに成功してきました。端的には、生活必需品を手に入れるためにさえも何時間も行列しなければならなかった社会主義国とは異なり、国民の多くが簡単に十分に生活に必要な品物を手に入れられるようになりました。これらの国では、経済成長により全体のパイを大きくすることによって分配の問題を解決してきたのです。
その結果、計画経済は市場経済との競争に敗れます。ソ連は崩壊し、ほとんどの国が市場経済を採用するようになりました。そして、世界全体がグローバル化していくとともに、貧富の差が極大化し、分配の問題が再び深刻な問題として浮上してきています。

単元6　貨幣と金融

経済の循環をつなぐ貨幣はどういう価値を表現しているだろうか。貨幣の調達の仕方にはどんなものがあるだろうか。

【使用価値と交換価値】

企業などの生産者が付加価値を付けて経済財を生み出すと、家計や政府などが経済財を購入し、生産者に代金が支出され所得が生まれます。この経済財の生産↓支出↓所得の循環をつないで一つのものが動き回ります。おカネ、すなわち**貨幣**です。

貨幣とは、取引される経済財の**交換価値**を表わす道具です。交換価値は**使用価値**と対比して説明されます。使用価値は、例えばお腹がすいたときに弁当やパンなどの食料を買って食べる（消費）と誰もが満足を得られますが、その満足の度合いのことです。使用価値は、同種の経済財でも、使う人によって異なります。例えば、テニスのラケットは、テニスの好きな人にとって使用価値は大きいですが、テニスをしない人にとって使用価値はありません。

これに対して、ラケットの交換価値は、原則として、テニスをする人にとってもしない人にとっても同じものになります。このラケットという経済財の交換価値を表わす手段が貨幣であり、貨幣自体に使用価値はありません。

このように使用価値と交換価値には、ずれがあることに注意しなければなりません。本当に大事なものは、交換価値や貨幣ではなく使用価値の方です。米や野菜などの農産品は、生産面のＧＤＰの１％未満（２０２２年度）しか占めていないので交換価値の極めて小さなものですが、これらが無ければ人は生きていけませんから、社会的にも個人的にも使用価値の極めて高いものです。使用価値の観点から、国民経済を考える必要があると言えます。

【間接金融と直接金融】

さて、私たちは、普通の買い物の場合は、必要なお金を準備して商品を購入します。しかし、住宅のような高額の商品の場合には、先に銀行からお金を借りて購入して入居し、住宅で暮らしながら銀行にお金を返済するほうが合理的です。企業の場合はなおさら、資金を貯めてから生産するという形ではなく、銀行から資金を借りて商品を生産し、その利益が上がってから銀行にお金を返済する形の方が、企業にとっても消費者にとっても合理的です。

このようなお金の貸し借りや、商品売買の決済に関することを金融といいます。**金融**のサービスを行っているのが、銀行や証券会社などの金融機関です。

金融には、**間接金融**と**直接金融**とがあります。間接金融は、企業や個人が銀行に借用書を差し出して預金を発行してもらったりして、資金を調達するやり方です。直接金融は、例えば、企業が借用書に相当する社債を発行して資金を集めたり、新たに株式を発行したりして資金を集めるやり方です。

単元7　貿易と為替相場

貿易とはどんなものだろうか。貿易の際、問題となる為替相場とはどういうものだろうか。

【貿易】

世界の国々は、気候も文化も様々であり、生産技術も様々であり、得意な生産品と不得意な生産品とを持っています。そして、何よりも、石油や天然ガス、鉄鉱石やレアメタル、森林などの資源は、特定の地域に存在します。それゆえ、戦争や紛争がない世界を仮定すれば、国内産の生産品だけを消費する経済活動を営むよりも、諸外国とのあいだで商品を売り買いしたほうが、どこの国にとっても、はるかに豊かな経済生活ができることになります。自国から外国に商品を売ることを**輸出**といい、外国から商品を買い入れることを**輸入**といいます。併せて**貿易**といいます。

わが国は石油や鉄鉱石などの資源に乏しく、また食料も国内生産ではまかないきれません。そのかわり、自動車、電子部品などの工業生産品は世界最高の水準にあります。そこで、工業生産品を輸出し資源や食料を輸入するのが、わが国の基本的な貿易形態です。

この貿易形態には、致命的な二つの弱点があります。一つは食料を輸入に頼りすぎていることです。食糧輸出国と戦争や紛争になれば、食糧が日本に入ってこなくなり、国民が餓死する事態も生じます。二つは、あらゆる産業を支える石油の輸入先が、中東諸国に偏っていることです。中東で戦乱が起きるなどして中東諸国から石油が入ってこなくなれば、日本のほとんどの産業はストップするしかなくなります。ですから、食料自給率を高めること、石油の輸入先を多角化することが求められています。

【為替相場】

貿易にとって問題となるのが国による**通貨**のちがいです。例えば、日本からアメリカやヨーロッパに自動車を輸出した場合、アメリカの人はドル、ヨーロッパの人はユーロなどで購入します。ドルやユーロなどは日本国内で流通しませんから、日本の円に交換されます。このドルと円、ユーロと円のように、異なる通貨の交換比率を**為替相場**といいます。

為替相場は、国際市場における日本の通貨の国際的な需要と供給の関係で変動します。日本の通貨をもっていることが有利なとき円の需要は大きくなり、**円高**になります。逆に不利なとき円の需要は小さくなり、**円安**になります。

円高の場合、相手国で販売する日本の商品の価格は高くなり、相手国でそれを買う人が少なくなるため、日本からの輸出はしにくくなります。逆に、円安の場合、相手国で日本の商品は安くなり、買ってくれる人が増え、輸出しやすくなります。

第1節　生産の仕組み

生産の仕組みはどうなっているだろうか。経済財を生産する産業、生産を受け持つ企業とはどういうものだろうか。生産面における現代日本の問題とは何だろうか。

単元8　生産性の向上

生産性の向上とは何か。そして、生産性の向上はどのようにして実現してきたのか。

【労働と生産性】

豊かな社会とは、衣・食・住をはじめ生きるために必要な経済財を、社会のすべての人々が十分に利用できる状態になっている社会のことです。人々が十分に利用できるためには、何よりも我が国の産業自身が付加価値を生み出して多くの経済財を生産する必要があります。つまり、国全体でいえば、我が国の生産面のGDP＝付加価値の合計を増大させていくことが重要です。そのためには、生産力を高めて維持していかなければなりません。

生産力は、どうしたら高められるでしょうか。経済財は人間の活動によって生み出されます。この活動を**労働**といいます。労働は、同じ時間内で、より多くの経済財を生産するほうが効率がよいということになります。労働の効率は**生産性**とよばれます。同じ時間内の労働で同じ経済財を2倍生産できるようになったとき、生産性が2倍になったといいます。

生産性が向上し、同じ時間内でより多くの経済財を生産できるようになると、生産面のGDPがそれだけ増大し、それだけ経済的に豊かになります。経済的に豊かになっていくことを**経済成長**といいます。

【分業と技術革新】

では、労働の生産性は、どのように向上してきたでしょうか。古い時代には人類は自給自足の生活をしていましたが、徐々に**分業**が行われていろいろな**職業**が生まれました。それぞれの職業は、他の職業にない専門性をもち、自分の得意なものを専門的に生産するようになりました。得意なものに専念するわけですから、著しく生産性を向上させてきました。

この分業とともに生産性を向上させてきたのは、**技術革新**です。例えば、裁縫の縫い針で考えてみます。昔、縫い針は、まず砂鉄を集め、木から炭をつくり、炭を燃やして、砂鉄を溶かし、鉄をとり出し、鉄を鍛えて針をつくりました。わずか数㎝の鉄の棒ですが、昔は大変な作業が必要でした。現在は、機械にかけてわずかな時間で大量の針を生産できます。生産性が何百倍、何千倍と向上しています。このように生産性は効率のよい機械の開発によって向上します。農業や牧畜業の場合は品種改良、土壌や肥料の改良によっても向上します。要するに、分業と技術革新によって生産性が向上してきました。

【技術投資、設備投資、人材投資と公共投資】

それゆえ、現代では、日々技術革新を進めていくために、**技術投資**が行われます。また、例えば効率の良い機械を揃えるために**設備投資**が行われます。しかし、同じレベルの技術と機械で生産していたとしても、労働者のレベルが向上すれば生産性が上昇します。そこで、**人材投資**も重要なものとなります。

さらに道路や橋、港湾、学校、病院などの社会資本を整備するための**公共投資**も、生産性向上のために重要なものです。右に見た技術投資、設備投資、人材投資は企業レベルでも行えますが、公共投資は政府が責任を持って行うべきものです。わが国の経済の衰退は、4つの投資すべてが低調であったことが原因です。とりわけ、公共投資の低調が問題だったと言えるでしょう。

単元9　産業

経済財を生産する産業にはどういうものがあるだろうか。

【3種類の産業】

経済財を生産するために、いろいろな産業があります。産業は次のように3つに大別して考えられます。

まず農業、林業、水産業のような**第1次産業**です。第1次産業は、人間が自然のサイクルに合わせながら、自然に対してはたらきかけて人間に必要な農産物や木材などを採取して経済財を生産する産業をいいます。次に鉱業、建設業、製造業のような**第2次産業**です。第1次産業が自然から採取した資源を加工して新たな経済財を生産する産業をいいます。

そして**第3次産業**です。第1次産業、第2次産業を除いたすべての産業をいいます。商業、運輸業、医療・福祉、教育、公務員の仕事などの産業です。第1次産業と第2次産業が生産する経済財が有形財であるのに対して、第三次産業が生産するものはサービスであるため、サービス産業ともいわれます。

【流通と商業・運輸業】

第3次産業のうち、特に**商業**と**運輸業**について見ておきましょう。ふつう生産者と消費者は遠く離れているため、消費者が生産者から直接商品を購入することはできませんし、さまざまな商品を一々生産者から購入するのは困難です。そこで、生産者と消費者をつなぐ産業が必要になります。

私たちが商品を購入するのは、商店、コンビニエンス・ストア、スーパーマーケット、デパートなどの**小売店**です。小売店は、必要とするさまざまな商品をいろいろなところから仕入れ、さまざまな工夫を行って消費者が購入しやすいようにしています。野菜や魚などの商品の場合は、生産者から青果市場や魚市場に出荷され、そこから小売店は商品を仕入れます。衣服や家電製品などの工業生産品の場合は、問屋を経由して小売店に渡ります。この生産者から消費者に渡るまでの道筋を**流通**といいますが、この流通にかかわる仕事を**流通業**といいます。流通業は、ここまで見てきた小売店、市場、問屋といった商業と、生産者から小売店までの運送を担う運輸業、そして物品を管理・保管する**倉庫業**から成り立ちます。これら流通業は、生産者が付加価値を付けて生み出した経済財に、さらに付加価値を付けているわけです。

【使用価値の高い産業】

ここまで見てきた産業について、我が国のＧＤＰ（＝付加価値の合計）の中で占める割合を調べてみましょう。２０２２（令和４）年度では、名目の国内総生産５６６・５兆円のうち第１次産業が１・０％、第２次産業が24・７％、第３次産業が74・３％となります（総務省統計局資料）。この数字を見ると、農業などは日本にとって重要ではないように見えます。しかし、食料は人の生存にとって必須のものですから、一番重要な産業です。農業の例から分かるように、ＧＤＰの数値が低くても、重要な産業が多数存在することに注意しなければいけません。

単元10　企業の仕組みとはたらき

生産を受け持つ企業は、どんな仕組みで、生産性向上のためにどのような工夫をしているだろうか。

【企業の種類】

さまざまな産業が生み出すさまざまな経済財を生産するのは**企業**です。企業は、経済財の生産を行い、安定的に経済財を提供する役割を担っています。企業には、**私企業**と**公企業**があります。私企業は、個人企業や会社企業（株式会社、合名会社など）といった典型的な私企業と、協同組合、非営利法人（財団法人、社団法人、学校法人、医療法人、社会福祉法人など）や特定非営利活動法人（ＮＰＯ法人のこと）といった多少とも公共的性格を持った私企業に二分できます。対して、公企業は、国営企業（現在は消滅）、地方公営企業、独立行政法人、特殊法人といったものがあります。

原則的に云えば、個人企業や会社企業といった私企業は、利益を追求しつつ、私的財の提供を行います。

これに対して、公企業は、利益にならなくても、公共財を提供する役割を担います。この両者の中間的な性格を有するのが、協同組合、非営利法人、特定非営利活動法人です。これらの法人は、私企業でありながら、公共的性格をもち、利益を追求するよりも経済財を安定的に供給することを優先します。

【企業の仕組み】

企業が経済財を生産するためには、生産する場所、生産のための原料と道具や機械などの施設・設備が必要です。これらを準備するために用意される資金を、**資本**といいます。また、実際の生産活動を進めるためには、生産を担当する**労働者**と、生産活動の方針を決める**経営者**が必要です。

企業を立ち上げることを**起業**といいます。通常、起業は最初の資金を銀行から借りることから始まります。銀行は返済が可能かどうかを確かめてお金を貸します。また、個人では負担しきれない巨大な起業資金を集めるために、**株式会社**という企業組織が広く活用されるようになりました。

【生産性向上の方法】

企業の中でも私企業は、特に一番数の多い個人企業や会社企業は、より多く利益を出すために、**生産性の向上**に力を入れます。生産性向上のために、企業は人材投資、設備投資、技術投資の三者に力を入れる必要があります。しかし、近年の日本企業は、技術投資どころか、設備投資をおろそかにしたため設備の老朽化を招き、人材投資を軽視したため労働者の質の低下を招いています。特に非正規雇用を増やして正規雇用を減らしたばかりか、協力し合うべき従業員同士に競争を持ち込んだことが問題です。

かつての日本企業では、終身雇用が基本でしたから、従業員は、長期間働くことによって仕事に習熟していきました。また、企業に帰属意識をもち、生活に不安を持つことなく企業の発展のためにアイデアを積極的に提案し、自らの責任で仕事を処理し互いに協力し合って働いていました。つまり、企業は生産性の高い職場を維持していたのです。

ミニ知識　国営企業の消滅

かつてわが国には、電電公社や国鉄などの国営企業が存在した。しかし、1980年代の中曽根内閣以来、次から次に民営化していった。重要なものを挙げれば、1985（昭和60）年には電電公社と日本専売公社、1987年には国鉄、2005（平成17）年には日本道路公団、2007年には日本郵政公社が民営化されていった。今日では、国営企業は消滅してしまった。

その結果、日本の公共サービスは質量ともに低下していった。国鉄と日本道路公団が分割民営化されて、日本の交通網の整備がきちんと行われなくなってしまった。新幹線の整備も高速道路の建設も不十分なままである。挙句の果てには、各地で経営が成り立たないという理由から多くの鉄道線路が剥がされていった。また、日本郵政公社が民営化されたため、郵便事業も郵便貯金・簡易保険の二事業もサービスが低下していった。郵便料金は値上げに次ぐ値上げが続き、特に人口密度の低い地域に対するサービスが低下していった。そして、地方の過疎化と東京一極集中を進めてしまい、日本の経済的衰退を招いてきた。

そもそも、鉄道や道路、郵便といった事業は公共財の生産を担っているものであり、これらは政府が責任を持って運営すべきものである。これらを民営化することそのものが、原則的に誤った政策である。そのことを肝に銘ずるべきである。

単元11　株式会社

企業の中心である株式会社とはどういうものだろうか。そして、その長所と弊害はどういうものだろうか。

【株式会社は株主の所有】

企業の中の代表格が**株式会社**です。株式会社は、元手になる資金を集めるために、出資者を募って**株式**（株券）を発行します。出資者は出資額に応じて株式を受けとり、**株主**となります。株主は、株式数に応じた株式会社の所有権をもち、**株主総会**を開き、経営者の選出や企業経営の最高方針について、株式数に比例した議決権を行使します。ですから、発行株式の過半数を得た株主は、経営権を掌握することになります。

経営者は、総会の最高方針の下、労働者を雇い、施設・設備を整え、社会的に需要のある商品を生産し販売します。売上金のなかから、生産に必要な材料費や、労働者に支払う賃金をふくめ必要な経費を差し引くと、利益（利潤）が出てきます。利益の一部は、**配当金**として株式の持ち分に応じて株主に配分されます。利益のその他の部分は税金の支払いや将来の事業拡大のための内部留保などに使われます。

企業は消費者の需要に合わせた商品を生産すれば、販売が伸びて、利益は大きくなり、株式の配当金も大きくなり、株価も高くなります。すると資本は、消費者の需要のない商品を生産する企業には集まらず、需要のある商品を生産する企業に集まるようになり、株式会社というシステムは消費者からみても合理的だということになります。

【株主資本主義】

一方、株式は、**株式市場**に上場されると、自由に売買されます。配当金が大きいか、将来、配当金が大きくなる見込みのある企業の株式は高く売買されます。このように発展し、大きく利益が出ている企業の株主は、株式のより大きな配当金を得たり、高くなった株式を売却したりすることによっても利益を得ることができます。

それゆえ、経営者は、自己の雇い主である株主に対する配当金を増やすことを第一に考えるようになります。その結果、会社経営が**利益至上主義**となり、短期的な利益を上げることに集中する弊害も生まれています。特に、自由売買される株式が、企業のこと、従業員のことを全く考えない株主に売却されてしまった場合には一層、刹那的な経営になってしまい、生産性の向上を抑制してしまいます。ですから、比較的会社のことを考えると思われる長期株主と会社のことを余り考えないと思われる短期株主とで、持つことのできる権利を区別しようという主張もあります。

また、雇用者の利益を守るために、ドイツの中規模以上の企業では監査役会（Aufsichtsrat）を設置しなければならず、そこに雇用者の代表を参加させる「共同決定制度」がとられています。中規模企業では監査役会の3分の1を、大規模企業では2分の1を労働者代表としなければならず、経営の意思決定に経営者とともに労働者を参加させる制度です。わが国でも、長期株主と短期株主との区別や「共同決定制度」など、**株主資本主義**の弊害是正策を真剣に検討することが必要だと言えます。

公共投資の活発化とともに、株主資本主義の弊害是正策がとられたならば、日本の生産性は再び向上していくことになるでしょう。

第2節　支出面――消費と投資

消費と投資、特に公的資本形成の問題を見ていこう。

単元12　消費生活

支出面のGDPにおける消費と固定資本形成の割合を確認したうえで、消費者としての国民を保護する仕組みはどうなっているか、みていこう。

【わが国は内需依存型経済】

本節ではGDPの支出面を見ていきましょう。令和4（2022）年度で総支出566・5兆円の内訳は次のようになっています。

民間最終消費支出315・8兆円
政府最終消費支出122・1兆円
総固定資本形成148・0兆円（民間住宅21・8兆円、民間企業設備96・9兆円、公的固定資本形成29・3兆円）
在庫変動（民間企業と公的なものがある）3・6兆円……総固定資本形成と並んで総資本を形成する
純輸出マイナス23・0兆円（輸出123・2兆円マイナス輸入146・2兆円）……輸出輸入の差
（総務省統計局資料）

このうち家計が支払う民間最終消費支出が、おおよそ55・7％であるのに対し、純輸出は輸出超過の場合もあれば輸入超過の場合もあるので微々たるものですし、外需依存度を示す輸出額の対GDP比をみても21・7%です。日本経済は、外需依存型経済ではなく内需依存型経済なのです。

純輸出を除いた4種の支出のうち、民間最終消費支出と政府最終消費支出が消費であり、総固定資本形成と在庫変動が投資ということになります。まず消費生活について見ていきましょう。

【消費者保護】

国民はすべて**消費者**の立場にもあります。経済財を提供する企業は常に激しい競争を強いられていることもあり、粗悪な商品を広告等で誤情報をふりまいて購入させ、消費者に損害をあたえることがしばしば起こります。しかし、消費者は企業の提供する情報が正確なものかどうか判断することは困難です。

それゆえ、1968(昭和43)年、消費者保護の基本方針を定めた消費者保護基本法が制定され、1994(平成6)年には、欠陥商品によって消費者が被害をこうむったとき企業が負う責任を定めた**製造物責任法(PL法)**が制定されました。さらに2000年には、消費者を保護するための消費者契約法と、訪問販売や街頭のキャッチセールスなどによる悪徳商法から消費者を守るための特定商取引法が制定されました。特定商取引法では、訪問販売などで、いったん購入の契約を結んでも、一定の期間内であれば、消費者は一方的に契約を解除できるクーリングオフの制度が強化されました。

2004年、消費者保護基本法を全面的に改正した**消費者基本法**が制定されました。この法律では、消費者の保護に加えて消費者の自立の支援が掲げられるようになり、消費者の安全の確保や被害の補償に加えて、消費者に対して必要な情報や学習の機会があたえられること、消費者自身が自主的、合理的に商品を選択することなどが定められました。

2007年には、**消費者団体訴訟制度**が発足し、1人当たりの被害額が小さくても多くの消費者が被害を受けている商品を販売している企業に対して、一定の資格を得た消費者団体が消費者に代わって訴訟を起こせるようになりました。

そして２００９年には、各省庁でばらばらに行われていた消費者行政を一元的に行うため、消費者庁が新たに設置されました。

ミニ知識　食の安全を考える――遺伝子組み換え食品と禁止農薬

人類は、科学技術の発達により、農作物の大量生産を可能にしてきた。最近、遺伝子操作技術の発達により、遺伝子組み換え（生命の基本となる遺伝子に別の生物の遺伝子を組み入れること、以下ＧＭ）やゲノム編集（特定の遺伝子を切断などして改変）の作物が作られるようになった。これらの作物は、例えば雑草を枯らしてしまう農薬をかけられても影響を受けなくなっているため、農業の効率も生産量も上昇した。だが、安全性や環境への影響が危惧されている。

そこで、ＧＭ食品について言えば、わが国では、大豆、トウモロコシ、ジャガイモ、ナタネなど９つのＧＭ作物も、それらを原材料とする豆腐、納豆、みそなど33のＧＭ加工食品も、遺伝子組み換え表示が義務づけられたうえで流通が認められている。だが、同じく大豆を原料とするしょうゆや大豆油などのＧＭ食品は表示義務なしに流通している。ところが、表示義務の厳格なＥＵに対しては、わが国はしょうゆや大豆油などのＧＭ食品を「ＧＭ」ときちんと表示し輸出している。わが国でも、食の安全のために正確な食品表示が望まれる。

さらに、ＥＵ諸国では禁止されている農薬が、禁止基準の甘い日本に輸入されている問題もある。禁止農薬は、がんやパーキンソン病との関連が疑われるほか、地下水や、野生動物・水生生物など生態系の汚染も懸念されている。

単元13　社会保障制度

国民が安心して暮らすために必要な社会保障制度の概要と問題点をみていこう。

【社会保障制度の必要性】

政府最終消費支出の代表的なものは社会保障費です。私たちは、しばしば生活のうえで困窮におちいることがあります。勤めていた企業が倒産したり、けが、病気、障害あるいは高齢のために働けなくなったりする場合があります。また、働いても生活に十分な収入が得られない場合もあります。さらに、けがや病気の場合、病院に行けば医療費を負担しなければなりません。このような国民生活の困窮を避けるための制度が**社会保障制度**とよばれるものです。「日本国憲法」第25条は「すべて国民は、健康で文化的な最低限度の生活を営む権利を有する」とうたっていますが、この権利は、実際には政府が中心となって社会保障制度を充実させていかなければ実現できません。

【社会保障制度のさまざま】

社会保障制度は、**社会保険**、**公的扶助**、**社会福祉**、**公衆衛生**の4つに分けて考えることができます。社会保険は、国民に加入が義務づけられており、医療保険、年金保険、介護保険、雇用保険、労働者災害保険などがあります。国は、個人とその雇い主が支払う保険料をたくわえておき、必要なときに国庫からの支出も加えて保険金として支給します。この保険によって、例えば病気になっても、保険証をもっていけば医療費の大部分を保険で負担してくれることになります。

公的扶助は、生活保護法に基づき、収入がなく生活に困っている人を公費で救済する制度です。社会福祉は、高齢者や障害者、保護者のいない児童などに対して、保護し、自立のための援助をあたえる制度です。公衆衛生は、直接に病気になった人の救済ではありませんが、感染症の予防、食品衛生の管理、そして上下水道の管理やごみ処理などの環境衛生の維持と向上をはかる取り組みです。

【社会保障制度の問題点と改革】

社会保障制度は、国民が安心して豊かに生活していくために必要不可欠な仕組みですが、その維持には莫大なお金が必要です。わが国では、急速に**少子高齢化**が進んでおり、労働人口が減りながら、他方で年金の給付を受ける人や、保護や援助を必要とする人が増えています。増大する社会保障費を政府および国民全体がどのように負担していくのか、重要な問題です。

また、社会保障制度などをいっそう整備するために、個人情報管理のためのマイナンバー制度が、2016年から始まりました。

もっと知りたい　**年金について考えてみよう**

年金は私たちの生涯において、どのように役立っているのだろうか。そして、どのような仕組みになっていて、どのような問題があるのだろうか。

【安心して暮らせる年金制度】

私たちの多くは、大人になったら、就職して働いて収入を得て、生活する。しかし、いつまでも働けるわけではない。いつかは高齢になって働けなくなる。あるいは事故や病気によって働けなくなることがある。そうなったとき、どうやって生活のためのお金を得たらよいのだろうか。そうした心配をなくしていくためにできたのが、年金制度である。高齢になって働けなくなって収入のない状態になったとき、生活のために支給するのが年金である。わが国では、国家の制度としてすべての国民をカバーする公的年金制度が整っている。

この年金は、保険料を負担した者が受給できるものである。年金の基本的財源は働く世代からの保険料であるが、国民年金（基礎年金）の場合には国庫からの負担金が財源の2分の1を占めている。また、補助的な財源としては、働く世代が代々納付した保険料のうち年金支払いなどに使われなかった残額を積み立てた年金積立金がある。年金積立金は、高齢者になったとき年金を受給する将来世代の年金支払いに資するため、年金積立金管理運用独立行政法人によって、株式や債券などの金融市場で運用されている。

そしてこの保険に国家として国民を強制的に加入させる「国民皆保険」にすることによって、すべての国民がその恩恵を受けることができるようになっている。このような強制加入の保険を社会保険といって、社会保障制度の大きな柱としている。

【現在の日本の年金制度】

現在、わが国では、すべての国民が国民年金（基礎年金）に加入することが義務づけられ、20歳から60歳まで保険料を支払わなければならないことになっている。

さらにこれに積み重ねる公的年金として、民間で雇用されている人が使用者と折半して保険料を負担する厚生年金と公務員等がやはり使用者と折半して保険料を負担する共済年金が存在した。２０１５(平成27)年、共済年金は廃止され厚生年金に統合された。

このように公的年金制度は、強制加入の国民年金と厚生年金から成り立っているが、さらにそれらの上に積み重ねる年金として、任意に加入する私的年金が存在する。私的年金には、国民年金基金、厚生年金基金、確定給付企業年金などがある。

支給される年金は、高齢になり働けなくなった場合の保障であるから、原則として65歳を経て支給される老齢年金が中心になるが、そのほか病気やけがで働けなくなった場合の障害年金、遺族が受けとる遺族年金がある。

【年金制度のこれからの問題】

こうしてわが国では、社会保障制度の大きな柱の一つとして、安心して働ける年金制度ができあがっているわけである。年金制度は国家としてあまりにも大きな制度であり、税金で負担する部分もふくめて納付する保険料はいつ、いくら支払うのか、そしてそのとき、支払うことができなかった人をどうするのか、また支給する年金はどのような状態でいくら支給するのか、大変に複雑で大きな問題をかかえている。

特にわが国では、子供が少なく、高齢者の多い少子高齢社会となっており、働く人が少なくなり、入ってくる保険料は少なくなってきている。

しかし、高齢者は増え、支給しなければならない保険金は大きくふくらんできている。いかに公平な負担と支給にするか、いかに支給の財源を確保していくか、深刻な問題である。これは若者の年金不信、低所得者の増加という構造的な原因からもきている。それゆえ、停滞し続ける日本経済を再び成長させていけば、国民所得が増え、保険料収入も税収も増加するだろう。そのことを考えずとも、年金交付国債（年金特例国債といった赤字国債とは異なる）を計画的に発行していけば、財源問題は解決するだろう。

単元14　社会資本の充実

社会資本とは何だろうか。わが国の社会資本にとっての問題は何だろうか。

【社会資本の種類】

国民が住む各地域には、道路や橋、ため池や用水、堤防などがあります。昔から人々は、生活と生産のために必要な大規模な工事を、地域の共同体で協力して行ってきました。そうしてつくられ、社会が共同で利用する施設・設備・財産を総合して**社会資本**（インフラストラクチャー）といいます。

今日の社会資本には、何よりも第一に**国土保全**に関わるものがあります。ダムなどによる治山治水、防潮堤や防風林などの海岸整備に関わるもののことです。

第二に生産活動に欠かせない産業基盤に関わるものがあります。港湾施設、工業用水、農林漁業施設などのことです。

第三に、国民の日々の生活に欠かせない生活基盤に関わるものがあります。ごみ処理場、公園、病院、廃棄物処理施設、学校、図書館、老人福祉厚生施設などのことです。

さらに、第二にも第三にも分類できるものがあります。道路、鉄道、空港、上下水道、電気やガスの供給、電話やインターネットなどの通信の施設・設備など、国民生活にも生産活動にもともに欠かせないもののことです。

第四に、文化遺産や**自然環境保護**に関わるものがあります。遺跡、寺院などの文化財・文化遺産の保護・整備なども、自然環境保護の観点から行う自然環境の補修・整備も、過去から未来へと持続していく社会のための社会資本の整備として考えられます。

【社会資本の改修】

社会資本の建設と維持の事業は、巨額の費用もかかるし、利益が期待されないことも多いので、国や地方公共団体の政府が費用を負担しなければなりません。なかには、電気・ガス・水道や公共交通機関などのように、使用料金を徴収して施設・設備の建設費や運用の費用をまかなう場合もありますが、多くのものは、国や地方公共団体によって公的資金を投入して整備されています。特に道路、港湾施設、ダムなど長期にわたって巨額の費用がかかる建設事業は**公共事業**とよばれ、公的資金を主な財源として、長期にわたって投資したり融資したりしてまかなわれます。

しかし、政府の公共投資も企業の民間投資も減少していますから、日本経済の成長はとまったままです。十分な公共投資を行うことによって、経済活性化を図ることができます。


【バリアフリー化】

また、快適な生活という意味から、最近では、社会資本の質も問われるようになりました。公共交通機関や公共の施設・設備は、高齢者や障害のある人たちも利用しやすいように、段差をなくしたり、点字の併記を設けたりする、生活上の危険や不便をなくすための**バリアフリー化**が進んでいます。２００６（平成18）年に制定されたバリアフリー法は、２０１８年、「心のバリアフリー」を目指して改正されました。

単元15　求められる国土強靭化
災害大国であるわが国には、各種の社会資本を整備する国土強靭化が必要である。国土強靭化として行うべき施策はどういうものだろうか。

【災害大国日本】

社会資本に関しては、高度成長期につくられた道路やトンネルなどが数十年を経て老朽化し、大規模な事故も起こしていますから、それらの改修が重要課題となっています。

しかし、それだけではありません。そもそもわが国は、災害大国です。日本の国土面積は世界の0・25%しかありませんが、マグニチュード6以上の地震は20%発生しています。今後も、南海トラフ巨大地震や首都直下型地震が起きる可能性が高いといわれています。地震だけではなく、わが国では火山爆発、洪水、台風、高潮、竜巻、豪雪などによる災害が頻繁に起きています。ですから、わが国は、平常時から国土保全、生活基盤、産業基盤に関わる社会資本の構築・修繕、すなわち国土強靭化に力を入れるべき国なのです。

ところが、ピークであった1995（平成7）年度以来の公的固定資本形成の変遷をみてみましょう。

1995年度　44・4兆円　対GDP比8・8%
2011年度　20・8兆円　対GDP比4・4%
2014年度　24・8兆円　対GDP比5・1%
2022年度　29・3兆円　対GDP比5・2%（内閣府資料）

1995年度には対GDP比で8・8%もあった公的固定資本形成が、2011年度以来4%から5%程度であることがわかります。これは地震のない、自然災害の極めて少ないフランスと同程度の数値です。

【行うべき国土強靭化】

ですから、わが国は、**国土強靭化**に取り組む必要があります。行うべき国土強靭化は、第一に、日本全体での道路や橋など交通関係インフラの整備、消防や警察などの行政施設の強化です。そして、新幹線と高速道路網を日本全体に広げることが重要です。このことが、災害が起きた地域への救援活動を助けることになります。

特に南海トラフ巨大地震で太平洋側が大きな被害を受けることを考えれば、日本海側の産業基盤を拡大充実させ、第二首都を置く必要があります。そうすれば、いざという時、日本海側から太平洋側へ救援物資を送ることも可能となります。

また、日本には超大型タンカーの入れる港がありません。そこで、日本から出港した中型タンカーが釜山や香港に集まり、そこで積み荷を超大型タンカーに積み替えて海外へ輸出する形になっています。超大型タンカーが入れる港を仮に日本海側に整備すれば、日本海側の産業基盤が整うことになります。

インフラの充実しているところには、人が集まります。地方のインフラを整備すれば、地方に人口が集まります。東京一極集中を抑え、地方への人口分散が実現します。住環境、住居費などが改善されれば、出生率も上昇します。

第二に**治山・治水**に力を入れることです。ダム予算が削られ過ぎたり、2010年代から太陽光パネル敷設や風車建設のために森林や草原が更地とされたため保水力が落ちたりして洪水被害が増えています。ダムの見直しと森林再生も行うべきことです。

もっと知りたい　南海トラフ巨大地震に備えよう

警告されている南海トラフ巨大地震が起きればどういう被害が出るだろう。その被害に対してどういう対策をとればよいだろうか。

【南海トラフ巨大地震の被害について】

南海トラフ巨大地震は、10年以内では30%程度の確率で、30年以内なら70～80%程度の確率、40年以内に

90%程度の確率で起きると言われている。東は茨城県から西は鹿児島県まで被害が及ぶという地震である。静岡県から宮崎県にかけての一部地域は震度7を記録するという。震度7というのは、震度ゼロから始まる10段階の中で一番揺れが大きい数値であるから、甚大な被害になる。鉄筋コンクリートであっても耐震性の低いものは倒れるし、木も倒れたり、地割れや地滑りが起きたり、山が崩れて岩が落ちてきたりする。当然、新幹線などの鉄道や高速道路、普通の道路が多くの場所で寸断される。

さらに怖いのは津波である。東日本大震災では、8mとか9mの津波が各地を襲ったし、15mの津波が襲った所もある。津波で多くの人命が失われているし、津波で町が完全に壊れたところもある。南海トラフ巨大地震の場合は、関東から九州までの広い地域で高さ10m以上の津波が、高いところは30m以上の津波が襲ってくると言われる。地震の被害も津波の被害も、東日本大震災をはるかに超える規模になる。

警鐘を鳴らしている土木学会の「『国難』をもたらす巨大災害対策についての技術検討報告書」によれば次のように積算されている。

資産被害　170兆円
地震後20年経済被害　1240兆円
地震後20年財政被害　131兆円
人的被害　32万3千人

資産被害とは、地震や津波による建物や道路などの被害である。地震後20年経済被害と地震後20年財政被害は、阪神淡路大震災ではこの地域が1995年当時の経済規模に回復するのに20年を要した経験をふまえて、南海トラフ巨大地震が起きた後20年間の経済被害、財政被害をカウントしたものである。ざっと計算すると、金銭換算で1541兆円の被害となる。これは日本の国家予算の15年弱、GDPの3倍に達する被害である。近代国家日本の滅亡も考えられよう。

【事前の地震・津波対策について】

このように巨大な被害が予想される南海トラフ巨大地震に対して、私たちはどのように対処したらよいだろうか。まずは、地震対策としては震度7でも耐えられるような建物や道路をつくり、津波対策としては、海の近くに住む人たちの高台への移転を進めることとか、津波が来た時に逃げる訓練をしておくこととか、いろいろな対策がある。

【支援や復興のために用意すべきこと】

地震・津波対策だけでは全く不十分である。いざ地震が起きた時には、被災地に食料などの生活物資を届けなければならない。そのためには、例えば10年計画を立てて、第一に整備の遅れている日本海側を中心にして全国的な交通網を整備しておくこと、第二に太平洋ベルト地帯以外に、生活物資を生産する農業・工業などの産業基盤の整備をしておくことが必要である。

また第三に、建設業者を大幅に増やす必要がある。日本の建設業許可業者数はピークの１９９９（平成11）年度の60万1千社からどんどん減少して２０１０年度には50万社を割り込み、そのあとに微減微増を繰り返し、２０２２（令和４）年度には47万5千社になっている（国土交通省）。就業者数もピークの１９９７年には６８５万人存在したのに、２０２２年度には４７９万人となり、２００万人以上減少している（国土交通省）。日本は災害の多い国だから、諸外国よりも公共事業が必要なのに、無駄だとか言われて建設業者がどんどん減ってきた。これでは、いざ南海トラフ巨大地震が起きた時に復興事業を担う業者は存在するのだろうか。そもそも社会資本の老朽化が進んでいるのだから、公共事業を推進することを通じて建設業者を全国で増やしておく必要がある。

単元16　水と食料の安定的確保

消費生活で最も重要なものは水と食料の安定的確保である。そのためにわが国がすべきことは何だろうか。

【危険水域の食料自給率】

国土保全や交通インフラ整備以上に重要なものが、食料を提供する農業の維持ということです。ところが、日本の**食料自給率**は２００８（平成20）年度で41％、２０２２（令和４）年度で38％であり、主要国のなかで最低となっています。国民が飢えないためには一番重要となる穀物自給率は２０２２年度で29％となっています（農水省）。平常時の食料自給率が80％ほどあれば、いざ非常時で外国から食料が入ってこない状況になったとしても、緊急増産で食料を確保できるかもしれません。しかし、非常時だということで農業人口を増やそうとしても急には増えませんし、農業従事者を増やしたとしても、休耕地がすぐに使い物になるわけではありません。平時から田畑として使っておく必要があるのです。

農業を市場原理で捉えるのは間違っています。農業が生み出す農産物は公共財として捉えなければなりません。諸外国は、農業を維持するために補助を行っています。その方法は大きく二種類存在します。一つは、農家に対する**所得の直接支払い**です。もう一つは、**価格支持政策**です。例えばアメリカの場合、生産コストを販売価格が下回ったときはその差額を補助しています。農家が1俵（60キロ）５千円でコメを販売しているとして、生産に1万1千円のコストが必要であると仮定します。その場合、アメリカでは、その生産コストを政府が1万1千円として計算し、販売価格との差額の６千円を政府が補助金で全額負担しています。以下に、直接支払い政策による農業所得に占める補助金の割合と、価格支持政策による農業産出額に対する農業予算の割合について、２０１２年時点における先進各国の比較表を掲げます。

	農業所得に占める補助金の割合	農業産出額に対する農業予算の割合
日本	38.2%	38.2%
アメリカ	42.5%	75.4%
スイス	112.5%	———
フランス	65.0%	44.4%
ドイツ	72.9%	60.6%
イギリス	81.9%	63.2%

鈴木宣弘、磯田宏、飯國芳明、石井圭一による表から2012年分を抽出した。（鈴木宣弘『世界で最初に飢えるのは日本』講談社、2022年より）

わが国も、他の先進国並みに農業支援の予算を増やし、農家の生計が成り立つようにしていくことが必要です。諸外国は、有機農業支援、美しい田畑維持による景観維持の貢献に対する支払い、あるいは消費者に対する食糧支援という理由から、農家支援をしています。

【ストップすべき水道民営化】

２０１８年の水道法改正をきっかけに、いくつかの地方で**水道民営化**が始まっています。その代表的なものは、**コンセッション方式**といわれるものです。コンセッション方式とは、水道事業の所有権は地方自治体に残したまま、運営権だけを外資が絡む民間株式会社に売却するものです。水道管が老朽化しているから交換が必要だが地方財政が厳しいから、水道運営権の売却代金で水道管を新しくしようという理屈で、導入されて行っています。

しかし、水道民営化の波が北米、南米から欧州、アジア、アフリカまで広がった結果、世界各地で初めは安かった料金がどんどん値上げされていき、高すぎて料金を払えなくなった住民が、水道を止められたケースが多く報告されています。南アフリカでは1千万人が、英国では数百万人が水道を止められました。したがって、各国では違約金を払ってでも**再公営化**しようという傾向にあります。水道民営化の動きは歯止めをかける必要があります。

単元17　環境保全

環境保全は私たちのためだけではなく、次の世代に生きる人たちのために、いかに大切か考えてみよう。

【環境破壊】

生産者は消費者の必要に合わせてさまざまな商品を大量に生産し、消費者はそれらを消費しています。この活発な経済活動の結果、**環境破壊**が生じます。わが国では、1960年代の高度経済成長の時期に、いくつもの企業が有害な物質を工場の外に排出し、水質汚染や大気汚染に加えて健康被害などの公害を引き起こし、深刻な生活環境の悪化をまねきました。

また、都市における自動車の排気ガスや大量に排出されるごみなど、企業の生産活動だけでなく消費活動からも、環境破壊は生み出されました。

近年では、世界規模での経済の活性化にともなって、木材など天然資源の大量消費による資源枯渇と砂漠化など、地球規模での環境破壊が進行していると指摘されています。

【生産面からの環境保全】

わが国では、公害の発生を契機として、1967（昭和42）年、公害対策基本法が制定され、1968年には大気汚染防止法が、1970年には水質汚濁防止法が制定されました。そして、1993（平成5）年には、それまでの公害対策基本法を廃止し、公害対策にとどまらず、山林・湖沼・湿原・河川など広く自然を保護し、わが国土を守ることを目的として、**環境基本法**が制定されました。

エネルギー資源の節減のためにも、1979年に省エネ法が制定され、現在では、主要先進国では最も効率的にエネルギーを使用する国となっています。国際的にみると、2005年に発効した京都議定書を経て2016年に発効したパリ協定では、すべての国が地球温暖化の原因とされる温室効果ガスの削減にとりくむことになりました。

【消費面からの環境保全】

環境保全は国民の消費生活も密接にかかわっています。大量のごみをつくりだし、捨てる社会は、環境汚染にとどまらず、資源の浪費になり、やがて資源の乱掘・乱伐につながり、環境破壊を引き起こします。したがって、国民は消費者の立場に立ったとき、できるだけ資源の再利用の製品を購入し、ごみを出すときにはごみが再利用できるよう、ごみの分別収集を徹底し、4R活動を推進しなければなりません。4R活動は、リフューズ（要らないものはことわる）、リデュース（廃棄物を減らす）、リユース（再利用）、リサイクル（再資源化）という4つの活動のことです。なお、ノーベル賞を受賞したケニアの環境活動家ワンガリ・マータイ氏は、日本語の「もったいない」という言葉に感銘を受け、リデュース、リユース、リサイクルの3Rとリスペクト（感謝）をすべて含んだ概念を表す言葉として「もったいない」を世界に広めました。

そして「地球にやさしい」資源循環型の持続可能な社会の形成を目指し、次代の国民に健全な自然環境を残していかなければなりません。そのような社会の形成を目指して2000年に**循環型社会形成推進基本法**が制定されました。この法律の周辺に、さまざまなリサイクル法が制定され、資源の有効利用が促進されています。

第3節　所得面――働くということ

特に雇用者の所得、働き方をめぐる問題について概観していこう。

単元18　働く人の保護

基本的に、国民は働いて所得を得ているが、働くということの意義とは何だろうか。また、働く人を保護するために、どんな制度があるだろうか。

【社会で働くとは】

本節ではGDPの所得分配面を見ていきます。多くの人の**所得**は、企業や政府の雇用者として働いたり、個人商店や医師・弁護士のように独立して働いたりして得られます。人は所得を稼いで生活するために働きますから、社会で働くということの意義は、何よりも生活の糧を得ることです。

一方、働くということを社会全体からみると、社会の人々が必要とする経済財を生み出す社会全体の生産活動を分担（**分業**）しあい、社会参加しているということになります。そして、分担して社会に貢献した分だけ報酬として支払われ、生活できるようになっています。それゆえ、働くということは人にとって誇りとなり、**生きがい**になります。この生きがいということも、社会で働くということの意義です。

【働く人の保護】

このように働くということは重要なことですから、政府は、まずは働きたい人のために、職業紹介を行う**ハローワーク**（公共職業安定所）を設置し、職業技術の訓練施設を設けています。また、雇用労働者が低い賃金や悪い条件で働かされることがないように、働く場の条件の改善をはかることも政府の重要な役割です。わが国には、労働者の保護のため、労働基準法、労働組合法、労働関係調整法という3つの重要な法律があります。

これらの法律に基づいて、国は最低限の労働条件を定め、また労働者は労働組合を結成し（**団結権**）、賃金、労働時間、職場の安全などの労働条件の改善を求めて交渉し（**団体交渉権**）、必要によってはストライキなど団体行動を行うことができる（**団体行動権**または**争議権**）ことを保障しています。

１９８５（昭和60）年には、男女の雇用差別をなくすため、**男女雇用機会均等法**が制定されました。１９９７（平成9）年に改正され、男女を限定した募集・採用や配置・昇格は原則禁止となりました。２０１７年には妊娠・出産等に関するハラスメントを防止するための規定が加わりました。また、１９９１年には出産・育児と両立させるための育児休業法が制定され、１９９５年には介護での休業もふくめ**育児・介護休業法**となりました。

【働くことと生活のバランス】

しかし、人は趣味や芸術をもたしなみます。また家庭では炊事や掃除、洗濯などの家事労働がありますし、結婚して子供が生まれれば、育児や教育に関する労働があります。少子化問題が深刻化する今日、少なくとも、親が行う育児や教育の労働は、交換価値は生みませんが、最も重要なものであり最も大きな使用価値を持っているとも言えます。それゆえ、社会で働くこと（ワーク）と生活（ライフ）との調和（バランス）を大切にしようと強く言われるようになってきました（**ワーク・ライフ・バランス**）。

単元19　増えないGDP、圧迫される雇用者所得

雇用者所得はどれくらい減少したであろうか。その結果おきた労働環境の悪化はどうして起きたのか。

【分配面のGDP】

GDPの所得分配面を、わが国がまだ経済成長を続けていた1997（平成19）年度と2022（令和4）年度で比較しましょう。まず、両年度の所得分配面のGDPを項目ごとに掲げましょう。上の数字が1997年度、下の数字が2022年度です。

雇用者所得（所得税含）	278・4兆円	296・3兆円
営業余剰・混合所得（法人税含）	103・2兆円	78・6兆円
固定資本減耗	116・5兆円	146・0兆円
間接税―補助金	37・0兆円マイナス4・0兆円	53・2兆円マイナス7・0兆円
国内総所得合計	533・1兆円	566・5兆円

国内全体の総所得は4種あります。**雇用者所得**は家計部門の、所得税、法人税、間接税は政府部門の所得になります。**営業余剰・混合所得**は企業の所得です。このうち営業余剰は一般企業の所得のことですが、その一部が配当金や内部留保に使われます。混合所得は個人企業の所得のことですが、家計部門に入れられます。

2つの年度を比較すると、まず前述したようにGDPの総額がほとんど伸びていないことに気付きます。この20数年間の間に、諸外国は2、3倍に伸びているのに、わが国は全く停滞しているのです。内訳を見ると、雇用者所得が微増であること、営業余剰・混合所得が4分の1ほども減少していること、消費税(本当は直接税だが、政府は間接税として扱っている)と関税からなる間接税が16兆円も増加していることが目につきます。全体として、日本経済の低調ぶりを示すものになっています。

【労働環境の悪化】

では、なぜ、このようなことになったのでしょうか。特に今世紀に入って以降、企業は株主や外国人中心の株投資家の意向を重視するようになりました。この表からは直接分かりませんが、特に株主への**配当金**を増大させるために、設備投資等のための借入金を減らし続けるとともに、内部留保を増やし続けてきました。資本金10億円以上の企業の「売上高・給与・経常利益・配当金・設備投資の推移」を調べてみますと、1997(平成9)年を100とすると、2018年には次のような数値になっています。低い数値から並べますと、設備投資96、従業員給与96、売上高107、役員給与132、経常利益319、配当金620となります(相川清「法人企業統計調査に見る企業業績の実態とリスク」『日本経営倫理学会誌』第27巻、2020年)。

明らかに、企業が企業自身の発展と雇用労働者を犠牲にして、株主への配当金に充てていることが分かります。また、政府も、株投資家の意向に支配されるようになり、やはり配当金などを増やすために法人税を減額し、消費税を増額し続けています。当然、雇用者を中心とした一般国民の所得は減少しつづけた結果、国内市場が小さくなり、日本企業の縮小が続いています。企業も政府も、目先のことだけ考えて、全体的なパイを増やすことを考えず、長期的には没落の道を歩んでいるのです。

そして何よりも、配当金などを増やすために、所謂各種の労働規制の緩和を行い、雇用者所得を減らし続けてきました。すなわち、第一に非正規雇用、派遣労働の拡大、第二に解雇規制、労働時間規制の緩和、第三に移民労働者の受け入れ拡大です。さらに規制緩和が行われれば、労働者の権利を制限(最低時給制度撤廃など)するようになるかもしれません。

単元20 変わる労働環境

グローバリズムの浸透との関連で、雇用者所得の減少、労働環境の悪化について考えてみよう。

【労働コストの削減策】

世界的に**グローバリズム**が浸透し、カネ・資本の自由化が進むと、先進諸国の企業は「利益の最大化」を目指して、先進国よりも圧倒的に労働コストが低い発展途上国に資本(工場など)を移動するようになりました。その結果、先進国の産業が空洞化していきました。

さらに日本を含む先進国内でも**労働コストの削減**が目指されてきました。正規労働より非正規労働が安いので、正規労働がパートタイム労働や派遣労働に取り換えられてきましたが、さらに日本人労働よりも**移民労働**の方が安いので移民導入政策が進められています。それどころか、合法的な移民労働よりも**不法移民の**

労働の方が安いので、不法移民の導入さえも推進されつつあります。

【移民問題】

しかし、欧米では大量移民の受け入れが**治安の悪化**、犯罪の増加をもたらしました。例えば、２０１５年の大晦日には、ドイツのケルンで大規模な集団レイプ事件がありました。ハンブルクなどでも同様の事件が起きましたが、メディアは事件を報道しようとはしませんでした。スウェーデンでも、レイプ事件が警察に届け出たものだけでも、１９７５年の４２１件から２０１４年の６６２０件へ増加し、２０１５年には人口比で世界第２位の発生率となりました。そしてスウェーデンは、２０１６年には移民関係予算が防衛予算よりも多くなり、黒字国から赤字国に転落しました。

それどころか、２０１５年10月、ドイツの小都市では、行政責任者が、〈移民受け入れに反対する者はドイツから出ていってかまわない〉と述べました。また２０１６年10月、18歳のシリア移民は、ドイツ人に向けて「あなた方はドイツから出て行けるし、出て行くべきだと思う」と新聞で主張しました。移民の大量受け入れは、移民による国の乗っ取りにつながりかねない問題なのです。

ですから、移民を受け入れる際には、きちんとした規制をかけることが必要です。移民としての入国の際、永住権取得の際、国籍取得の際などにおいて、日本の歴史文化・政治事情などに関係する試験をきちんと行うことなどが必要だと言えます。

【働き方改革】

労働コスト削減策の推進とともに、過労死問題、ブラック企業問題も増加してきました。そこで２０１８(平成30)年、働き方改革が行われました。労働基準法を改正して時間外労働に罰則付きの上限を設けました。

また、過労死を防止するため、終業から次の始業までに一定の休息をとるインターバル制度の努力を企業に要請しました。また、同一労働同一賃金の原則のもと、パートタイム労働者や派遣社員、契約社員などの非正規労働者と正規労働者との間の著しい賃金格差の是正に取り組むことになっています。

エピソード　2015年12月31日ケルン大規模集団レイプ事件

2015年の大晦日にケルンで発生したそのできごとも、明るみに出るには時間がかかった。当初、大手のメディアは事件を報道しなかったからだ。欧州が、ましてや世界がそのことを知ったのは数日後であり、それもブログを通じてだった。

年越しを祝う人々で、街が1年のうちでも屈指の賑わいを見せていたその夜、2000人もの男たちが、ケルンの中央駅と大聖堂に接する広場や、その付近の街路で、約1200人の女性に対して性的暴行や強盗を働いた。程なく、同様の事件がハンブルクから南はシュトゥットガルトに至るドイツの複数の都市で起こっていたことが発覚した。

事件後の数日間でその規模と深刻さが知れわたるようになっていったが、ケルンやその他の都市の警察は必死に犯人たちの素性を隠そうとした。現場の動画や写真がSNSでシェアされ、マスメディアによって確認されるに及んで、初めて警察は容疑者全員が北アフリカや中東風の容貌を持つことを認めた。2000年代前半の英国と同様、2016年のドイツでも、容疑者の人種的ルーツを明らかにすることから生じる結果を恐れるあまり、警察は職務を遂行する責任を果たさなかったのだ。

同じようなパターンが果てしなく繰り返されるかに思われた。2016年を通し、ドイツの16州のすべてでレイプと性的暴行が多発するようになった。事件は文字通り毎日発生し、ほとんどの犯人は見つからない。ドイツの法務相のハイコ・マースによれば、同国のレイプ事案のうち届け出が出されるのはわずか10分の1

洋の自死』）で、法廷に持ち込まれた事案のうち有罪になるのはたった8%だということだった。（ダグラス・マレー『西

第4節　貨幣と政府

経済を循環させる貨幣とはどういうものだろうか、政府が取り仕切る金融と財政の仕組みとはどういうものであろうか。

単元21　貨幣とは何か

貨幣とは何だろうか。商品貨幣論と信用貨幣論とを比較しながら考えてみよう。

【商品貨幣論】

これまで見てきた経済活動を円滑にまわしていくのが貨幣の役割です。

貨幣の生まれ方は二通りあります。一つは、共同体と共同体との間での**交易**から生まれる場合です。最初は物々交換で交易が行われましたが、不便なため誰もが欲しがる交換用の商品が求められました。それが貨幣です。最初は貝殻、塩、砂糖などの保存がきいてあまり大きくない商品が使われましたが、いずれかの時点で共同体内でも使われるようになりました。そして、小口に分割が可能だし、溶かすことで再結合も可能なため、やがて貴金属の延べ棒の重量が貨幣として使われるようになりました。しかし、取引のたびに重さをはかっていたのでは面倒この上ありませんので、政府などの公的機関が重さや価値を保証するために、刻印を押しました。こうして金貨や銀貨が生まれました。

この場合、貨幣はそれ自体が富とされ価値を持つものとなりました。この一つ目の生まれ方に即して**商品貨幣論**が生れました。アダム・スミス以来、経済学ではこの考え方がとられてきました。金銀の埋蔵量には限りがありますから、この理論では当然、発行できる貨幣の量には制限があると考えることになります。

【信用貨幣論】

二つは共同体内で生まれる場合です。最古の貨幣は、古代都市文明を切り開いたシュメールの楔形文字が記載された粘土板です。粘土板のなかには、「AがBに対して小麦○○を借りた」といったものが多数発見されています。共同体の内部では、Aが信用できる人物であればあるほど、この借用証書に対する信用が生れ貨幣として流通することになりました。現代の手形と同じです。この場合、貨幣とは債務と債権の記録であるということになります。現代の紙幣や銀行預金も、同じ性格を有しています。二つ目の生まれ方に即して**信用貨幣論**が生れました。この貨幣論では、貨幣は債務と債権の記録に過ぎませんから、発行者に信用がある限り、発行量に限度はないことになります。

【貨幣とは】

今日の社会では、少なくとも国内経済に即して言えば信用貨幣論の方が正しいものです。改めて貨幣を定義してみれば、貨幣とは特定の単位（円とかドル）をもち、債務と債権の記録を示す貸借関係の情報（数字）であり、人から人に譲渡されていくものです。貨幣が譲渡されていくからこそ、経済活動が循環していくのです。

端的に云えば、貨幣は債権と債務の記録です。貨幣は発行者にとっては債務であり、その所有者にとっては債権です。例えば1万円の現金紙幣は、発行者である日本銀行にとって1万円分の経済財を保証する債務であり、現金紙幣の所有者にとっては1万円分の経済財を手に入れる権利を保証する債権です。

単元22　各段階の貨幣

小切手、銀行預金、現金紙幣、日銀当座預金、国債といった貨幣はどのようにして発行されるだろうか。発行者にとって債務であるこれらの貨幣の担保は何であろうか。

【小切手の担保とは何か】

貨幣とは特定の単位（円とかドル）をもち、債務と債権の記録を示す貸借関係の情報（数字）であり、人から人に譲渡されていくものです。発行者にとっては債務ですが、同時に同額の債権を持っています。その債権が債務である貨幣発行の担保になります。

特に企業人にとって一番身近な貨幣は**小切手**です。小切手は、銀行に当座預金を持つ人ならば誰でも、その当座預金の範囲内で振り出すことができます。振出人にとっては債務ですが、振出人は同時に銀行に対して**銀行預金**という形で債権を持っています。銀行預金が小切手の担保の役割を果たしていることになります（①）。

【銀行預金の担保とは何か】

次に身近な貨幣は、銀行預金です。銀行預金は市中銀行が発行します。銀行預金は預金者にとっては債権ですが、市中銀行にとっては債務です。市中銀行は、同時に日本銀行（日銀）に対して**日本銀行券**（現金紙幣）と**日銀当座預金**という債権を持っています。この現金紙幣と日銀当座預金という銀行の債権が、銀行預金という貨幣（債務）の担保ということになります（②）。

銀行預金は市中銀行にとって預金者に対する債務ですから、銀行は、預金者から請求されれば、いつでも銀行預金を現金紙幣に変換しなければなりません。いつでも変換できるように、銀行は現金紙幣を一定程度用意しておかなければなりません。

そこで、銀行は、日銀に持っている自己の日銀当座預金から現金紙幣を引き出します。逆に、銀行が日銀に現金紙幣を持っていけば、その分だけ銀行の日銀当座預金は増加します。ですから、日銀当座預金と現金紙幣は、ともに、日銀が発行する貨幣（債務）です。存在形態を異にするだけです。すなわち、日銀が発行する貨幣が銀行預金の担保となっているわけです。

ちなみに、市中銀行は、預金者から請求されれば現金紙幣を渡さなければなりませんから、銀行預金の一定比率の日銀当座預金などを資産として保有しておかなければなりません。その比率はおおよそ1・2％です。これを**準備預金制度**といいます。

【日銀当座預金、現金紙幣の担保とは何か】

では、日銀が発行する貨幣の担保は何でしょうか。日本政府が発行する日本国債（国庫債券）という「政府の負債としての貨幣」です（③）。ですから、**国債**は究極の貨幣だと言えます。

しかし、究極の貨幣である国債の担保は何でしょうか。実は担保となる政府の債権は存在しません。国債は、一方的な政府の負債であり貨幣であると位置づけられます。

各段階の貨幣（負債）と「担保」

モノ・サービスの供給力

⬆担保④

日本政府の負債＝国債
　　　　　⬅担保③
日本銀行の負債＝日銀当座預金・現金紙幣
　　　　　⬅担保②
市中銀行の負債＝銀行預金
　　　　　⬅担保①
銀行以外の負債＝小切手

もう一度問いましょう。政府発行の貨幣である国債の担保とは何でしょうか。国債の発行には制限がないのでしょうか。国債の担保とは国家の経済力、端的にはモノやサービスの供給力です（④）。供給力の範囲内であれば、政府は、国債という貨幣をほぼ無限に発行できます。しかし、それに見合った供給力が民間になければ、物価が著しく上昇してしまいます。国民はモノを買えなくなり、国内秩序が大いに乱れ、反乱や革命、クーデターなどが起きるかもしれません。それゆえ、インフレ率が国債発行の上限を確定することになります。

単元23　マネタリーベースとマネーストック

マネタリーベース（貨幣発行量）とマネーストック（通貨供給量）とは何だろうか。

【日本銀行と金融政策】

我が国で貨幣を発行するのは**日本銀行**（日銀）という**中央銀行**です。どの国でも、貨幣の発行は国内経済に重大な影響をおよぼすので、一般行政とは関連させないように中央銀行を独立の機関として設けています。日銀は政府の子会社であり、日銀の株の55％を政府が保有しています。

日銀は、**現金紙幣**（日本銀行券）を発券し、**日銀当座預金**という貨幣（負債記録）を政府と市中銀行などに対して発行しています。政府はこの口座を通じてお金の出し入れを行いますが、現金紙幣をおろすことはできません。市中銀行などは、この口座から現金を引き出すこともできますし、他の市中銀行などや政府と取引を行う場合には決済手段として利用できます。しかし、国民一般は日銀当座預金を利用できませんから、日銀当座預金は貨幣ですが、世の中に流通する**通貨**ではありません。

日銀当座預金、現金紙幣と硬貨の三者の発行量が**マネタリーベース（貨幣発行量）**と言われるものです（日銀ホームページより）。硬貨は政府が発行しますが、日本国内だけしか通用しませんし、一回の支払いに使える枚数にも制限があり、あくまで補助通貨にすぎません。マネタリーベースの中で圧倒的に多い貨幣は、日銀当座預金です。

貨幣の発行は、どこの国でも国債（という政府の借用書）の発行から始まります。日本の国債は、多くの国がドル建てで発行するのとは異なり、百パーセント円建て発行です。日銀は国債を市中銀行から買い取ることで日銀当座預金を増やしたり、市中銀行に国債を売却することで日銀当座預金を減らしたりします。こうして、日銀はマネタリーベースを増減させるのです。

なお、政府の子会社である日銀が保有する国債は、政府から見て返済義務がありませんから、わが国では、国債を大量に発行しても財政破綻することはありません。

【政府支出の仕方】

政府は、財政支出が必要なときは国債を発行します。日銀に国債を直接購入してもらい日銀当座預金を発行してもらえば事は簡単ですが、これは原則禁止されています（財政法5条）。ですから、次頁の図のように国債を市中銀行に購入してもらい、市中銀行所有の日銀当座預金を政府所有の日銀当座預金勘定に振り替えてもらって資金調達します（①）。次に政府は、自己の日銀当座預金を担保にして、政府小切手を企業に渡し、財やサービスを購入します（②）。企業は、政府小切手を取引銀行に持ち込み、銀行預金という貨幣を発行してもらいますし（③）、銀行預金から従業員に給料を、下請けなどに代金を支払います（④）。そして市中銀行は、企業から渡された政府小切手を日銀に持ち込み、日銀から日銀当座預金という貨幣を発行してもらいます（⑤）。こうして最初に市中銀行から政府勘定に振り替えられた日銀当座預金が市中銀行に戻ってくるわけです。ここで出てきた銀行預金と現金紙幣の総量が、世の中で流通する**マネーストック（通貨供給量）**と言われるものです。

以上の説明から分かるように、主に日銀当座預金からなるマネタリーベースを増やしたところで、現実に流通するマネーストックの増加にはつながらないことに注意しましょう。

ミニ知識　「日本国憲法」・財政法と国債

1947（昭和22）年5月3日、平和主義を謳った「日本国憲法」が施行された。その直前の4月1日に施行された財政法第4条第1項は、〈国債を発行すれば軍国主義が生まれ、戦争が発生する〉という考えの下、原則として国債発行を禁止した。とはいっても、国債なしで国の歳出を賄うことは不可能だから、但書で公共事業費などに関する国債は発行できることにした。だが、第5条は、国債を日銀に直接引き受けさせることを禁止した。そこで、国債を市中銀行に引き受けさせる形で運用されている。

ともあれ、第4条第1項本文に従って、国債発行原則禁止という思想は、大蔵省—財務省の中で生き続ける。そして、税金を原則的な財源としなければならないという思想が生まれ、経済学と国民全般に広げられる。

政府の国債発行プロセスの図

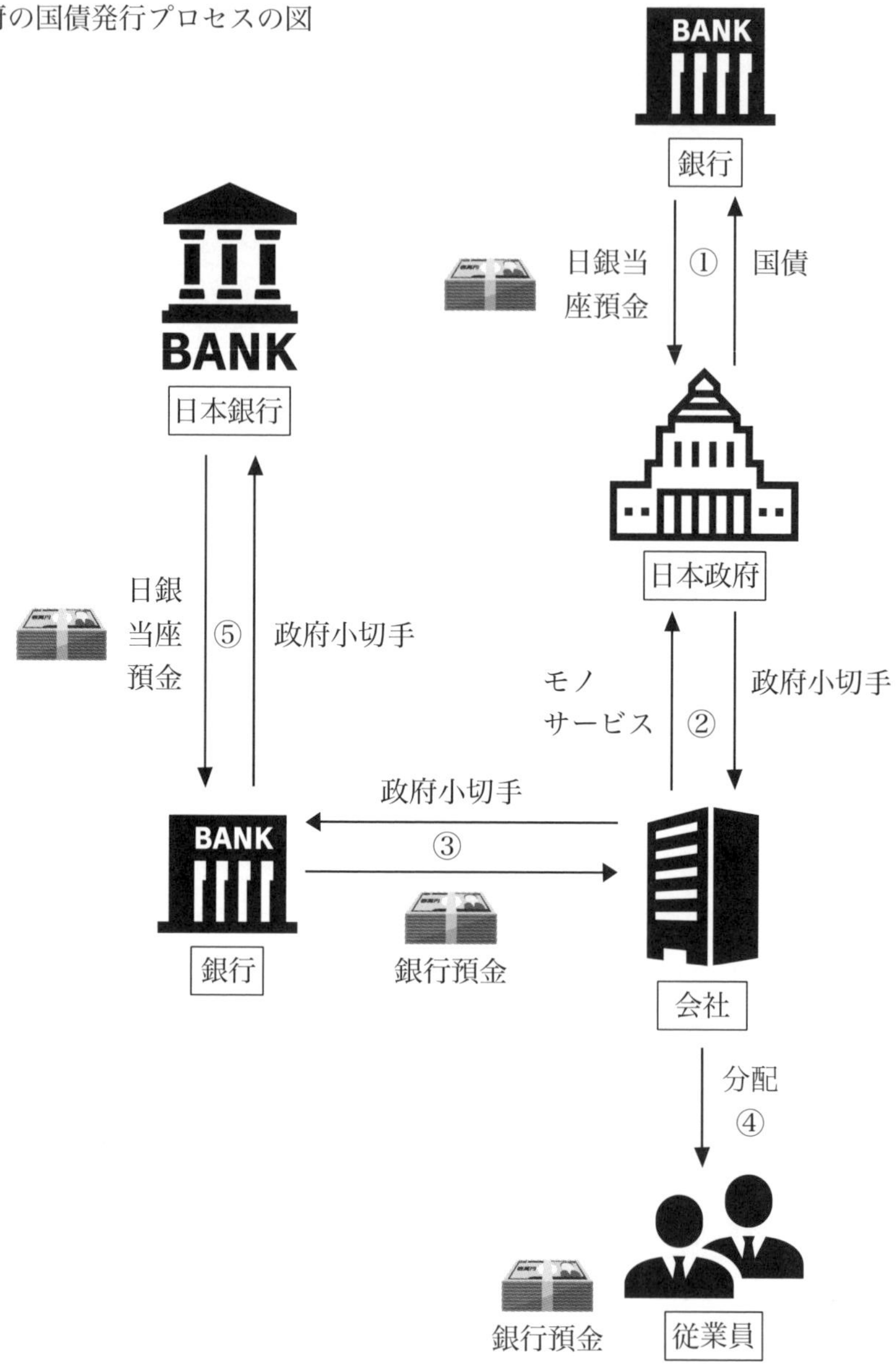

三橋貴明『MMT入門』（経営医科学出版、2019年）100頁の図より

ここから緊縮財政主義が生まれ、今日の経済情勢において求められる積極財政の実行を阻止している。いずれにせよ、「日本国憲法」が財政法の国債原則発行禁止・緊縮財政主義を生み出し、日本を没落させ続けているのである。

財政法第4条　国の歳出は、公債又は借入金以外の歳入を以て、その財源としなければならない。但し、公共事業費、出資金及び貸付金の財源については、国会の議決を経た金額の範囲内で、公債を発行し又は借入金をなすことができる。

② 前項但書の規定により公債を発行し又は借入金をなす場合においては、その償還の計画を国会に提出しなければならない。

③ 第一項に規定する公共事業費の範囲については、毎会計年度、国会の議決を経なければならない。

第5条　すべて、公債の発行については、日本銀行にこれを引き受けさせ、又、借入金の借入については、日本銀行からこれを借り入れてはならない。但し、特別の事由がある場合において、国会の議決を経た金額の範囲内では、この限りでない。

単元24　政府の財政

国や地方公共団体は、経済活動にどんな役割を果たしているのか、考えてみよう。

【財政とは何か】

市場における活発な経済活動を維持していくためには、人々の自由な生産、流通、消費の活動に加えて、国や地方公共団体の経済活動が重要なはたらきをしています。まず、道路や橋や港など、基本的に政府によってしか提供できない経済財があります。また、市場の管理と調整も政府にしかできない経済活動です。家計にも企業にも収入と支出があります。政府も同じであり、政府の収入を**歳入**、支出を**歳出**といいます。歳入の大部分は国債発行と税金によりまかなっており、歳出によって、国民や住民の安全で豊かな生活と活発な経済活動を支えます。このような歳入と歳出を通じた政府の経済活動を**財政**といいます。

さて、わが国は、**通貨発行権**を持っているだけではなく、**固定為替相場制**ではなく、**変動為替相場制**をとっています。固定相場制では為替レートが変動しないような政策をとらねばなりませんが、変動為替相場制をとるわが国は、金融政策の自由度が高いと言えます。

しかし、金融政策ではできることに限りがあります。２００３年以来日銀当座預金を増やしてマネタリーベースを拡大しマネーストックを５００兆円ほども増やしてきましたが（日本銀行）、ＧＤＰは全く増えず経済は低迷してきました。通貨が**実体経済**で使われず、土地や株式、為替などの**金融経済**で使われたからです。通貨が実体経済で使われるようにするには、積極的な財政政策が必要だったのです。

【財政の役割】

では、財政の役割とは何でしょうか。第1の役割は、**公共財**の生産と提供にあります。道路、橋、港湾施設、上水道、下水道などの公共工事や、警察や国防、保健衛生、医療、教育などの公共サービスの提供は、政府が必ず行わなければならないものです。

第2の役割としては、第1の役割と関連しますが、**財政投融資**があります。政策上の観点からは必要でありながら、一般の金融機関によっては十分に投資や融資が行われない事業へ、国債（財投債）などを発行して、資金を調達し、投資（必要な資金を提供すること）や融資（必要な資金を貸し付けること）をして、例えば、巨大なダムの建設、高速道路の建設、また宇宙開発、環境保全などを行います。

第3の役割は、**所得の再配分**です。市場経済における国民の自由な経済活動のなかでは、事業に成功する企業と失敗する企業があります。倒産した企業からは失業する人も出ますし、病気や障害で働けなくなる人も出ますから、それらの人々の生活を保護しなければなりません。豊かな人からたくさん税金をとって収入の少ない人の生活を支える所得の再配分は、政府しか果たせない大切な役割です。

第4の役割は、社会の経済活動を安定させる役割です。特に市場経済では景気が良くなったり、悪くなったりする景気変動が起こります。公共工事や税金の増減等によりその調整をすることは財政の大切な役割です。

単元25　税金

税金にはどんな役割があり、どんな種類があるだろうか。そして、公平な税負担とはどういうものか考えてみよう。

【税金の役割と種類】

政府の行う経済活動は大規模ですから、莫大なお金を調達しなければなりません。よく、税金は政府の活動の財源だと言われますが、あまり実状にあっていない理論です。なぜなら、政府は国債を発行して支出してしまってから徴税するからです。これを**スペンディング・ファースト**といいます。敢えて言えば、国債こそが本当の財源です。

では、税金の役割とは何でしょうか。第1の役割は、財政の第4の役割そのものです。すなわち、**景気の安定化装置**（ビルトイン・スタビライザー）ということです。好景気の時には徴税を増やして可処分所得を減らし景気を鎮静化しますし、不景気の時には徴税を減らして可処分所得を増やし景気を回復させます。

第2の役割は、豊かな人から多く税金をとることを通じて**所得再配分**を行い、格差縮小を行うことです。第3の役割は、特定の政策目的を果たすことです。例えば炭素税やエコカー減税などは、二酸化炭素排出量を減らしたいという政策目的を達成するためにつくられた税金です。第4の役割は、日本円を通貨として強制することです。政府は財源という名目で日本円での税金の支払いを求めますし、政府は公共サービスや公共投資の支出を日本円で行います。その結果、日本国内では「日本円」以外の流通が制限されることになります。

税金はさまざまに分類できます。まず、課税義務者が直接、国や地方公共団体に納める**直接税**と、課税義務者が納税義務者を通じて間接的に納める**間接税**とに分けられます。直接税の代表格は所得税と法人税ですし、間接税としては印紙税や入湯税などが挙げられます。また、納める先が国か地方公共団体かによって、国税と地方税に分けられます。

【公平な税負担】

では、税金は、国民のあいだでどのように負担すれば公平なのでしょうか。一つの考え方として、所得の少ない人は少なく、所得の多い人は多く負担すべきだという考え方があります。これは、低所得者の生活を保障するという所得の再配分の意味をもっています。現在では、個人の所得に対する所得税は、所得に対する一定税率で負担するのではなく、所得の多い人ほどいっそう高い税率で負担することになっています。これを**累進課税**といいます。

また、税金は公共財の利益を受ける人が負担すべきだという考え方もあります（**受益者負担**）。例えば、道路整備の結果、主に自動車を使う人が利益を得ているのだから、道路整備の費用は自動車を使う人が負担

主な税金の種類

	国税	地方税	
		都道府県税	市（区）町村税
直接税	所得税 法人税 消費税 相続税 贈与税 酒税 たばこ税	都道府県民税 事業税 地方消費税 自動車税など 都道府県たばこ税	市町村民税 固定資産税 都市計画税 軽自動車税など 市町村たばこ税
間接税	印紙税	ゴルフ場利用税	入湯税 宿泊税

すべきだとして、ガソリンに税金をかけるといった方法です。

こうして政府に集められた税金は、国民、住民のために効率よく、計画にしたがって使われる必要があります。そのため政府には、1年ごとの歳入と歳出の内容を明らかにし、国は国会で、地方公共団体は地方議会で承認を得ることが義務づけられています。

もっと知りたい　消費税

政局の中心であり続けた消費税はどういうものであろうか。その弊害とは何であろうか。弊害から逃れる方法は何かないだろうか。

【消費税は事業者が負担する直接税】

消費税値上げ問題は、常に政局の一つの中心であり続けてきた。値上げのたびに消費は落ち込み、日本経済は低迷してきた。

消費税とはどういうものだろうか。消費税法によれば、消費税は「国内において事業者が行った資産の譲渡等」を課税対象にするものであり（第4条①）、事業者を納税義務者とするものである（第5条①）。事業者が課税と納税の義務をもつわけだから、消費税は間接税ではなく、所得税や法人税と同じく直接税である。第二法人税ともいわれる。それゆえ、消費税を免除されている売上高1千万円以下の小規模事業者には、「益税」など存在しない。単に、小規模事業者は税負担能力が低いから免除されているということにすぎない。このことは、裁判所も認定していることである。政府は広く薄く消費者に税金を負担してもらうと言って消費税を導入したのだが、嘘をついていたのである。

では、税額はどのように計算するのだろうか。「課税資産の譲渡等の対価の額」＝売上高が課税標準となり、そこから課税仕入額を控除した額が課税対象額になる（第28条、30条）。これに消費税率10％を掛けたものが消費税額となるわけである（第29条、地方税法第72条の82、83）。すると、消費税の計算式は次のようになる。

A消費税額＝課税売上高（利益＋非課税仕入＋課税仕入）×10／110－課税仕入×10／110

この式は、次のように転換することができる。

B消費税額＝（利益＋非課税仕入）×10／110

この式から分かるように、消費税は売上高から課税仕入れ分を控除した利益と非課税仕入の合計に対してかかる。この合計は、当該事業者が新たに作り出した付加価値である。したがって、消費税は正しくは事業者すなわち生産者が支払う付加価値税という性格をもつのである。また、消費税は、利益がゼロでも、いや赤字でもかかるものである。法人税は利益に対してかかるから、企業が赤字の時、法人税はかからない。法人税と比べて極めて過酷な税だということが分かる。赤字経営の企業からもとろうとする税など、理屈に合わないし、廃止すべきものである。

【国民生活を破壊してきた消費税】

非課税仕入は、人件費と機械等の減価償却費が中心である。そこで、不況が続く中で、企業は、過酷な消費税を少しでも減額しようとして、人件費を削減することを考えた。仮に、１１００円の売上高の中身が利益１００円、非課税仕入４５０円、課税仕入５５０円だとしよう。Ｂ式に数字を入れると次のようになる。

（利益１００円＋非課税仕入４５０円）×10／１１０＝50円

非課税仕入４５０円のうち３００円が人件費だとすると、正規雇用から派遣社員に労働者を代えれば、３００円分消費税対象額を減らすことができる。すると、消費税額は以下のようになる。

（利益１００円＋非課税仕入１５０円）×10／１１０＝22・72…円

正規雇用から派遣社員に切り替えれば、１１００円の売上高あたり27円以上も節税できる。消費税こそが、21世紀に入って正規雇用を減らしていく一番の原因になっていたのである。正規雇用の減少は日本国民の所得を著しく減少させてきたし、また消費税による物価の上昇は国民生活を苦しめてきた。消費税はやはり、廃止すべきものである。

【輸出戻し税】

さらに問題なのは輸出戻し税という仕組みである。前と同じ例だが、仮に１１００円の売上高当たりの中身が利益１００円、非課税仕入４５０円、課税仕入５５０円という企業があると仮定しよう。今度は、理解しやすくするためにＢ式ではなくＡ式に数字を入れることにする。

課税売上高１１００円×10／１１０－課税仕入５５０円×10／１１０＝50円

この企業が国内向けに商品を売っている場合は消費税が50円となるのだが、海外に商品を売っている場合には税金が戻ってくることになる。なぜ、そんなことになるのか。本当は直接税なのに間接税だと偽ることによって、課税売上高１１００円分の消費税を消費者が支払っているという物語がつくられてきた。この物語からすれば、外国では消費税を預かれないはずだから（消費税分を価格に転嫁できないはずだから）、課税売上高にかかる消費税率はゼロと計算することになる。すると、計算式は以下のようになる。

課税売上高1100円×0／110－課税仕入550円×10／110＝－50円

この輸出企業は、50円の還付金を受け取る。消費税率が上がれば上がるほど還付金は増加し、輸出企業の利益が上がることになっている。輸出企業には大企業が多く法人企業が多いが、消費税と法人税はセットになっており、消費税率が上がれば法人税率が下がっていく。要するに、消費税が上がれば上がるほど、国民が貧困化する一方で、大企業が利益を拡大する仕組みになっているのである。しかも、その利益は主に株主（外国人投資家が多い）の配当金に回されているのである。

単元26　景気変動とその調整

景気変動はどのように起こるのだろうか。そして、景気変動の調整はどうすればよいのだろうか。

【インフレとデフレ】

市場経済のもとでは、政府には社会の経済活動を安定させる大切な役割が求められています。市場では、商品が売れ始めると企業の利潤が増え従業員の賃金も上がります。収入が増えた人々はさらに商品を購入しますから、企業の売り上げをいっそう伸ばします。この状態が**好景気（好況）**です。好景気のさいには、人々はお金の余裕があるため、商品の価格が高くても買い求めます。さらに商品全体の価格（物価）が上がり続け、通貨の価値が実質的に下がり続けることがあります。これが**インフレーション（インフレ**、膨張）とよばれる状態です。インフレとは、需要（消費と投資）が供給を上回り、物価が上昇し続けることです。

しかし、好景気の際には、企業は商品の生産を増やし続けますから、やがて供給が需要を上回って過剰になり、商品が売れなくなり始めます。こうなると、企業は生産を縮小し、従業員の賃金も低くおさえるようになります。さらには、企業の倒産が発生して失業する人も出てきます。この状態が**不景気**（**不況**）です。不景気の際には、商品の価格が低くてもなかなか売れませんから物価が下がります。

さらに商品全体の物価が下がり続け、通貨の価値が実質的に上がり続けることがあります。これが**デフレーション**（**デフレ**、**収縮**）とよばれる状態です。デフレとは、供給が需要を上回り、物価が下落し続けることです。

市場経済は、このような好景気と不景気が波のように繰り返される性質をもっています。これが**景気変動**です。この景気変動の調節は、政府の重要な役割です。同時に、政府は、生産性の向上を促してGDPを増やし経済成長を達成する役割も持っています。

【デフレから脱するために】

しかし、わが国では、政府の二つの役割は果たされていません。1997（平成9）年からほとんどGDPは伸びていませんし、ずっと深刻なデフレ状態が続いています。その結果、農業と土木建設業などの供給能力が縮小し、国民生活は苦しくなる一方です。

わが国は、デフレから脱却するために、**金融政策**のみに頼り、市中銀行から日銀が国債を買い取ってマネタリーベース（貨幣発行量）を増やし続けました。貨幣が増えれば通貨も増え、企業もお金が借りやすくなり、景気が良くなると考えられたのです。

しかし、日本政府は、デフレ期に絶対やってはいけない財政政策をとり続けました。デフレ期には有効需要が不足しますから、例えば公共事業や農業支援、学術教育などの政府支出を増やすことが必要です。また、消費需要を増やすために消費税減税などの減税措置が必要です。しかし、わが国の政府は、政府支出を減らし続け、消費税増税を三度も行い、さらには各種増税措置を行おうとしています。これでは、デフレからの脱却は不可能でしたし、ましてや経済成長などできるわけがなかったのです。

なお、２０２２年のロシア・ウクライナ戦争をきっかけにして、原料となる輸入物価が上昇したため物価全体が上昇し続けています。それゆえ、今現在の状況は現象的にはインフレのように見えますが、国民の所得は増えず消費は伸びないままであり、経済は停滞し続けています。収縮というデフレの原義に照らし合わせれば、本質的にデフレ状態が続いていると言えます。圧倒的に需要が足りないのです。ですから、政府には、需要を増やすために財政支出を拡大すること、消費税の廃止等により民間の消費や投資の増大を促進することが求められています。

単元27　総合的な安全保障問題

軍事のこと以外に重要な安全保障問題は何だろう。考えてみよう。

【水・食料の安全保障と防災安全保障】

国家の安全保障というと、国防とか軍事のことばかり考えがちですが、それ以外にも重要なものがたくさんあります。どんなものがあるでしょうか。

前述のように、水と食料がなければそもそも人間は生きていけませんから、水と食料の安定的確保は、何よりも重要な安全保障問題と言えます。食料に関しては、**食料安全保障**という言葉が定着しつつあります。実際、外国と対立して、その外国が例えば日本に対する小麦輸出を停止したら、小麦を元につくるパンやうどんが食べられなくなります。小麦だけではなく大豆なども輸入できなくなれば、日本国民は飢えに直面するでしょう。そうなれば、軍事力をいくら付けても意味がなくなります。食料問題は、国民の生存問題です。ですから、食料を基本的に自給できるようにするのが国家の基本であるということになります。食料自給のためには、小麦や大豆などの作物だけではなく、種や肥料と飼料なども自給できるようにしなければなりません。

また前述のように、災害大国である日本は、国土保全、生活基盤及び産業基盤に関わる社会資本の構築・修繕に力を入れなければなりません。この**国土強靭化**を怠れば日本国家自体が崩壊する可能性もあります。日本は地震も多いし、毎年、台風がやってきますし、梅雨があります。風水害が毎年あります。特にこの数年は被害が大きくなっています。人が多く亡くなっていますし、電気やガスが止まって生活が成り立たなくなります。せっかく育った農産物がダメになったり、道路や鉄道が寸断され、ものが生産できなくなったり、食料などの消費物資が届かなくなったりします。諸外国ではそうでもないかもしれませんが、日本では**防災安全保障**ということが深刻な安全保障問題だと言えます。

【エネルギー安全保障と防犯安全保障】

一般的に言って、安全保障という観点から重視されるものに、軍事的な安全保障、食料安全保障に加えて、**エネルギー安全保障**があります。今日では電気が安定的に供給されなければ産業も生活も成り立ちません。電気は主として石油や天然ガス、石炭といった化石燃料を使って生産されますが、ほとんど百％近くを輸入に頼っています。しかも、石油という最も重要なエネルギー資源は、90％以上を中東から輸入しています。石油はプラスチックの原料でもあり、現代文明の要とも言うべき資源です。もしもホルムズ海峡が封鎖されれば、日本にはほとんど石油が入ってこなくなります。ですから、石油の輸入先の多角化とともに、メタンハイドレートなどの開発計画や人工石油の開発などを通じてエネルギー自給率を高める必要があります。

更に重要なものに**防犯安全保障**というものがあります。ある国家がライバル国を侵略しようとするならば、何も軍事力を使わずとも、治安維持能力を低下させ犯罪が溢れるような不安定な状態にライバル国をもっていく方法があります。アメリカでは、中国による工作によりマルクス主義思想が浸透した結果、国家を悪と捉える思想が広がり、警察予算の減額等で防犯能力を著しく低下させてきました。ライバル国の治安維持能力が低下すれば、内乱を引き起こすことも容易になります。さらには、国境の壁を低くするグローバリズム思想の急進化に伴い、アメリカでも西欧でも、近年の日本でも不法移民が増加して治安維持能力が低下してきています。ですから、警察等による防犯能力の護持ということを安全保障の問題として捉える必要があると言えます。

【産業配置、人口配置も安全保障問題】

他にもいろいろなことが安全保障の問題として捉えることができますが、**人口配置**、**産業配置**の問題も重要な安全保障問題です。安全保障の観点からすれば、国境地域こそ重要です。国境近くの地域では国家の支援の下に農牧業と漁業を発展させて多くの人の生活を成り立たせなければなりません。そのことが、食料安全保障に資することになりますし、外国による侵略の企図を防ぐことになります。

国境地域の発展のためには、首都から国境地域までの交通網を整備する必要がありますし、郵便サービスなども全国共通に提供する体制を維持していかなければなりません。この観点からすれば、現在の東京一極集中体制こそ、軍事的な安全保障にとっても防災安全保障にとっても最悪の体制です。

第5章　国際社会に生きる日本

日本をとりまく国際社会の情況はどうなっているだろうか。
日本が生存を確保しつつ国際社会と全人類のためにできることは何だろう。

第1節　国際社会の仕組み

主権国家の在り方はどういうものだろうか。主権国家の集合体である国際社会の基本的な仕組みはどうなっているだろうか。

単元1　国際社会と主権国家

国際社会の基本単位である主権国家とはどういうものだろうか。

【主権国家】

現在、世界には、面積、人口、言語、宗教、伝統や生活習慣などがそれぞれ異なる、約２００の独立国家があります。国家の独立の権利を**国家主権**といい、国家主権をもつ国家を**主権国家**とよびます。主権国家は主権平等の原則に基づき、内政に干渉されない権利や、領土不可侵の権利をもっています。

また、他国からの緊急・不正の侵害に対する防衛の権利である**自衛権**（個別的自衛権と集団的自衛権からなる）が認められています。主権国家の集まりである国際社会は、たがいに主権を尊重しあうことが原則となっています。

【国旗と国歌】

主権国家の独立と尊厳を表し、国家の掲げる理想や、国民が共有する誇りや連帯心を象徴するものとして**国旗**と**国歌**があります。国旗と国歌に対する敬愛は、国を愛する心情につながっています。

国旗が揚がり、国歌が演奏されるとき、多くの国では、だれもが起立して姿勢を正します。国旗・国歌に敬意を表すことを憲法で定めている国もあります。なぜなら、国旗と国歌は、その国の「建国の由来、国家の目標、宗教、伝統・文化、性格、国民の願い」などを表すとともに、あらゆる場面で国の「独立・主権の存在」を示しているからです。わが国では「国旗は日章旗とし、国歌は君が代とする」という国旗国歌法が１９９９（平成11）年に制定されました。

ブラジル生まれで１９９０年代、サッカー日本代表として活躍したラモス瑠偉氏は、次のように語っています。

「心を込めて思いっきり、君が代を歌いましたね。それは、日の丸も国歌も愛しているから。不思議なんだけれど、まじめに歌えば、いろんな人がぼくにエネルギーを与えてくれるような気がしてくる。何だか鳥肌が立つような感じ。そして、やってやろう、がんばろう、という気持ちがわいてくる。

魂で歌っている選手もいるけれど、口でぱくぱくしているだけの選手もいる。昔はガムをかんでいる選手もいた。やっぱり、日本人としての誇りを持って歌わないと。ぼくなら選手以下、コーチも監督もみな姿勢をただして歌わせる。代表の義務だと思う」（平成17年4月17日　産経新聞より）。

【国旗・国歌の相互敬重】

国際社会では、他国の国旗と国歌に対しても、自国のそれと同等に敬意を表するのが基本的礼儀となっています。オリンピックやワールドカップでも、各国の国旗が掲揚され、国歌が演奏されています。その際、国際人として心がけなければならないことは、外国の国旗・国歌にも敬意を示すことです。外国人も自分たちと同様に自国の国旗・国歌に誇りをもっているからです。諸外国では、こうした国際社会のマナーを幼少のときから家庭や学校でしっかりと身につけさせています。

ミニ知識　国旗掲揚の国際儀礼

1　門外（正面）から見て左が上位。
2　国旗はヒモのついているほうを向かって左に掲げる。
3　常に旗ざおの最上部に接して掲げる。
4　国旗は汚れたり、破れたものを使用しない。
5　国旗の掲揚は通常、日の出から日没までとする。
6　雨の日は国旗を外に揚げない（汚してはいけない）。
7　外国国旗の掲揚には、必ず自国の国旗も掲げる。
8　1本の旗ざおに異なる国旗を揚げてはいけない。
9　悲しみのときには、弔旗を掲げる。
10　自国・外国にかかわらず、国旗掲揚のときは起立して目礼、または脱帽して敬意を表す。

（岩田修光『国旗の知識』より）

ミニ知識　日本の国旗・国歌

「日章旗」の意味

聖徳太子が「日出る処の天子」で始まる手紙を隋の皇帝に送ったように、古代から、わが国を太陽の昇る国だという考えがあり、日の本という意味の「日本」となった。日の丸はその太陽を象ったものといわれている。

「君が代」の意味

君が代は千代に八千代にさざれ石の巌となりて苔のむすまで

これは古い和歌であり、天皇を国および国民統合の象徴とするわが国が、小さな石が固まって大きな岩となり、その上に苔が生えるまで、長く栄えますようにという意味だといわれている。

単元2　国家と領土問題

国家の三要素を確認し、領土問題とは一般にどういう問題なのか、みておこう。

【国家の三要素】

主権国家は、**主権**をもち、一定の**領域**を支配し、そこには**国民**が存在します。これを**国家の三要素**といいます。国家の領域とは、歴史的に形成されてきたその国の主権がおよぶ範囲のことで、領土、領海、領空からなります。**国連海洋法条約**で、領土から12海里（22・２㎞）の範囲を領海、領土及び領海上の大気圏内を領空としています。そして領土から２００海里（約３７０㎞）の範囲を排他的経済水域（ＥＥＺ）として、その水域にある天然資源（漁業資源や鉱物資源など）を、独占的に採取する権利が認められています。ＥＥＺの外側は公海と呼ばれ、どの国も自由に航海し、漁業操業などの資源採取ができます（公海自由の原則）。国際交通のために航海の自由、上空飛行の自由などは、排他的経済水域においても認められています。これらのことは、国連海洋法条約に定められています。

なお、南極条約は、南極地域に対する領土主権を凍結したので、南極海は公海と位置づけられています。また、宇宙条約により、宇宙空間はどこの国にも属さないことが定められています。

【領土問題をめぐる紛争】

一定の地域を、複数の国家が自国のものと主張して対立する問題が、**領土問題**あるいは領土紛争です。世界各地では、領土問題あるいは領土紛争が多数存在します。

最も古い領土問題は、400年前から継続する、地中海から大西洋の出口にあたる**ジブラルタル**をめぐる問題です。イギリスが実効支配していますが、元々スペイン領であったのでスペインが領有権を主張しています。イギリスは、アルゼンチンの沖合にある**フォークランド諸島**をめぐっても領土紛争を抱えています。1982年、アルゼンチンはこの諸島に侵攻しましたが、3か月間の戦いに敗れました。その結果、現在も、イギリスが実効支配し、アルゼンチンが返還を要求する状態が続いています。

インドと中国の間には、**中印国境紛争**があります。西部、中部、東部の三地域で紛争を抱えていますが、西部では2020年にも武力衝突がありました。

近隣諸国間では、北朝鮮と中国が分割している**白頭山**についての領有問題があります。韓国は朝鮮半島全体の領有権を主張するとともに、白頭山全体の領有権も主張しています。何よりも大きな問題は、**台湾問題**です。台湾は中華民国が実効支配していますが、中華人民共和国（中国）も領有権を主張しています。ですから、中国が台湾に武力侵攻して台湾を滅ぼしてしまう危険性が指摘されているわけです。

【狙われているわが国の領土】

わが国にも領土問題があります。わが国は周りを海に囲まれ、本州をはじめ数千の島々から成り立つ海洋国家であり、天然資源を採取する権利が国際的に認められている領海及び排他的経済水域は約447万㎢もあり、世界第6位の海洋大国です。ですから、近隣諸国はわが国の島々を狙っています。事実、わが国には、**北方領土問題**、**竹島問題**の2つの重大な領土問題があります。また、中国との間には、**尖閣諸島**をめぐる問題があります。これらの問題を解決することは、経済的権利を確保し、国の主権と尊厳を守るうえで非常に重要なことがらです。

単元3　北方領土問題

北方領土はどのようにして侵略されたのか。現在はどうなっているだろうか。

【旧ソ連による侵略】

歯舞群島・色丹・国後・択捉、四島からなる**北方領土**は、これまで一度も外国の領土になったことのないわが国固有の領土です。例えばアメリカ政府も日本の立場を一貫して支持しています。

しかし、第二次世界大戦末期、旧ソ連軍は日ソ中立条約を破って、１９４５（昭和20）年8月9日に満州、次いで8月11日に南樺太に侵入しました。そして8月18日に、千島列島の北端、占守島に侵入、この地域を守備していた日本軍との激戦をへて、9月5日までに北方四島を占領しました。それ以降、ロシアになった現在まで不法占拠を続けています。当時、四島には約1万7千人の日本人が住んでいましたが、１９４９年までに全員が強制退去させられました。また、しばしば領海を侵したとして日本漁船が銃撃、拿捕、抑留されています。２００６（平成18）年には、銃撃を受けた漁船の乗組員1人が死亡しています。

【返還要求の努力】

北方四島の総面積は千葉県とほぼ同じで、近海は世界有数の豊富な漁業資源に恵まれています。これをとりもどすことは旧島民をはじめ日本国民全体の悲願です。

そこで、1955（昭和30）年6月から、日本は旧ソ連との間で平和条約交渉を行う中で、北方領土問題に関する交渉を行いました。翌年10月には**日ソ共同宣言**に署名し、両国は戦争状態を終了させ、外交関係を回復させました。と同時に、平和条約締結交渉の継続、条約締結後に歯舞群島と色丹島を日本に引き渡すことに同意しました。

現在、日本政府は、四島全体に対する日本の主権が確認されれば、実際の返還時期や態様については柔軟に対応するという方針です。しかし、ロシアは、交渉には応じていますが、「第二次世界大戦の結果として法に基づいてロシアへと移った」とし、かたくなな態度を続けており、進展はみられていません。この一方で、四島に住むロシア人との交流事業、人道支援事業が行われています。

【なぜ返還されないのか】

なぜ、長い間の交渉にもかかわらず、北方領土は返還されないのでしょうか。これにはアメリカの思惑が絡んでいます。そもそも、ソ連海軍の能力では、千島列島と北方領土に対する侵略は不可能でした。しかし、1945年4月から7月、アラスカのコールドベイでソ連海軍は、アメリカ軍により操縦や対潜水艦作戦などの訓練を受け、特に上陸作戦の訓練を受けました。そしてアメリカ軍から百隻の艦船を譲り受けて、北方領土に侵攻しました。実質的に、北方領土は**米ソの共同作戦**で侵略されたのです。この沿革からして、アメリカは日本の北方領土返還要求を援護できないのでしょう。

また、日露交渉の中で、ロシアから、日本に領土を返還した場合そこに米軍基地を置かないことを確約できるのかという懸念が表明されました。これに対して、日本は、確約するとは言えなかったそうです。要するに、**自主防衛体制**を築かない限り、日本はまともな交渉力を持てないということなのです。

年表　北方領土問題の主な歴史

江戸中期　幕府、四島の実効支配確立
1855年　日露通好条約で四島は日本領土に
1875年　樺太・千島交換条約で千島を領有
1905年　日露戦争後のポーツマス条約で日本は南樺太を領有
1945年　ヤルタ密約、ポツダム宣言受諾、旧ソ連が対日参戦し、四島占領
1952年　サンフランシスコ講和条約で日本は千島と南樺太を放棄（帰属は未定）
1956年　日ソ共同宣言

単元4　竹島問題

竹島問題の経緯はどのようなものであろうか。わが国は解決のために何をしてきたであろうか。

【江戸時代からわが国が領有】

島根県隠岐の島町に属する**竹島**は、**女島（東島）**と**男島（西島）**とその周辺の数十の小島からなる群島であり、北方領土と同じく、わが国固有の領土です。各島は、断崖絶壁の火山島で、人が住むことはできませんが、その周辺は海流の影響で豊富な漁場となっています。17世紀前半には、鳥取藩の町人が幕府の許可を得てアワビ漁やアシカ漁などを行っていました。わが国は、遅くとも江戸時代初期にあたる17世紀半ばには、竹島の領有権を確立していました。

近代になると、1900年代初期に本格的に行われるようになったアシカ漁は、間もなく過当競争となりました。そこで、事業の安定をはかるために、アシカ猟の業者から竹島の領土編入願いが出されました。この出願を受けて、1905（明治38）年、日本政府は、竹島に対する領有意思を再確認し、島根県に編入しました。以後、わが国は、実効支配を行ってきました。第二次世界大戦後も、サンフランシスコ講和条約で日本の領土と確認されています。

【実力で不法占拠】

ところが、1948年に成立した韓国の李承晩政権は、歴史上初めて、竹島を韓国領ととらえるようになりました。そして対日講和条約が発効する直前の1952（昭和27）年1月、「海洋主権宣言」を行い、一方的に国際法に反して**「李承晩ライン」**を設定しライン内に竹島をとりこみました。

そして、ライン内の広大な水域への漁業管轄権を一方的に主張し、ライン内で操業する日本漁船に対して、銃撃、拿捕、抑留などを実施しました。1965年の日韓基本条約締結で「李承晩ライン」がなくなるまでに拿捕された漁船は328隻、抑留された船員は3929名、死傷者は44名におよびます。

また1954年には、沿岸警備隊を派遣し、竹島を実力で不法占拠しました。現在も、警備隊員を常駐させ、実力支配を強化しています。

【韓国政府の見解】

韓国が竹島の領有を主張する理由は、①竹島は韓国名独島で、固有の領土である、②日本は力で日本領に編入した、③ＧＨＱの指令で韓国領土とされていた、などとするものです。

【国際司法裁判所への提訴】

わが国は、①の主張に対し、1905年のわが国への領土編入前に、韓国が竹島を領有していたとする明確な根拠がないことを指摘し、②③の主張は、事実と国際法に照らして成り立たないと反論しています。そして、国連憲章に従い問題を平和的に解決するために1954（昭和29）年、1962年、2012（平成24）年の3回、**国際司法裁判所**へ付託することを提案していますが、韓国政府は応じていません。

単元5　尖閣諸島をめぐる問題

尖閣諸島をめぐる問題の経緯を学び、尖閣防衛のためにすべきことを確認しよう。

【日本固有の領土】

尖閣諸島は、**魚釣島**、北小島、南小島、**久場島**、大正島などからなる島々であり、沖縄県石垣市に属する、わが国固有の領土です。

日本政府は、1885（明治18）年から調査し、他の国に属していないことを確認したうえで、1895年、閣議決定で日本領土に編入しました。編入後、沖縄県在住の古賀辰四郎が政府から許可を受け尖閣諸島に移住し、かつお節工場や羽毛の採集などの事業を展開しました。一時は、200名以上の住人が尖閣諸島で暮らし、古賀村という村もできており、税徴収も行われていました。

戦後はアメリカの施政下にありましたが、1972（昭和47）年沖縄返還にともない日本に戻り、今日にいたります。歴史を振り返ると、中国政府は、1895年の日本領への編入から1970年代初めまで、約75年もの間、尖閣諸島に対する日本の支配に対し、一切の異議を唱えていませんでした。ですから、尖閣諸島が日本固有の領土であることは明確であり、領土問題は存在しません。

【尖閣諸島を狙う中国】

ところが、1970年代初め島周辺で有望な**油田**が確認されると、突然、中国は自国の領土だとして、周辺海域を自国のEEZ内であると主張し始めました。そして、2004（平成16）年ごろから日中中間線付近のガス油田採掘を始めました。油田はわが国のEEZ内の海底につながっており、わが国はそれを日本のEEZ内の資源の横取りだと抗議しています。

それればかりではなく、違法操業する中国漁船はますます増加し、2010年にはわが国の巡視船に故意に衝突させました。漁船と連動して2008年、史上初めて中国の公船が尖閣周辺の領海に侵入し、2012年以降、頻繁に領海侵入するようになりました。2013年には、中国は防空識別圏を設定し、一方的に緊張を高めています。

【尖閣諸島を防衛するために】

中国の漁船や公船による領海侵犯を防ぐのが、**海上保安庁**の巡視船ですが、巡視船では全く太刀打ちできません。2010年に巡視船に体当たりしてきた漁船からして巡視船より大きく、公船は更に大きく巡視船より強力な武装をしています。普通の国ならば海軍の出番ですが、海上自衛隊が出ていっても日本の法制上軍隊ではなく基本的に警察行動しかできませんから、公船を抑え込むことはできません。尖閣防衛の観点からも、早急に自衛隊を軍隊として位置づける必要があります。

また、尖閣に少人数の陸上部隊を置くことが必要です。少数の陸上部隊が中国に襲われる形になれば、必然的に「武力攻撃」があったことになり、中国側が侵略者となります。日米安保条約の有無にかかわらず、このようにあからさまな侵略行為に対しては、日本の武力行使は自衛行動となり、現在の法制上でも自衛隊も軍隊として戦うことができます。そうなれば、アメリカも国際社会も日本の味方になります。

ミニ知識　南シナ海で横暴を極める中国

南シナ海に点在するパラセル諸島（西沙）とスプラトリー諸島（南沙）は、戦前は日本領であった。戦争に敗れたわが国は、サンフランシスコ平和条約で領土権を放棄したが、島々の帰属先は決まっていない。

そこで、中国は、１９７４年、南ベトナム軍と戦い、パラセル諸島（西沙）を占領した。１９８８年には、中国から遠く離れたスプラトリー諸島（南沙）にまで侵出し、ベトナムが事実上支配していたジョンソン南礁を軍事占領した。また、１９９５年、フィリピンからアメリカ軍が撤退した機会に、スプラトリー諸島のミスチーフ礁を占拠した。２０１２年には、フィリピンが領有権を主張するスカボロー礁も占拠した。２０１５年には、スプラトリー諸島の海域に7つの人工島を建設し、軍事基地化しつつある。

このように中国は、経済成長と軍事力を背景に、南シナ海における海洋秩序を力によって変更してきた。また１９９２年、「領海及び接続水域法」を国内法として制定し、南シナ海のパラセル諸島とスプラトリー諸島ばかりか、東シナ海の尖閣諸島さえも一方的に自国の領土と定めたのである。

単元6　海洋資源大国日本の防衛

海洋大国日本のＥＥＺの広さはどうして生まれているのか、ＥＥＺの権益をどのようにして守っているのか、見ていこう。

【沖ノ鳥島と南鳥島によるＥＥＺの広さ】

わが国は四囲を海に囲まれており、99・５％の物資を**海上輸送**に依存しています。また、前述のように、世界第６位の**海洋大国**であり、領海と排他的経済水域をあわせた面積は４４７万㎢あります。この範囲の海に関しては、独占的に、漁業や海底資源の開発を行うことができます。領海は海岸線を基線として12海里（22・２㎞）まで、排他的経済水域は２００海里（３７０㎞）まで設定できます。したがってわが国は、南鳥島や沖ノ鳥島といった孤立した小島を領有することによって、それぞれ43万㎢と42万㎢の排他的経済水域面積を得ているのです。

【南鳥島の実効支配】

わが国の最東端に位置する南鳥島は、東京都小笠原村に属し、都心から１８６０キロ離れた絶海の孤島です。白いサンゴ礁に囲まれ、まっ平らで一辺が約２キロのほぼ正三角形の島です。現在、民間人は住んでいませんが、海上自衛隊や気象庁などの政府職員が20数名常駐しています。南鳥島近海では、中国や台湾、北朝鮮の漁船が日本のＥＥＺ内で違法操業しています。また最近ＥＥＺ内で高濃度のレアアース（世界需要の数百年分）が発見されましたが、中国が無断で採取しているともいわれます。

【沖ノ鳥島の実効支配】

最南端に位置する沖ノ鳥島も、東小島と北小島からなり、小笠原村に属します。東京から１７００キロ離れ、サンゴ礁に囲まれた絶海の孤島です。海抜は０メートルで地球温暖化の影響で消失の危機があるので、日本政府は３００億円近く使って**護岸工事**を行い、サンゴの増殖と港湾設備などの**インフラ整備**の計画を進めています。

護岸工事とインフラ整備は、中国が沖ノ鳥島に関する日本の権利を認めないという立場をとっていることもあり、極めて重要なものだと言えます。

【鉱物資源が豊富な日本近海】

南鳥島や沖ノ鳥島などの小笠原海域や沖縄海域を中心にした日本の近海では、ニッケル、コバルト、白金、レアアースその他のレアメタルや金銀銅亜鉛などが埋蔵されています。また、日本海や南海トラフでは、シャーベット状になった天然ガスである**メタンハイドレート**が海底に眠っています。その埋蔵量は、日本人が消費する天然ガスの百年分以上です。

【海上保安庁の役割】

このように豊かな鉱物資源をもつ日本近海をパトロールし、中国などの漁船による違法操業を取り締まったりして秩序を維持するのは、**海上保安庁**の巡視船です。海上保安庁は、24時間365日、少ない人数（2021年1万3千人強）と巡視船（2021年450隻強）で、休むことなく働いています。しかし、日本の広いEEZを守るには、圧倒的に予算も人数も足りません。海上保安庁の体制の充実が望まれます。

単元7　**国際協調と国際政治**

国際社会では、どのような力で国際政治が行われ、どのようなルールに基づき国際協調をはかっているだろうか。

【国益の追求と外交】

国際社会では、**主権国家**は相互に自国の国益を追求し、国の存続と発展を目指す権利を認めあっています。尖閣防衛の現状から端的に知られるように、わが国は、国益の最たるものとは何か、ということに関する認識がおかしくなっています。領土領海領空の防衛、そして国民の生命と安全の確保が最大の国益であるという当たり前の認識を取り戻す必要があります。

【軍事力、経済力、価値観力】

この権利に基づき各国が、自国の国益の実現を目指しながら、他国の国益とのあいだで調整しあう営みを国際政治といい、通常、**外交**とよばれます。外交は話し合いで行われますが、その背後ではしばしば軍事力や経済力などの力（パワー）が外交手段として用いられています。

一番強力なパワーは**軍事力**です。今日の世界で最も発言権を持っている国は、国連の安全保障理事会の常任理事国（米露中英仏）ですが、すべて**核保有国**です。また、次世代の覇権国に擬せられるインドも核保有国です。日本が国際社会で発言権を持つためには、自衛戦力と交戦権を肯定して自主防衛体制を構築するとともに、せめて**核小国**になることが求められます。

次に強力なパワーは**経済力**です。一定の経済力がなければ軍事力の整備もできません。経済力はＧＤＰで測ることができます。１９９０年代前半には世界一に迫りかけた日本のＧＤＰは、この約25年間全く伸びていません。異常なことです。経済力の復活を目指さなければなりません。

そして、軍事力や経済力に劣らず大きな力を発揮するのが思想の力、言語の力です。**価値観**を創造し発信する力です。米ソ冷戦時、弱小な国力しかなかったソ連がアメリカに対抗できた理由は、世界各国に共産主義思想を輸出し、共産主義に親近感を持つ人々を世界各国に多数生み出したことです。わが国が独立するには、日本独自の価値観、思想を発見し、諸外国に対抗する必要があります。

【国際協調の必要性】

しかし、このような国家間の対立と競争を放っておくと、国際社会の緊張が高まり、戦争になることもあります。その結果、人命が失われ、国土が荒廃し、国益を損なうことになりかねません。戦争を引き起こすような事態を防ぐために国際社会は、国際法や国際連合を始めとする国際機構を設けて、国家間の利害対立を調整し、合意形成を目指して**国際協調体制**を築いてきました。さらに、各国民の相互理解と協力の増進に努めてきました。

【国際法】

国際法は、国家間で長いあいだに認めあい、守られてきたしきたりである**国際慣習法**と、国家間や国際機構での合意を文書で確認した**条約**とからなります。条約は、各国が調印し批准（承認）して初めて効力を持つことになります。また、やむをえず戦争状態になったさいのルールとして戦時国際法がつくられています。国際法の最も基本的な原則は主権国家同士の対等性であり、**相互主義の原則**です。具体的には、例えば、中国で日本人が土地所有を許されないのであれば、中国人が日本で土地を所有できないようにすることは問題ないということです。

◇◇

ミニ知識　国際社会は「弱肉強食」

福澤諭吉は、フランスがベトナムを植民地にした時期、１８８３（明治16）年９月29日の『時事新報』社説「外交論」で、「国際社会は、日本の戦国時代のように、弱肉強食の社会であり、日本も強い国には食われてしまうかもしれない。

今は欧米の強国がアジアを食っている時代である。日本中の国を愛する精神を持っている者は、日本が食われないように力を合わせなければならない」と説いた。

もっと知りたい　日本人拉致問題

北朝鮮は、なぜ日本人を拉致したのであろうか。国民の生命と安全の確保が最大の国益であるにもかかわらず、日本はなぜ防げなかったのであろうか。

【5人は帰国したけれど】

１９７７（昭和52）年以来、北朝鮮は、日本政府認定だけで17人、特定失踪者問題調査会の推計では約４７０人、一説では1千人弱ともいわれる日本人を拉致してきた。２００２（平成14）年9月17日、小泉首相が北朝鮮を訪問したさい、北朝鮮は13人の日本人拉致を認めて謝罪し、「5人生存、８人死亡」と日本側に通知した。その後、地村保志さんら5名は帰国したが、「8人死亡」の根拠はきわめて乏しい。13人以外にも多数の拉致被害者がおり、拉致実行犯の引き渡しもなされていない。日本人拉致問題は、依然として未解決のままである。

【なぜ、多くの日本人が拉致されたのか】

日本人拉致問題の背景には、朝鮮半島における北朝鮮と韓国との対立がある。北朝鮮は韓国に対していろいろな破壊活動をしかけるために、工作員教育を行ってきた。その工作員教育の一つに、日本人化教育課程があった。日本人化計画のためには、日本語や日本の生活習慣を教える日本人教官が必要となり、日本人を拉致してきた。
辛光洙事件の場合は北朝鮮工作員の辛光洙が原敕晁さんになりすまし、日本での工作活動を行っていたのである。

【容易に日本に潜入できた北朝鮮工作員】

多くの拉致被害者は、北朝鮮の工作船に乗せられて拉致されていった。横田めぐみさんは、真っ暗な船倉に40時間以上閉じこめられて北朝鮮まで運ばれていった。「お母さん、お母さん」と叫んで壁などをあちこち引っかいたので、到着したときには爪がはがれかけて血だらけだったといわれる。当時、北朝鮮の工作船は何ら支障なく日本沿岸にまでやってきて、工作員が容易に日本国内に潜入できたのである。

最初の本格的な拉致事件である宇出津事件のとき、日本の警察は、久米裕さんを能登半島の宇出津海岸まで連れていき北朝鮮工作員に引きわたした在日朝鮮人を逮捕し、拉致の事実を自白させていた。だが、諸外国には存在する**スパイ防止法**がない日本では、工作員を罰することができなかった。そこで、捜査当局は、国外移送目的拐取罪での起訴を考えた。ところが、被害者である久米裕さんが見つからないと証拠が出てこないと判断して、不起訴にしてしまったのである。

【レバノンは自力で取り戻した】

同じ頃、レバノン人女性も北朝鮮によって拉致されている。１９７８年8月、レバノン人女性４人が、ベイルートから平壌に連れて行かれた。４人のうち２人は、1年後にベオグラードに連れて行かれた際、隙を見てクウェート大使館に駆け込み、レバノンに帰国した。レバノン政府は、２人から女性４人が拉致された事実を知るや、残る２人の女性の解放を厳しく北朝鮮に対して求めた。その厳しい態度に接して、１９７９

年11月、北朝鮮も2人を解放した。

レバノンにできたことが、なぜ日本にはできなかったのか。それは国家主権意識の違いである。レバノンなど普通の国にとっては、自国民が拉致されるということは国家主権を侵害されることを意味する。従って、普通の国は、武力に訴えてでも拉致被害者を取り戻さなければならないと考える。しかし、国家主権意識の薄いわが国は、問題を直視せず、問題発生以来20年間も、問題解決から逃げ続けてきたのである。

【2002年以降のわが国の努力】

それでも、2002年の小泉訪朝以降、わが国は、サミットなどの国際会議や各種首脳会談を通じて、拉致問題を重要な人権侵害の問題として国際社会に訴えてきた。そのなかで、日本やレバノン以外にも、韓国、中国、タイ、ルーマニアなど10以上の国の人々が拉致された事実が知られるようになった。

また、わが国からのはたらきかけにより、2006年国連総会で採択された強制失踪防止条約で禁止される行為のなかに拉致がふくまれることになった。そして2013年、「北朝鮮における人権に関する国連調査委員会」がつくられ、2014年、この調査委員会は、**「北朝鮮の人権に関する最終報告書」**を国連の人権理事会に提出した。この報告書は、北朝鮮における生命の権利の侵害、拘禁施設や拷問など身体の自由の侵害、表現の自由や移動の自由の侵害とともに、日本人をはじめとした外国人拉致をふくむ強制失踪を「人道に対する罪」に当たると断定した。

このように国際社会にはたらきかけながら、わが国は、北朝鮮に対しては、拉致被害者全員の帰国、拉致事件の真相究明、拉致実行犯の引き渡しを求め続けている。私たちは、日本人拉致被害者全員を返せと、強く北朝鮮に迫っていかなければならない。と同時に、日本人拉致問題を教訓にスパイ防止法を早急に整備していく必要がある。

年表　北朝鮮による日本人拉致事件の流れ

1977年9月19日	久米裕さん、能登半島の宇出津海岸で拉致される（宇出津事件）。
10月21日	松本京子さん、米子市の自宅近くの編み物教室に向かったまま失踪（女性拉致容疑事案）。
11月15日	横田めぐみさん、新潟市で、中学からの帰宅途中に拉致される（少女拉致容疑事案）。
1978年6月	田中実さん、ヨーロッパに向け出国し、失踪(元飲食店店員拉致容疑事案)。
6月	田口八重子さん、東京高田馬場のベビーホテルに幼児2人を預けたまま拉致される（李恩恵拉致容疑事案）。
7月～8月	地村保志・浜本富貴恵、蓮池薫・奥土祐木子、市川修一・増元るみ子さん、3組が拉致される（アベック拉致容疑事案）。
8月12日	佐渡で曽我ひとみ・曽我ミヨシさん母娘が拉致される（母娘拉致容疑事案）。
1980年5月	石岡亨さん、松木薫さん、ヨーロッパ滞在中に拉致される（ヨーロッパにおける日本人男性拉致容疑事案）。
6月	原敕晁さん、宮崎県青島海岸で、拉致される（辛光洙事件）。
1983年7月	有本恵子さん、ヨーロッパで拉致される（ヨーロッパにおける日本人女性拉致容疑事案）。
1985年	北朝鮮工作員の辛光洙が、原敕晁さんの拉致を供述。マスコミ各社は1回小さく報じた。
1988年1月	前年11月の大韓航空機爆破事件で逮捕された金賢姫、拉致された日本人「李恩恵」について語るが、拉致問題は社会問題にならなかった。
3月	参議院予算委員会で、梶山静六国家公安委員長が、アベック行方不明事件は北朝鮮による拉致の疑いが濃厚であると言明したが、ほとんど報道されなかった。
1999年5月2日	拉致被害者救出のための第一回国民大集会。
2002年9月17日	小泉首相、北朝鮮訪問。最高指導者金正日に謝罪させ、5人を帰国させた。
2006年12月	強制失踪防止条約、国連総会で採択。
2014年	「北朝鮮の人権に関する最終報告書」。北朝鮮による拉致などを「人道に対する罪」と認定。

第2節　国際連合のはたらきと国際政治

国際社会の中心である国連及び国連を中心とした国連システムとはどんなシステムだろうか。そして、それらはどんな働きをしているだろうか。

単元8　国際連合の成立と機構

国際連合はどのように成立し、どのような働きをしているのだろうか。

【国連の成立と意義】

第一次世界大戦では、産業革命以来の技術革新が兵器に及び、機関銃の出現などにより戦争の機械化と大規模化が進みました。このため戦争が一国の総力をあげて行われるようになり（総力戦）、同時に民間人を含めた国民全体に被害が及ぶようになりました。国際社会は、この総力戦の悲惨さを反省して、1920年に**国際連盟**を結成しました。そして、世界戦争を防止する試みとして、世界のすべての国が参加して安全保障の枠組みを構成するという考え方から**集団安全保障**を宣言しました。ちなみに、いくつかの国が協力して安全保障を行うのが集団的自衛です。

しかし、国際連盟は、実効的な国際協調体制を確立できず、第二次世界大戦を防げませんでした。そこで、第二次世界大戦の末期、連合国51か国は、戦勝国による戦後国際社会の管理を目的に、1945年に国際連合憲章を採択し、**国際連合（国連）**を創設しました。その憲章では、集団安全保障体制による世界の平和と安全の維持と、国際協力による人類の福祉や人権の向上をうたいました。

憲章は、国際紛争は**安全保障理事会**や国際司法裁判所を通して平和的に解決するよう導くと定め、これに従わず安全保障理事会が侵略国と決定した国に対しては、経済制裁や、新設される国連軍（安全保障理事会で常任理事国のすべてが賛成して作られた正式な国連軍は、今日まで編成されていない）による軍事制裁を行うと定めました。そのさい、侵略された国は、安全保障理事会が必要な行動をとるまで、主権国家の固有の権利として個別的自衛権および集団的自衛権を行使してもよいとしました。

国連は今日、世界のほとんどの国、193ヵ国が加盟する国際機構に成長し、国際世論を形成する共通の場となっています。

【国連の組織】

国連は、安全保障理事会（安保理）、**総会**、経済社会理事会、国際司法裁判所、信託統治理事会（現在は活動停止）、事務局の6つの主要機関からなっています。さらに、国連と連携している専門機関がおかれています。

安保理は、国連の最も重要な機関で、**常任理事国**と非常任理事国で構成されています。常任理事国は、アメリカ・イギリス・ロシア（旧ソ連）・フランス・中国（1971年までは中華民国［台湾］）の5か国です。非常任理事国は、総会で選出される任期2年の10か国です。安保理は、国際社会の平和と安全の維持にあたり、必要に応じて国連としての制裁発動を決定することができます。常任理事国には重要な議題で**拒否権**が認められており、1国でも反対すると否決されます。

総会は、全加盟国で構成され、世界の諸問題に勧告や決議を行い、また軍縮や環境問題などの重要問題で特別総会を開きます。1国1票制で、重要な問題は3分の2の多数決で決めます。また経済社会理事会は、総会選出の54か国で構成され、世界の福祉、教育、文化などの向上を目指し、多くの専門機関とつながって活動しています。

単元9　国連とわが国

わが国は、国連においてどのような位置にあるだろうか。わが国が求めるべき国連改革とは何だろうか。

【連合国と敵国】

国際連合の正式名称はUnited Nationsです。これは第二次世界大戦のときのイギリス・アメリカなどの**「連合国」**を意味します。国連憲章は中国語、フランス語、ロシア語、英語及びスペイン語を正文としますが、中国語では「聯合国」と表記しています。国連とは、実は、わが国が第二次世界大戦で戦った相手である連合国のことなのです。わが国は、このことを肝に銘じておく必要があります。

ですから、国連発足時、日本などは敵国として位置づけられ、差別的に扱われています。今日もなお、敵国条項が残っています。

【敵国条項の削除を】

敵国条項とは、国連憲章の第53条、第77条、第１０７条のことです。なかでも第53条は、加盟国は、第二次世界大戦中の連合国の敵であった国の行為が「侵略政策の再現」と判断できる場合は、安全保障理事会の許可なく、軍事的制裁をすることができると規定しています。

この敵国は、ドイツ、日本、イタリアなど7か国とされています。大戦が終結してすでに80年近くもたちながら、いまだにこのような「敵国」という差別の仕組みが憲章に残っているのは、わが国やドイツなどの国際社会での名誉と尊厳を侵しています。このような立場から、わが国は国連総会に対し、削除を求め続けてきました。そして、1995（平成7）年総会と2000年総会で、この規定はすでに「死文化」しており削除を求めるとの決議が多数で可決されています。しかし、憲章の改正手続きが複雑であり、また、特にわが国を「旧敵国」に残しておきたいと考える加盟国があり、いまだに削除は実現していません。

しかし、わが国を武力攻撃する際に敵国条項を利用する可能性がある国が中国、ロシア、北朝鮮と三ヵ国は存在します。情勢次第ではアメリカなどの西側諸国も利用するかもしれません。明らかに敵国条項は、わが国の安全保障にとって危険要因をなしているのです。官民挙げて、**敵国条項削除**を国連加盟国に対して訴えていかなければなりません。

【常任理事国へ】

何しろ、1956（昭和31）年に加盟が認められて以来、わが国は2023（令和5）年現在、国連加盟国で最多の12回も非常任理事国に選出されています。主要メンバーとして責任を担ってきたのです。また、分担金などの拠出金額も世界有数です。ですから、「敵国」と扱われ続けるのは非常に理不尽なことですし、ドイツやインドなどとともに安保理の**常任理事国**になる資格があると言えます。実際、わが国は、安保理の常任理事国入りを求めています。この安保理改革は2005年総会でも、最重要課題として議論されましたが、5大国間や加盟国間にさまざまな意思がはたらき、実を結びませんでした。

ミニ知識　国連職員の腐敗と国連PKO隊員の性的暴力

国連にはいろいろ改善すべき問題がある。何よりも問題なのは、国連職員の腐敗である。国連が行うもろもろの事業をめぐって贈収賄事件が何度も摘発されているし、発展途上国への食糧支援においては、職員が食糧を横流しする問題が指摘されている。

また世界各地に派遣された国連ＰＫＯ隊員による性的暴力も大きな問題となっている。例えば、キリスト教とイスラム教の対立を背景に政治的混乱が続く中央アフリカでは、治安維持のために国連から派遣されたＰＫＯ部隊の隊員が、地元の女性等へ性的暴力をはたらいた事件が報告されている。

国連関係者には、職務に対する使命感や責任感が求められる。

単元10　国際機構

国際協調体制を築くために、国際連合以外にどのような国際機構がつくられているだろうか。

【専門機関と関連機関】

全世界的な広がりをもつ組織を国際機関又は国際機構といいます。国際機構の中心には国連が存在します。多くの国際機構は国連システムの中に位置づけられています。まずは、国連自身とは区別される**国連専門機関**と**国連関連機関**があります。専門機関は国連システムの一員になっており、国連との協調を重視していますが、あくまで国連から独立した別個の機関です。ですから、専門機関のメンバーには国連に加盟していなくてもなれますし、逆に国連加盟国であっても脱退できます。また、専門機関は、独自の政策決定機関をもち、独自の予算で活動しますし、国連総会の決議に縛られません。

以上の点は関連機関も同様です。ただし、専門機関は、国連との間で連携協定を結び（国連憲章第57条第63条）、経済社会理事会を通じて具体的な行動の調整を行うのに対し、関連機関は連携協定を結んではいないが、総会及び安保理、時に経済社会理事会を通じて調整を行います。

重要な専門機関を挙げるならば、**国際通貨基金**（**IMF**、190ヵ国）や**世界銀行**（国際復興開発銀行〈IBRD、189ヵ国〉と国際開発協会〈IDA、173ヵ国〉）、国連食糧農業機関（FAO、194ヵ国）、国際農業開発基金（IFAD、177ヵ国）、国際労働機関（ILO、187ヵ国）、国連教育科学文化機関（**UNESCO**、193ヵ国）、国連工業開発機関（UNIDO、172ヵ国）、**世界保健機関**（**WHO**、194ヵ国）などがあります。重要な関連機関を挙げるならば、**世界貿易機関**（**WTO**、164ヵ国）、国際原子力機関（IAEA、176ヵ国）、国際刑事裁判所（ICC、124ヵ国）、国際海洋法裁判所（ITLOS、2019年現在168ヵ国）、国際移住機関（IOM、175ヵ国）などがあります。

【専門機関化している国連内機関】

次に、国連内の組織だが、専門機関化している機関があります。総会決議により設立された「基金と計画」という総会の下部機関です。特定分野の目標を達成するための実働部隊であり、加盟国の任意の拠出金によって財政を維持しています。**国連開発計画**（UNDP）とこの下部組織である国連ボランティア計画（UNV）以外に、**国連環境計画**（UNEP）、国連人口基金（UNFPA）、国連人間居住計画（UN－HABITAT）、国連児童基金（UNICEF）、国連世界食糧計画（WFP）などがあります。同じく、国連難民高等弁務官事務所（UNHCR）や国連パレスチナ難民救済事業機関（UNRWA）も専門機関化しています。これらの専門機関化している国連内機関は、総会決議によりつくられたものなので、総会決議に拘束されます。また行財政について国連事務総長に報告する義務があります。

以上の国連システムに加えて、**主要国首脳会議**（**サミット**、米日独英仏伊カナダとEU）をはじめ、金融や環境などの問題解決のために行われる国際会議も、国際協力を促進しています。さらに、国家とは別のN

ＧＯ（非政府組織）が協力し、軍縮や人権問題、貧困や飢餓、環境保全などの問題解決にとりくむ活動を活発化しています。

ミニ知識　**資金提供による国際機関支配**

国際機構をめぐっては、特定の国家どころか、特定の民間人が巨額の資金を提供することによる問題が指摘されている。例えば、国際保健機関に対する２０１８―２０１９年度の資金提供者を見ると、一位がアメリカで８億９３００万ドル、二位がビル＆メリンダ財団で５億３１００万ドル、三位がイギリスで４億３５００万ドルとなっている。これでも驚きだが、２０２０年にはアメリカが世界保健機関への拠出金を停止したため、ビル＆メリンダ財団が一番の出資者になった。この財団はマイクロソフトの創業者ビル・ゲイツの財団である。ゲイツは新型コロナウイルス対応のワクチン作成を行う製薬会社に出資しており、ＷＨＯに対する影響力を駆使して、イベルメクチンなどのコロナ治療薬を排斥してワクチンを世界的に拡散し強制していったのではないか、と指摘されている。

資金提供による支配の問題は、ユネスコ（ＵＮＥＳＣＯ）でも存在する。ユネスコの２０２２年の各国分担率を見ると、中国（19・７０４％）、日本（10・３７７％）、ドイツ（７・８９４％）、英国（５・６５１％）、フランス（５・５７８％）となっている。ユネスコが「南京事件」を「世界の記憶」に登録するなど反日的な政策をとり続ける一つの理由としては、中国の資金提供が圧倒的に多いということがある。もちろん、自らの主張をきちんとしない戦後日本外交の姿勢も大きな理由である。

いずれにせよ、資金提供による国際機関支配の問題に注目しておく必要がある。

単元11　地域機構

国際協調体制を築くために、世界の各地域では、どのような地域機構がつくられているだろうか。

【政治・軍事的な地域機構】

世界各地域には、さまざまな地域機構が存在し、地域での繁栄と安全に役立っています。地域的集団安全保障機構としては、アメリカ中心のものとして、**北大西洋条約機構**（**NATO**、加盟国数32ヵ国）や米州機構（OAS、35ヵ国）が、アジアでは米比相互防衛条約や日米安全保障条約、米韓相互防衛条約などがあります。

これに対抗するロシア中心の政治的・軍事的な地域機構として、旧ソ連諸国からなる**集団安全保障条約機構**（CSTO、6ヵ国）や独立国家共同体（CIS、9ヵ国）もつくられています。また、中露中心のものとして、**上海協力機構**（SCO、中露＋インド、パキスタン、イラン、カザフスタン、キルギス、タジキスタン、ウズベキスタン）があります。

米中露三大国から独立した政治的・軍事的な地域機構としては、中東から北アフリカにかけた地域のアラブ連盟（サウジアラビア、エジプトなど21ヵ国＋パレスチナ）やアフリカ連合（AU、エチオピアに本部、55ヵ国）があります。

【経済的な地域機構】

次に経済的な地域機構としては、**欧州連合**（**EU**）や**東南アジア諸国連合**（**ASEAN**）などがあります。これらは、安全保障や経済、文化交流など広い分野での地域協力を進めています。なかでもEUは、議会や行政組織をもち、単一通貨**ユーロ**を導入するなど地域統合を進めています。EUでは、欧州中央銀行（EC

B）がEU全体に対して金融政策を統一的に行うのに対して、財政政策はEU各国が国家主権として行います。この金融政策と財政政策の不一致から、EUは常に解体の危機にさらされていると指摘されています。

また、経済協力開発機構（OECD）は、元々は第二次大戦後の欧州復興を目指してつくられた欧州16ヵ国からなる地域機構です。しかし、1961年以降に域外国が加わり現在は先進国38ヵ国で構成され、全世界的な機構になっています。

他には、米国・メキシコ・カナダ協定（USMCA）などの自由貿易協定（FTA）や環太平洋経済連携協定（TPP）などの経済連携協定（EPA）に基づく地域的経済協力機構もあります。これがさらに進むと、南部南米共同市場（MERCOSUR、ブラジル、アルゼンチン、ウルグアイ、パラグアイ）などの関税同盟に発展します。関税同盟では、同盟外の国に対して同盟参加国が同じ関税率をかけます。EUも関税同盟の機能を持っています。

なお、非公式協議体ながら、アジア太平洋経済協力機構（APEC）があります。環太平洋の21ヵ国・地域が参加し、米中露の三大国に加えて日本も台湾も参加しており、世界人口の約4割、貿易量の約5割、GDPの約6割を占めていますから、重要な協議体と言えるでしょう。

石油の需給関係は国際政治に大きな影響を与えます。生産者側の利益を代表して**石油輸出国機構（OPEC）**と**アラブ石油輸出国機構（OAPEC）**があります。特にOAPECは、アラブ産油国の利益を代表して強力な政治力を発揮しています。これに対抗して、消費者側の利益を代表しエネルギー安全保障の立場から、OECDの枠内で自律的な組織として国際エネルギー機関（IEA、2023年31ヵ国）がつくられています。

ミニ知識　地域的経済協力機構とわが国

FTAとEPA

今世紀に入ると、世界各国は2国間や多国間で自由貿易協定（ＦＴＡ）と経済連携協定（ＥＰＡ）を締結するようになった。ＦＴＡは、貿易の自由化を目指すもので、関税の撤廃や削減などを取り決める協定である。ＥＰＡは、貿易の自由化とともに幅広い経済関係の強化を目指すもので、投資や人の移動、知的財産や経済制度のルールづくりなど、いろいろな分野に関する協定である。

ＴＰＰとＲＣＥＰ

わが国が進めているＥＰＡのうち、環太平洋経済連携協定（ＴＰＰ）と東アジア包括的経済連携（ＲＣＥＰ）が重要である。ＴＰＰは、２０１６年、太平洋を囲むシンガポール、マレーシア、日本、オーストラリア、カナダなどの12か国が調印した。だが、２０１７年1月、ＴＰＰ交渉を主導してきたアメリカが離脱したため、２０１８年3月、残る11か国が環太平洋経済連携協定に関する包括的及び先進的な協定（ＣＰＴＰＰ）に調印した。そして同年12月、日本を含む6か国で発効した。イギリス、中国、台湾、タイなども関心を示している。ＲＣＥＰは、ＡＳＥＡＮ全加盟国と中国、韓国、日本、オーストラリア、ニュージーランドの計15か国が参加している。

わが国はＴＰＰにもＲＣＥＰにも中心的に関与している。ＴＰＰには自由民主主義の先進国が多いのに対して、ＲＣＥＰには中国やラオスなどの独裁体制の国が多いので、ＴＰＰとＲＣＥＰとが対立し競争するとも指摘されている。またＴＰＰもＲＣＥＰも、日本農業の弱体化、食品の安全度の低下、特許の強化により医薬品が高くなり普及しなくなる恐れのあること、などのリスクをかかえている。議会や国民に十分に情報を開示しないまま秘密交渉を進める非透明性や非民主性も問題にされている。

単元12　冷戦終結後における一極集中

冷戦終結後、アメリカとロシアの関係はどのように推移してきたであろうか。

【ロシア経済の破壊と回復】

1991年、ソ連が崩壊し冷戦が終結しました。冷戦終結後グローバル化による世界の一体化と相互依存関係が深化し、ほとんどの問題が地球全体に網の目のように広がり、つながりをもつようになりました。そして、冷戦終結とともにアメリカは**唯一の超大国**となり、一極集中の世界が現れました。

アメリカは、新生ロシアの初代大統領となったエリツィンと良好な関係を築き、**市場民営化チーム**をロシアに送り込みました。開発経済学・臨床経済学のハーバード大学教授ジェフリー・サックスをトップとするチームです。彼らは、一気に市場経済に転換するショック療法をとりました。物価は80倍のハイパーインフレに見舞われたため、ロシア人の生活は破壊されました。その結果、ロシア人男性は57・6歳まで10年ほど平均寿命を縮めることになりました。また、国営企業が民営化されていくなかで、ユダヤ系ロシア人を中心としたオルガルヒという新興財閥が生まれ、ロシアの膨大な天然資源の大半を押さえてしまいました。そして、欧米資本に石油資源などを売り渡す動きを行います。ロシアは、欧米の**経済的植民地**となってしまいました。

そこで、エリツィンの跡を継いだプーチンは、2000年5月に正式に大統領になると、欧米から独立すべく、オルガルヒから天然資源を取り戻していきます。なかでも2003年10月、「石油大手ユコス」のオーナーであるミハイル・ホドロフスキーを脱税の罪で逮捕投獄し、ユコスを国有化したことが重要です。

【カラー革命による親露派政権の破壊】

このホドロコフスキー事件以後、アメリカを中心とする欧米諸国はプーチンを目の敵にするようになりました。まず、2003年11月、アメリカの投資家ジョージ・ソロスと共和党のマケイン上院議員がジョージアにバラ革命を仕掛けました。議会選挙に不正があったとして抗議運動が高まり、再選挙がおこなわれた結果、親露派のシェワルナゼ大統領に代わって、ウォール街の弁護士出身の親米派ミハイル・サーカシビリが大統領に選出されました。次には、2004年にウクライナでオレンジ革命、翌2005年にはキルギスでチューリップ革命が起こされました。いずれも不正選挙があったという口実で発生し、親露派政権に代わって親欧米派政権がつくられました。

【一極支配に反対するロシア】

ロシア周辺の**カラー革命**にさらされる中、2007年2月、プーチンは、ミュンヘン安全保障会議で、アメリカの一極集中に反対すると批判しました。しかし、アメリカは、ソ連側の**ワルシャワ条約機構**がなくなったにもかかわらず、**NATO**をどんどん拡大させていきました。1990年2月9日、アメリカのベイカー国務長官は、ソ連のゴルバチョフ大統領に、〈NATOを一インチたりとも東側に拡大させない〉と口頭で約束したと伝えられます。ところが、冷戦終結時の16ヵ国から2004年の26ヵ国に拡大し、今日では32ヵ国にまで拡大しています。

◇◇◇

ミニ知識 「アラブの春」による安定政権の破壊

ロシア周辺のカラー革命が一段落して2010年になると、突然、チュニジアでジャスミン革命が起きた。2011年には反政府デモがエジプトに飛び火し、30年間安定していたホスニ・ムバラク大統領を失脚させせた。リビアでも、カダフィ退陣を求めるデモが発生し、アメリカ（特にヒラリー・クリントン国務長官）に支援された反カダフィ派とカダフィ派との内戦が始まった。同年8月に42年間継続したカダフィ政権が崩壊し、10月にカダフィは惨殺された。この一連の民主化運動は「アラブの春」と呼ばれた。

この一年間で倒されたチュニジア、エジプト、リビアは、イスラム教の国の中で安定した世俗政権だった。一番善政が行われていた諸国だった。アメリカは、世界のグローバル化を目指して、中東と北アフリカの安定政権を破壊したのである。その結果、例えば中央権力が事実上不在となったリビアは、アフリカ人をヨーロッパに届ける移民ビジネスの根拠地になっており、テロ集団の養成基地となっている。

単元13　米中新冷戦

世界は一極支配から多極支配へ移行しつつあるが、東アジアではアメリカと中国の間の新冷戦が始まった。それはどういうものだろうか。

【中国の台頭】

国際政治は、冷戦終結後しばらくはアメリカが唯一の超大国としてリードしましたが、２０００年ごろから、**多極化**が進み、ブラジル、ロシア、インド、中国、南アフリカのＢＲＩＣＳを中心とした中進国が国力を増し、影響力を強めてきました。

なかでも、２０１０年に日本を追い抜いて世界第2位の経済大国となった中国は、２０１2年頃から、「中国の夢」と称して、２０２０年代前半にアメリカを抜いて世界一の経済大国になり、中華人民共和国建国百周年の２０４9年までに軍事や科学技術をふくめてあらゆる面で世界一の国家になり、世界の標準になるという計画を出し、国力を増強させてきました。

【自由と人権を抑圧する中国】

しかし、中国は、欧米や日本などの**自由民主主義**の国とは異なり、共産党が国家を所有する変則的な国家です。通常の国家では、党は国家の中の存在であり、国家・国民より下位の存在です。例えば２０２４年現在わが国の自民党やアメリカの民主党が政権を担っているのは、選挙を通じて国民に信任されているからです。対して中国では、共産党は、国家・国民より上位の存在であり、選挙による国民の信任も得ずに政権を維持しています。つまり、共産党は中国国家を支配する正当性も持たずに支配しているのです。当然、議会制民主主義も存在せず、三権分立もない共産党による**一党独裁国家**です。従って中国は、表現の自由などの人権を保障せず、特にチベットやウイグルにおける民族運動に対して激しい弾圧を続けています。

また、中国では、欧米や日本などと異なり、経済活動の中心は党の方針が直接反映される国有企業であり、民有企業も党の統制に服しています。社会主義市場経済をうたっていますが、民間企業が自由な発想に基づき自由に競争する市場経済とは異なるものになっています。要するに、自由民主主義の国家とは異なり、政治と経済は分離しておらず、両者とも共産党が強権的に支配しているのです。

【法の支配をめぐる対立】

対外的にも、中国は強権的な姿勢を強めており、発展途上国を借金漬けにして資産を奪っていくことを行っています。例えば、スリランカ南部のハンバントタ港は、中国の資金と企業によって建設され、２０１０年に開港しましたが、スリランカは通常より高い金利の借金を返却できず、２０１７年、中国に99年契約で港の経営権を譲渡せざるを得なくなりました。同じことがケニアなどのアフリカ諸国で起きています。

また、2013年、フィリピンが、スカボロー礁の領有権や漁業権について、常設仲裁裁判所に仲裁を依頼した時には、仲裁に応じること自体を拒否しました。そして、2016年に**仲裁裁判所**が中国の領有権主張に国際法上の根拠がないと決定した時には、この決定を「紙くず」だと言って無視しました。国内的にも法を重視しない中国ですが、国際法さえも無視する態度を示しているのです。

したがって、中国の拡大を抑え込む動きがアメリカを中心とする諸国の間で世界に広がり、21世紀の「新冷戦」とも言われるようになりました。安倍晋三元首相が提案した、自由民主主義と法治の原則を共有する日本、アメリカ、オーストラリア、インド4か国によるQUAD（日米豪印戦略対話）という枠組みが始まりました。2022年5月に東京で開催された会議では、国際法の尊重に基づく、自由で開かれたインド太平洋を目指す声明が発表されました。このようにわが国は、自由、民主主義、人権という価値を共有する国々と協力して、国際社会において法の支配を守っていこうとしています。

これに対して、3期目を迎えた中国の習近平政権は、自由民主主義と法治の原則を守る台湾の併合を強く主張しています。

ミニ知識　**仲裁裁判所**

国際紛争を平和的に解決する国際組織として、オランダのハーグに常設仲裁裁判所が存在する。常設仲裁裁判所は、国際紛争が生じて仲裁が申し立てられると、その個別事案ごとに仲裁裁判所を設ける。南シナ海の事例では南シナ海仲裁裁判所がハーグに設置された。仲裁裁判所は、国際司法裁判所の場合と異なり、相手国が参加を拒否しても手続きを進めることができる。

単元14　多発する紛争と国連

冷戦終結後に多発した地域紛争やテロに対処するために、国連はどういう活動をしているだろうか。

【湾岸戦争と国連】

冷戦が終結過程に入ると、冷戦構造のなかに隠されていた民族や宗教の対立が表面化し、また国際的需要が増した資源をめぐる争いが深刻化し、**地域紛争**が多発するようになり、世界の平和と安全を危うくするようになりました。こうした現状に対して、国連は、ソ連とその後継国家であるロシアが拒否権発動を控えるようになったため、平和と安全を維持する活動を活発に行うようになりました。その最初の事例が1991年の**湾岸戦争**です。

1990年8月、イラクは、石油利権と地域覇権を求めてクウェートに侵入しました。この行為は国連が最も重視する国家主権の尊重と領土保全の原則を破るものでしたから、ただちに安保理は、イラクに対して石油の輸入禁止、資金や金融の供給禁止などの全面的経済制裁を行いました。そして同年11月、安保理は、国連加盟国に対してどのような措置を取ってでもクウェートの主権と領土を回復することを要請しました。この要請にこたえる形で、アメリカを中心とする**多国籍軍**は、1991年1月イラクを攻撃し、クウェートの主権と領土を回復しました。

【多国籍軍と国連ＰＫＯ部隊】

多国籍軍は、内戦の当事者間でなされた停戦合意を監視するために設置された**国連平和維持活動（ＰＫＯ）**

を行う場合でも派遣されるようになりました。ソマリアやルワンダ、1999年の東ティモール、ボスニア・ヘルツェゴビナ、2011年のリビアなどで、多国籍軍が活動しました。そして、ボスニアやコソボなどでは、人民保護等のため強制行動まで行うようになりました。

多くの国連PKOの経験の中で、内戦を抑えるためには、国連PKO部隊自身が戦闘権限をもち、派遣された国に対して「平和強制」を行う必要があるという考え方に基づき、例外的ではあるが、2013年にはコンゴ民主共和国に「平和強制」の権限を与えられた部隊が派遣されました。

【対テロ戦争から国家間戦争へ】

地域紛争に続いて、冷戦後にはテロも多発するようになりました。2001年9月11日、国際テロ組織アルカイーダは、アメリカ同時多発テロ事件を起こし、世界に衝撃をあたえました。そこで、アメリカ軍とイギリス軍は、アフガニスタンを攻撃しました。これが**対テロ戦争**の始まりです。次いで、アルカイーダと連携している、大量破壊兵器を保有しているとの疑いをかけ、イラクを攻撃しましたが、2011年にイラクから全面撤退しました。撤退後も、アルカイーダからの派生組織ISIL（ISIS、ダーイシュ）が勢力を伸ばして、一時はイラクとシリアにまたがる領土を支配したり、世界中でテロ事件が頻発したりしており、対テロ戦争は継続しています。

ところが、2022年2月、ロシア・ウクライナ戦争が始まりました。世界は、対テロ戦争よりも、国家間戦争の時代に移行しつつあるように見えます。アメリカは、もはや唯一の超大国ではなくなり、ヨーロッパ諸国や日本・韓国・台湾などの先進国グループを中心に支配するだけの存在となりつつあります。アメリカに対抗する勢力としては、ロシアを初めとして、インド、ブラジル、サウジアラビアなど多くの地域大国が台頭してきています。これらの地域大国は、10カ国からなるBRICSに加盟しています。その一つであ

主なテロ事件

1995年3月	日本、地下鉄サリン事件、13人死亡
1997年11月	エジプト、ルクソールで観光客へのテロ、63人死亡
1998年8月	ケニアとタンザニアのアメリカ大使館爆破事件、224人死亡
2001年9月	アメリカ同時多発テロ事件、3025人死亡
2002年10月	インドネシアのバリ島、自動車爆弾テロ、202人死亡
2005年7月	ロンドン同時多発テロ、50人以上死亡
2008年11月	インド、ムンバイ同時多発テロ、160人以上死亡
2013年1月	アルジェリア人質拘束事件、日本人10人など37人死亡
2015年11月	パリ同時多発テロ、130人死亡
2017年11月	エジプト・シナイ半島モスク襲撃テロ事件、300人以上死亡
2019年4月	スリランカ連続爆破テロ事件、259人死亡
2022年7月	日本・安倍晋三暗殺事件

る中国は、アメリカに代わる世界一の大国になろうという「中国の夢」を抱いていますが、いずれにせよ、世界はアメリカ**一極体制**から**多極体制**に転換していく流れにあります。

わが国も、このような世界情勢の変化を見極めて行動する必要があります。

単元15　国際社会における人権

国際社会では、どのような人権問題があり、国連を中心にどのような取り組みが行われているか、みていこう。

【国際的な人権保障】

第二次世界大戦後の１９４８年12月10日、国連総会で**世界人権宣言**が採択されました。世界人権宣言では、すべての人間は、生れながらにして自由であり、かつ、尊厳と権利について平等であり、人種、性別、宗教、政治的意見の違いなどで人間を差別してはならないことをうたっています。その後、各国に人権の保障を義務づけた国際人権規約（１９６６年）が採択されました。そして現実の人権侵害に有効に対処するため、**国連人権理事会**が２００６年発足しました。

人権問題における国連の最高の成功例が、南アフリカのアパルトヘイト（白人と黒人の人種隔離と差別を合法化した政策）をやめさせたことです。国連はアパルトヘイトを「人道に対する罪」とみなし、経済制裁を中心とした圧力を加えました。その結果、南アフリカ政府はアパルトヘイト廃止に向かい、1994年、初めて人種平等の選挙が行われ、黒人大統領ネルソン・マンデラが選出されました。

また、2006年、「強制失踪からのすべての者の保護に関する国際条約」（**強制失踪防止条約**）が国連総会で採択されました。この条約によって、国家機関などが人の自由を剥奪し失踪者の所在を隠すことが犯罪と位置づけられ禁止されました。禁止される行為の中に、国境を越えて他国の国民を強制的に連れ去る行為も含まれることになりました。これは我が国の働きかけによるものです。

しかし、国連人権理事会には、一党独裁の国や、国内に重大な人権問題を抱えているとされる国家がいくつか理事国として参加しています。そのため、日本などに対しても、過去の歴史問題などにおいて、一方的な勧告がなされ続けています。

【少数民族の弾圧】

一つの国家にいくつもの異なった民族が住んでいる場合、同じ国民でありながら、多数派の民族により少数派の民族が弾圧を受ける例がしばしば生じています。アメリカでは1960年代まで、特に南部では、バスなどの乗り物からトイレまで、黒人用と白人用に分けられ、黒人には公民権（選挙権・被選挙権や公務員として任用される権利）もあたえられない時代がありました。

現在でも中国では、ウイグル、チベット、モンゴル、満州などの**少数民族の人権**が侵害されています。ロシアでは独立を求めるチェチェン民族とロシア政府軍の間に、1994年から2009年まで紛争が続きました。ミャンマーにおけるロヒンギャ問題、中東におけるクルド人問題など、国家内で少数民族が迫害、差別される事態は後を絶ちません。

【難民と人権】

人種や、宗教、政治的な意見の違いなどで迫害を受け、また、戦争や紛争などにより、自分の国にいられなくなった人たちを**難民**とよびます。2011年以後、内戦が続くシリア、および周辺諸国から、大量の難民が現れました。ヨーロッパ各国政府は、この難民を受け入れる国と、それに消極的な国とに分かれ、受け入れた国の中でも、生活習慣や言語、宗教の違いなどからさまざまな問題が起きています。

1951年に国連で採択された難民条約により、難民保護は条約批准国の責務とされています。しかし、各国はそれぞれの立場があり、難民問題は今世界的に困難な課題の一つです。このように国際人権問題には、多くの課題が残されています。

もっと知りたい 近隣諸国の人権問題

日本の近隣諸国には深刻な人権問題をかかえている国がある。その実態とはどういうものであろうか。

【中華人民共和国の人権問題】

1949年に中華人民共和国が建国されてから、国内のチベット、ウイグル、モンゴルなどの各民族の深刻な人権侵害が報告されている。各民族はそれぞれ、チベット自治区、新疆ウイグル自治区、そして内モンゴル自治区に多く住んでいる。中国の法律でも、各民族の自治権が認められているが、実際には多くの漢民族（中国の中の多数派民族）が移民し、言語教育は中国語が優先され、チベット亡命政府、世界ウイグル会議などの海外の亡命者たちの訴えによれば、言論・結社の自由は奪われ、民族伝統に基づく生活や信仰は事実上禁じられている。

【チベット】

チベットは第二次世界大戦まで独立を保っていたが、中華人民共和国成立後の1959年、中国軍がチベットに侵攻し、チベットの宗教・政治における伝統的な指導者ダライ・ラマ14世は、インドに亡命した。その後、中国はチベットを「自治区」として編入し、また、本来はチベットの領土だった地域を、四川省、青海省に分割してしまった。そして、チベット自治区では、仏教寺院が破壊され、チベット亡命政府の発表では、餓死、自殺を含む120万人（人口は600万人）が虐殺された。

チベット民族は今も、国内外で、信仰の自由、ダライ・ラマの帰還、チベットにおける民族自治権を求めている。中国政府に対する焼身抗議（自らの体を焼いて抗議する）も行われている。2008年には、チベットにおいて人権弾圧を行う中国（北京）でオリンピックが開催されることに抗議するデモや集会が、日本をふくむ全世界で行われた。

【ウイグル】

かつて、東トルキスタン共和国として独立した（1944～46）ウイグル地域は、中華人民共和国時代に併合され、新疆ウイグル自治区となっている。ここに住むウイグル民族は伝統的にイスラム教を信仰している。

この地域では、1964年から1996年まで、40数回にも及ぶ核実験が行われ、住民に重大な健康被害が起きているといわれている。しかし、適切な調査や治療は行われていない。

2018年8月、国連の人種差別撤廃委員会は、ウイグルでは約百万人のウイグル民族が「再教育センター」

という政治犯収容所に入れられている危険性があることを、中国政府に対し勧告した。また、国連人権理事会の特別報告者は、2021年6月、本人の同意なく、ウイグル人など囚人の臓器を、移植のために摘出する行為が行われていることへの懸念を表明した。中国政府はいずれも否定し、再教育センターは一部の過激なテロ分子を隔離、教育する場だと反論している。

【モンゴル】

内モンゴル自治区（南モンゴル）におけるモンゴル民族は、古くから伝統的な遊牧生活（羊を飼い、草原を旅する生活）で暮らしてきた。しかし、中華人民共和国建国以後、同地には大量の中国人が移住した。彼らはモンゴル民族に遊牧を禁じ、強制的に草原を耕して畑にした。草原は降水量が少なく、農業に適さないため、荒れ果ててしまった。

特に1960年代、モンゴル民族は、中国政府に反抗し独立を求めているとみなされ、無差別に投獄され、ひどい拷問を受け、多くが殺傷されたといわれている。中国政府によれば約3万人が死亡した。しかし、拷問や暴行の後遺症で死んだり、障害者となったりした人々をふくめれば、学者の中には、数十万人が犠牲になったという説もある。

現在の南モンゴルでは、漢民族のほうがモンゴル民族より多くなり、大地の乱開発が続き、草原の砂漠化が進んでいる。

【北朝鮮の人権問題】

北朝鮮は1948年の建国以後、金日成、金正日、金正恩と、金一族による世襲の体制が続き、労働党の一党独裁体制が敷かれている。1950年には韓国に対し朝鮮戦争をしかけ、その過程で韓国国民数万を北朝鮮に拉致している。

１９５９年に日本で始まった北朝鮮帰還事業では、朝鮮総連と共に、日本に住む朝鮮人の北朝鮮帰還をよびかけ、結果として9万3千人が北朝鮮に渡った。その中には、朝鮮人と結婚した日本人（ほとんどは女性）約１８００名もいた。彼らの多くは貧困と自由のない生活に苦しみ、政治犯収容所に入れられた人も多数いる。この政治犯収容所には、帰国者や日本人だけでなく、政治に不満をもつ人々が多数送り込まれ、そこでは乏しい食糧で強制労働が強いられている。２０１４年、国連調査委員会は、北朝鮮政府が「人道に対する罪」を犯していることを指摘する人権報告書を提出し、そこでは日本人拉致問題も取り上げられている。

【韓国の人権問題】

韓国においては、日本の朝鮮統治時代を評価するなど、歴史問題で韓国政府の公式見解と異なる言論活動を行うと、激しい攻撃を世論から受ける傾向がある。また、２００５年に成立した「親日反民族行為者財産の国家帰属に関する特別法」により、日本統治下で日本に協力した人たちの財産を国家に帰属させることが法律で定められた。これは遡及法（過去の例を現代の法律でさかのぼって裁く）行為であり、近代的な法律理念に反する行為である。

以上のような近隣諸国の人権問題については、しっかり改善を求めることが、真の意味での友好であることを忘れてはいけない。

第3節　日本と世界の安全保障

日本と世界の安全保障を維持する個別的自衛権、集団的自衛権、集団安全保障とはどういうものだろうか。

単元16　自衛隊と日米安全保障条約

自衛隊と日米安全保障条約により、わが国の安全と防衛はどのようにはかられているだろうか。

【個別的自衛権と自衛隊の発足】

第二次世界大戦に敗れたわが国は、１９４５（昭和20）年から１９５２年まで連合国軍に軍事占領されました。このとき、連合国軍総司令部（ＧＨＱ）は、わが国の軍隊を解体し、非武装としました。しかし、１９５０（昭和25）年の朝鮮戦争にさいし、方針を変更し、警察予備隊の創設を日本政府に命じました。占領解除後の１９５４年には自衛隊法が制定され、陸・海・空の自衛隊が発足しました。同時に、防衛庁が設置されました。わが国は**個別的自衛権**をもち、自衛のための必要最小限の実力組織は当然にもつことができると考えたからです。

【自衛隊の発展】

１９５７年には、「国防の基本方針」が定められ、自衛隊の活動は**専守防衛**が基本であるとされました。以来、防衛大綱に基づき防衛力の計画的な整備・増強がはかられてきました。その後、２００７（平成19）年には、防衛庁が防衛省に昇格し、防衛省・自衛隊体制となりました。これによって防衛大臣が直接、予算や閣議決定を求めることができるなど、国の政治に占める国防の地位が強化されました。

現在の自衛隊の本来任務は、わが国の防衛、治安出動や海上警備行動といった警察的な任務、国連ＰＫＯを中心にした国際平和協力活動、そして災害派遣です。東日本大震災などの自然災害における救助活動など、国民の生命と財産を守る活動にも挺身し、これに対し多くの国民が共感と信頼を寄せています。

【集団的自衛権と日米安保条約】

１９５１年、日米安保体制（日米同盟）の柱である日米安全保障条約（**日米安保条約**）は、サンフランシスコ講和条約と同時に締結されました。この条約では、アメリカ軍は、日本国内の基地を使用する権利を認められたが、わが国を防衛する義務がありませんでした。明らかな不平等条約だったので、１９６０年に改定されました。わが国が攻撃を受けたときにおける自衛隊とアメリカ軍との**日米共同防衛**と、わが国からアメリカ軍への**基地貸与**などがとり決められました。１９９６年の日米首脳会談で、安保条約の適用範囲がフィリピン以北の極東地域から「アジア・太平洋地域」に拡大され、これに基づき、１９９９年には周辺事態法が成立し、自衛隊は、周辺地域で重大な脅威となると思われる事態にアメリカ軍と共同で対処し、アメリカ軍の後方支援を行えることとなりました。

２０１４（平成26）年には、それまで個別的自衛権に限られていた憲法解釈を変更し、**集団的自衛権の限定的行使**の容認が閣議決定され、新しい武力行使の三要件が決められました。２０１５年、武力攻撃事態対処法が改正され、わが国と密接な関係にあるアメリカ等への武力攻撃があり、わが国の存立が脅かされた場合（**存立危機事態**）には、自衛隊が武力行使できるようになりました。また同年、重要影響事態法（周辺事態法改正）がつくられ、アメリカ軍等に対する後方支援の地理的制限がなくなりました。

ミニ知識　**集団的自衛権の限定的行使の三要件**

①我が国に対する武力攻撃が発生したこと（**武力攻撃事態**）、又は我が国と密接な関係にある他国に対する武力攻撃が発生し、これにより我が国の存立が脅かされ、国民の生命、自由及び幸福追求の権利が根底から覆される明白な危険があること（**存立危機事態**）。②これを排除し、我が国の存立を全うし、国民を守るために他に適当な手段がないこと。③必要最小限度の実力行使にとどまるべきこと。

ミニ知識　**集団的自衛権とわが国**

集団的自衛権は、個別的自衛権とともに国連憲章で保障されている。自国と密接な関係にある他の国家が武力攻撃を受けた場合に、自国が直接攻撃されていなくても、共同で防衛を行う国際法上の権利のことである。いかなる国にも保障された権利である。

国際連合憲章第51条

この憲章のいかなる規定も、国際連合加盟国に対して武力攻撃が発生した場合には、安全保障理事会が国際の平和及び安全の維持に必要な措置をとるまでの間、個別的又は集団的自衛の固有の権利を害するものではない。

共同防衛を行うためには、その第一歩として、互いに安全保障条約を結ぶのが一般的である。つまり、集団的自衛権を行使する第一歩が、安全保障条約締結である。既に何十年も前に安保条約締結の際に集団的自衛権を行使しておきながら、わが国の政府は、わが国も集団的自衛権を保有しているけれども、行使することは許されないという矛盾した理屈を言い続けてきた。集団的自衛権の限定的行使の容認は、この矛盾を解消していくことにつながっていくのかもしれない。

通常の安全保障条約では、条約加盟国のいずれかが攻撃された場合には全加盟国に対する攻撃とみなして共同防衛を行う形になっている。それゆえ、加盟国には共同防衛義務が課されている。しかし、わが国の安全保障の要である日米安全保障条約では、日本とアメリカとの共同防衛義務の発動は日本が攻撃された場合に限定される。アメリカ本土が攻撃されても、日本にはアメリカを防衛する義務は存在しない。

したがって、アメリカには、日米安全保障条約は片務条約であり、アメリカにとって不当な条約だという批判が存在する。実際には、わが国はアメリカ軍に基地を貸与するとともに在日アメリカ軍のために多額の思いやり予算を付けたり、アメリカから巨額の武器を購入したりしてアメリカに大きな利益を与えているから、批判されるべきものではない。だが、純粋に安全保障条約の問題として捉えるならば、この批判は正しいものである。

単元17　集団安全保障と日本

国連の集団安全保障とはどういうものだろうか。わが国は集団安全保障とどのように関わっているだろうか。

【国連の集団安全保障】

今日では、各国は、国連による**集団安全保障**の考えを共通に受け入れ、自国の安全や国益だけではなく、国際平和を共同責任で創出し維持する体制をとっています。特にグローバル化が進展した現代では、自国とは直接かかわりのない地域へも軍隊を派遣し、共同で問題解決にあたっています。

国連は、「平和に対する脅威、平和の破壊又は侵略行為」があった時には、安保理の決議に基づき、経済制裁と軍事的措置という強制行動をとることができます（国連憲章第7章）。軍事的措置は**多国籍軍**によって行われてきました。

いっぽう国連は、紛争を平和的に解決するために、中立的な立場から、停戦監視や治安維持、選挙管理などの**平和維持活動（ＰＫＯ）**を行ってきました。平和維持活動は、**国連ＰＫＯ部隊**によって、行われてきました。

【集団安全保障とわが国】

わが国は、国連に加盟してから30数年間、軍隊を持っていないという建前から多国籍軍にもＰＫＯにも参加してきませんでした。しかし、国際社会では、国連加盟の普通の国家は、軍隊を持っており、ＰＫＯだけではなく多国籍軍にも参加する用意があるものです。それゆえ、湾岸戦争で多国籍軍に自衛隊を派遣しなかったわが国は、クウェートからも感謝されず、国際社会からも評価されませんでした。

そこでわが国は、湾岸戦争後の１９９２年、「国際連合平和維持活動等に対する協力に関する法律」**（ＰＫＯ協力法）**を制定し、世界各地に自衛隊を派遣し、ＰＫＯ部隊に対する後方支援（食糧や水、石油など必要な物資の補給・輸送、建設、医療衛生などの業務のこと）を行ってきました。そして、２０１５年、国際平和支援法（国際平和共同対処事態に際して我が国が実施する諸外国の軍隊等に対する協力支援活動等に関する法律）を制定し、個別法律をつくらずとも多国籍軍に対する後方支援も行えるようにしました。同年にはＰＫＯ協力法を改正し、ＰＫＯ活動をしている自衛隊が、近くで活動している国連職員などが武装集団に襲われたとき職員などの緊急要請を受け警護する「駆け付け警護」も、自衛隊が他の国の部隊と宿営地を共同にしていて暴徒らに襲撃されたとき、他国の部隊と連携して防護する「宿営地の共同防護」もできるようになりました。

【わが国の安全保障の在り方】

わが国は国連を中心とする国際平和の増進に貢献しながら、自衛隊と**日米安全保障体制**によって安全を確保しようとしています。わが国周辺には**軍事大国**が存在し、潜在的な脅威となっています。冷戦終結後は、北朝鮮による拉致事件や核ミサイル開発、中国の軍備増強、国際テロなどの新たな脅威が出現しました。また、ウクライナ戦争をきっかけとした対ロ関係の悪化によりロシアからの軍事的脅威も高まっていますから、ますます防衛力の役割は増大しています。

また、資源の自給自足ができないわが国は、資源を日本に運んでくる**シー・レーン**（海上交通路）の安全を確保することは死活問題です。そのためには世界の平和が不可欠です。防衛力の整備とともに、諸外国との信頼をつちかい、世界平和の推進に努めることが、いっそう大切になっています。

もっと知りたい　国際平和協力活動への取り組み

わが国は、国際平和にどのように貢献しているのだろうか。PKOやそのほかの活動もみてみよう。

【初めての自衛隊海外派遣】

わが国は、1991（平成3）年の湾岸戦争のさい、国際平和を守る貢献として、135億ドルという資金援助を行ったが、多国籍軍に自衛隊を派遣しなかった。憲法第9条の趣旨からいって、軍隊ではない自衛隊は海外での武力行使は許されない、と判断されたからである。しかし、このような国内事情など、国際社会には理解されるはずもなく、国際的に厳しい批判を浴びた。

停戦後になって、ペルシャ湾の機雷除去を目的とする海上自衛隊の掃海艇を自衛隊として初めて派遣した。その後、この反省から、わが国は翌1992年、PKO協力法を制定し、武力行使をともなわないという条

国連ＰＫＯ部隊と多国籍軍の比較

	国連 PKO 部隊	多国籍軍
本来の目的	紛争の平和的解決	侵略等への強制行動
派遣される国の同意	同意が必要	同意は必要なし
部隊の性格	平和維持目的の部隊	戦闘能力のある軍隊
装備	必要最小限の装備	大規模で高度の装備
武力行使できる場合	自衛目的で武力行使	攻撃できる
指揮権	国連事務総長が持つ	参加国が持つ
資金	国連が出す	参加国が出す
活動開始までの時間	活動開始が遅い	活動開始が早い

件の下で、自衛隊をはじめとして、国際平和協力活動に人を派遣して貢献できる体制をつくった。ＰＫＯ協力法によれば、日本が参加する国際平和協力活動には、次のような４種類がある。

①国連平和維持活動（ＰＫＯ）

②国際緊急援助活動：ＰＫＯ以外の形で、紛争や災害で生まれた被災民の救援や被害の復旧に当たる。

③国際的な選挙監視活動：ＰＫＯ以外の形で、紛争地域での選挙監視を行う。

④国際テロ阻止活動：旧テロ特措法や新テロ特措法（いずれも失効）、海賊対処法に基づく活動

【ＰＫＯとしての最初はカンボジアに】

ＰＫＯ協力法に基づき、①の国連平和維持活動に協力するために最初に人を派遣したのが、カンボジアの国家再建を支援する活動であった（１９９２年）。カンボジアは中国に支援されたポル・ポト政権が行った民族大虐殺で荒廃していた。このとき、民間要員とともに、陸上自衛隊が初めて海外派遣された。その後、世界各地での国連平和維持活動に対し、人的・物的双方の面から協力を行ってきた。これらのうち、カンボジア、モザンビーク、ゴラン高原、および東ティモールのＰＫＯには自衛隊の部隊が参加した。

【イラク復興人道支援】

ＰＫＯとは別に、２００３年にはイラク復興のために、陸・海・空の３自衛隊が派遣され、イラク復興の人道支援と多国籍軍への物資輸送の支援を実施した。派遣された地上部隊は、サマーワで給水、医療支援、学校・道路補修などの活動を成功させ、その高い規律と献身的な活動に、現地の人々から感謝と賞賛を浴び、国際的に高い評価をうけた。実際、自衛隊の派遣期限が近付いた２００４年12月、サマーワの人々は、日本の支援に感謝するデモを自衛隊の宿営地まで行い、「帰らないで」と自衛隊に要請した。

【「駆け付け警護」の問題】

しかし、２００４年2月、地上部隊の主力がクウェートからサマーワに進出する際、サマーワの治安維持を担当していたオランダ軍に警護してもらった。この写真が報道されると、自衛隊は世界の笑い者になった。軍隊というものは自前の力で自らを守るのが原則である。しかも、警護するオランダ軍よりも、警護される自衛隊の方が強力な装備であった。国際社会の目には、この写真はきわめて異様なものに映ったのである。

サマーワの経験をふまえて、「駆け付け警護」の問題が浮上した。もしもオランダ軍のように近くにいる友軍が攻撃されたら、自衛隊が駆け付けて戦うのか、という問題である。当時の法制上からいえば、武力行使が原則としてできない自衛隊としては、友軍を見殺しにするしかない。だが、そんなことをしたら日本の信用は一挙に地に墜ちてしまう。そこで、長い時間をかけて、ようやく、２０１５年のＰＫＯ協力法改正によって、「駆け付け警護」が合法化された。

【「宿営地の共同防護」の問題】

ゴラン高原のＰＫＯには、自衛隊は１９９６年から２０１３年まで参加した。任務は物資と人員の輸送である。第一次隊がゴラン高原に駐在した際、ＰＫＯ部隊の司令官から、ＰＫＯ参加の全部隊による宿営地警備訓練をやると言われたが、自衛隊側は「日本国憲法」を理由に断った。それ以来、ＰＫＯに自衛隊が派遣されたさい、暴徒らに宿舎を襲われた場合、諸外国のＰＫＯ部隊と共同で防護するのかしないのか、という問題が浮上した。「宿営地の共同防護」の問題である。２０１５年の改正ＰＫＯ協力法では、「宿営地の共同防護」も合法化された。

【補給支援活動と海賊対処】

この間、２００１（平成13）年から、９・11アメリカ同時多発テロ事件に対する国際共同活動として制定されたテロ対策特別措置法などに基づいて、海上自衛隊がインド洋で多国籍海軍に給油支援を２０１０年まで実施した。

また２００９年からは海賊対処法により、ソマリア沖やアデン湾を航行する各国の船団を護衛する活動を、海上保安官も乗せた海上自衛隊の護衛艦が他国の海軍とともに続けている。ジブチに活動拠点をつくった海上自衛隊は哨戒機で広い海域を警戒し、護衛艦で輸送船団を護衛し、その搭載ヘリコプターは航路の周辺海域を警戒している。

この海賊対処は石油の90％以上を中東にたよるわが国のシーレーンを確保するうえでも重要な活動となっている。これらの活動に対しては、国連をはじめ国際社会から高い評価と賞賛を受けている。

単元18　核兵器の脅威と向き合う

国際社会と日本は、核兵器の脅威にどのように向き合っているだろうか。

【核開発競争と核軍縮】

第二次世界大戦末期の1945（昭和20）年、アメリカによって広島と長崎に原子爆弾が投下され、わが国は人類史上唯一の核被爆国となりました。これによって**核兵器**は、大量破壊兵器としてきわめて強力で、核戦争は人類全体を滅亡させることが分かりました。大戦後、旧ソ連とアメリカは核大国を目指して核兵器開発を競うようになりました。1960年ごろには大陸間弾道弾などの核ミサイルが開発され、攻撃力が格段に増大するなか、イギリス、フランス、中国も核保有国となりました。

しかし、大気圏内核実験の危険性が明らかになり、1963年には部分的核実験禁止条約が結ばれました。核兵器の大量所有は米ソ相互の破滅になるとの認識から、核軍縮が進められました。1968年には、「核の〝憲法〟」と言われる**核兵器不拡散条約（NPT）**が結ばれ、国際的核管理の基本が定められました。さらに1996年には包括的核実験禁止条約（CTBT）が、2017年には**核兵器禁止条約**が、国連総会で採択されました。1980年代、西ドイツなどの西ヨーロッパ諸国はアメリカの核ミサイルを配備し、旧ソ連の核兵器配備に対抗しました。しかし、アメリカと旧ソ連は1987年、中距離核戦力全廃条約で、中射程弾道ミサイルなどをヨーロッパから撤去しました。また、アメリカとロシアは2011年の第4次戦略兵器削減条約（新START）により、戦略核弾頭の削減を進めています。

【核の国際的管理と拡散防止】

国際社会は現在、核兵器を国際的に管理する体制を築いています（**NPT体制**）。その仕組みは、NPTで核兵器保有5か国以外の核保有を禁じ、その核保有国間での核軍縮を促進しています。他方、核を平和利用する国には、**国際原子力機関（IAEA）**の査察を義務づけ、核不拡散をはかります。これは5か国が核兵器を独占する不平等な体制ですが、核管理能力のある国に世界の平和と安全の責任をもたせるためのものです。しかし、ＮＰＴに未加盟のインドやパキスタン、イスラエルが核を保有したり、２００６年にはイランで核兵器開発の疑いが表面化したり、２０１７年に北朝鮮が長距離ミサイルの発射実験と６度目の地下核実験を強行したりと、核管理体制はゆらいでいます。

【核廃絶と核の脅威】

特に、中国、ロシアなど近隣諸国は核配備を進め、北朝鮮も核実験を行うなど、わが国にとって脅威は増しています。わが国は、唯一の被爆国として非核三原則を宣言し、**国際的核管理体制**を受け入れています。しかし同時に、アメリカの**「核の傘」**のもとで安全が確保されているといわれています。わが国の政府は、核の脅威に立ち向かいながら、世界平和のために核兵器廃絶を訴えています。

ミニ知識　その他の大量破壊兵器の脅威

恐怖の大量破壊兵器は核兵器だけではない。生物・化学兵器は、少量できわめて多くの死傷者を発生させる大量破壊兵器である。生物兵器は、細菌やウイルス、あるいはそれらがつくり出す毒素などを使用し、人や動物に対して使われる兵器のことであり、主に天然痘ウイルスや炭疽菌、ボツリヌス毒素などがある。化学兵器はサリンやＶＸガスなどの毒ガスのことであり、神経を破壊したり、皮膚をただれさせたりして、人を殺傷する。これら大量破壊兵器は、１９７５年発効の生物兵器禁止条約、１９９７年発効の化学兵器禁止条約で禁止されているが、その運搬手段である弾道ミサイルとともにわが国にとって、また世界の都市住民にとって深刻な脅威となっている。

さらに恐ろしい大量破壊兵器は、地震兵器と気象兵器である。実際、環境改変兵器禁止条約（環境改変技術の軍事的使用その他の敵対的使用の禁止に関する条約、１９７６年起草、１９７８年発効）というものがある。日本も参加している条約だが、第1条第1項と第2条には次のようにある。

第1条第1項　締約国は、破壊、損害又は傷害を引き起こす手段として広範な、長期的な又は深刻な効果をもたらすような環境改変技術の軍事的使用その他の敵対的使用を他の締約国に対して行わないことを約束する。

第2条　前条にいう「環境改変技術」とは、自然の作用を意図的に操作することにより地球（生物相、岩石圏、水圏及び気圏を含む。）又は宇宙空間の構造、組成又は運動に変更を加える技術をいう。

岩石圏に改変を加える兵器としては地震を仕掛ける地震兵器が、水圏及び気圏を改変する兵器としては大雨を降らしたりして川を氾濫させたりする気象兵器が思い浮かぶ。地震兵器と気象兵器が実際に使われているという確証は上がっていないが、その技術があることは確実である。生物化学兵器だけではなく、地震兵器と気象兵器の存在にも注意すべきである。

終章　持続可能な日本と世界

人類の未来のために日本や国際社会が出来ることは何だろうか。

単元１　エネルギーと資源の未来

限りあるエネルギーと資源の現状を、どのように克服すればよいだろうか。

【増え続ける資源消費】

人類は、産業革命以来、石油・石炭などの**エネルギー資源**（化石燃料）や、鉄・銅・アルミニウムなどの鉱物資源を使って生産活動を拡大し、それらを大量に消費して、豊かな社会を築いてきました。

近年では、地球規模の人口急増や、**グローバル化**による急激な工業化が加わり、資源消費が加速度的に増大しています。資源の大量消費は、現在、大気汚染、森林破壊などさまざまな**地球環境問題**を引き起こしています。他方、世界中で資源の枯渇が心配されています。

【限りある資源】

石油は、エネルギー源にも繊維衣類などの原料にもなる重要資源です。世界の可採年数（原油埋蔵量を原油産出量で割った数値）は２０２０年で５３・５年とされ、１９８０年代以降は新油田の発見のため毎年ほぼ同じ数値です。その埋蔵量の半分が中東地域に偏在していますし、中東諸国と埋蔵量世界第一のベネズエラなどで構成するＯＰＥＣ（石油輸出国機構）諸国の埋蔵量は、70％を超えます。

また、電子機器やハイブリッド自動車などの素材として不可欠な**レアメタル**（インジウム、ニッケル、リチウム、レアアース類などの非鉄金属）は一部の国でしか産出しません。このように資源は有限であり、大量消費の結果枯渇したり、また産出国の都合で輸出されなくなったり、急激な価格変動を起こしたりします。このため資源は、たえず国際紛争の原因となり、外交手段として利用されてきました（資源外交）。また、利益が大きいため、資源メジャーによる国際市場支配の対象となってきました。石油・天然ガスは4大メジャー、鉱物資源は3大メジャーの多国籍企業が世界市場を支配してきました。

【エネルギーの確保と省資源】

1973(昭和48)年に石油の輸入がとだえかけたオイル・ショックで経験したように、資源のないわが国は、何かの事情で輸入が止まると、産業も国民生活も大打撃を受けます。この教訓を生かして、わが国は国をあげて省エネ技術の開発にとりくみ、今日世界最高の省エネ技術を実現しています。しかし、エネルギー消費量は民生を中心に現在も増え続けており、いっそうの省エネ努力が必要です。

このためわが国は、**原子力発電**とともに、太陽光、太陽熱、風力、水力、地熱、バイオマス(動植物を使ったエネルギー資源)などを使った**再生可能エネルギー発電**の導入拡大に努めてきました。しかし、2011(平成23)年の東日本大震災の際に原子力発電所の事故が起き、エネルギー問題について改めて深刻な問題をつきつけたため、再生可能エネルギー発電の普及拡大の政策がもっぱら遂行されてきました。また、EEZ内で発見されたメタンハイドレートの利用実用化を急ぐなど、新たなエネルギーの確保が必要となっています。

さらにわが国は、4R活動などを推進し省資源に努めるとともに、国際エネルギー機関(IEA)を通して、安定した需給のための協力を進め、また発展途上国への資源開発や省エネ・省資源の技術協力を進めています。

◇◇◇◇◇◇◇◇◇◇◇◇◇◇◇◇◇◇◇◇◇◇◇◇◇◇◇◇◇◇◇◇◇◇◇◇

ミニ知識 **太陽光発電や風力発電の問題点**

再生可能エネルギー発電を促進するために、2012年以来、再エネ促進賦課金という名の電気代が上乗せされている。その額は2021年には防衛費の半分に達する2兆7千億円にも達している。

主な再エネ発電である太陽光発電と風力発電には多くの問題がある。何よりも、両者とも、火力、水力、原子力のように安定的な発電ではないため、発電の主役になることはできない。無風の夜は太陽光も風力も使えないから、例えば百メガワットの太陽光発電を行い続けるには、最低百メガワット分の火力発電などの安定電源を控えさせておかなければならない。

一番の問題は、太陽光発電と風力発電が広まるにつれ、環境破壊が起きていることである。大規模な再エネ発電の場合、太陽光パネルを敷いたり、風車を建てたりするときに森林や草原を更地にする。景観が壊されるだけでなく、保水力が落ちて洪水被害を増やすなどの環境被害が起きている。２０１８年の西日本豪雨の際は、太陽光パネルの崩落により新幹線が停止した。したがって、太陽光発電や風力発電に反対する住民運動が全国で起きている。

単元2　貧困問題と地球規模の福祉

貧困問題の現状は、どのようになっているだろうか。そして、どのような対策がとられているだろうか。

【人口急増と貧困問題】

国連統計では、１９００年には16億人だった世界の人口が、２０２２年現在では80億人となり、２０５０年には97億人となると推計されています。この増え方には偏りがあり、南アジア、サハラ以南のアフリカなど南半球の発展途上国で急増するとしています。

現在、人口急増地域を中心に、極端に貧しい人々すなわち絶対的貧困者がおり、人道上の問題となっています。これらの地域は開発が遅れていましたが、保健・衛生や医療が普及した結果、死亡率が低下し、また先進国の援助などで食料生産増など経済が向上し、人口が急増しました。ところが、増え続ける人口に経済発展が追いつかず、さらに民族紛争や内戦、政府の腐敗や崩壊などが加わり、貧困から抜け出せなくなっています。ちなみに、日本をふくむ先進国にも、その国の平均的生活水準を大きく下回る「相対的貧困者」が存在することが問題になっています（**貧困問題**）。

【南北問題と南南問題】

一方、北半球に位置する先進国の人々は、豊かな生活を享受しています。このような先進諸国と、発展途上国とのあいだの経済的格差から生じるさまざまな問題を**南北問題**といいます。先進諸国は、発展途上国の困難に対し、人間の生存と尊厳を守るため、またそれらの国々の経済発展による世界の繁栄が自国の繁栄につながると考え、国連を中心に援助を実施してきました。

この間、わが国の政府開発援助（ＯＤＡ）によって工業化したアジアの国々や、高い石油収入があるペルシャ湾岸諸国、経済の急成長を果たしたブラジルや中国などの国々が、先進国に追いついてきました。しかし、これにとり残された国々が貧困を解決できないでいます。こうした発展途上国間の格差は、**南南問題**とよばれています。

【地球規模の福祉】

貧困と格差の問題を解決するために、２０００年、経済社会理事会に直属する経済問題の中心的な機関である国連開発計画（ＵＮＤＰ）は、２０１５年までの世界の開発目標として、**ミレニアム開発目標（ＭＤＧｓ）**を８項目設定しました。ＭＤＧｓは、５歳未満の子供の死亡が減少するなど一定の成果を上げました。２０１５年９月に開催された「国連持続可能な開発サミット」では、１５０をこえる各国首脳が集まり、２０３０年までの開発目標として、貧困をなくすこと等17項目を定めました。これが**持続可能な開発目標（SDGs）**です。

国際社会は、ＳＤＧｓにある貧困撲滅などの実現を目指して、資金などの援助活動を展開しています。各種ＮＧＯが現地のニーズに応じた援助を行っています。わが国も、医療、保健、教育、農村開発、道路・港湾・河川の整備などインフラ整備とともに、人材育成に重点を置いて支援しています。発展途上国の経済成長とその持続的な発展のためには、その国の政治の安定だけではなく、援助する側の公正さが不可欠です。特に、独裁体制の途上国に援助する場合には、支援金が国民のために用いられているかどうか注意を払わなければなりません。途上国の独裁政権は、腐敗していることが多く、インフラ事業のための支援金の一部を横領したり、事業を受注する企業から多額の賄賂を取ったりすることが多く、その場合にはインフラ事業自身は手抜きとなり質の低いものになってしまうからです。

ミニ知識　**フェアトレードとマイクロクレジット**

発展途上国の貧困の原因には、途上国の輸出品に対してその労働に見合う対価が支払われないことがある。そこで、労働に見合う公正な価格で取引するフェアトレード（公正貿易）という仕組みが現れ、公正価格の商品にフェアトレードマークが貼られている。

他の原因には、貧しい人々の事業を支える融資制度が整っていないことがある。そこで、少額のお金を無利子または低利で貸し出すマイクロクレジット（少額融資）の仕組みができてきている。

ミニ知識　ミレニアム開発目標と持続可能な開発目標

ミレニアム開発目標（ＭＤＧｓ）と持続可能な開発目標（ＳＤＧｓ）を簡単に比較しておこう。まず両者を掲げよう。

ミレニアム開発目標

１　極度の貧困と飢餓の撲滅
２　普遍的初等教育の達成
３　ジェンダーの平等の推進と女性の地位向上
４　幼児死亡率の削減
５　妊産婦の健康の改善
６　ＨＩＶ／エイズ、マラリアその他疾病のまん延防止
７　環境の持続可能性の確保
８　開発のためのグローバル・パートナーシップの推進

持続可能な開発目標

１　貧困をなくそう
２　飢餓をゼロに
３　すべての人に健康と福祉を
４　質の高い教育をみんなに
５　ジェンダー平等を実現しよう
６　安全な水とトイレを世界中に
７　エネルギーをみんなに、そしてクリーンに

8　働きがいも経済成長も
9　産業と技術革新の基盤をつくろう
10　人や国の不平等をなくそう
11　住み続けられるまちづくりを
12　つくる責任、つかう責任
13　気候変動に具体的な対策を
14　海の豊かさを守ろう
15　陸の豊かさも守ろう
16　平和と公正をすべての人に
17　パートナーシップで目標を達成しよう

このように両者を並べてみると、ミレニアム開発目標は、項目1・2・4・5などからわかるように途上国の貧困問題解消のための《開発》ということが中心目的であった。これに対して、持続可能な開発目標は、11から15までの項目からわかるように、《開発》と同時に《持続可能性》ということも中心目的とされている。

単元3　貧困問題へのわが国の取り組み

わが国は、世界の経済的発展のためにどのように貢献しているだろうか。

【自助努力を促してきた日本型ＯＤＡ】

貧困・飢餓の問題に対処するために、わが国は、有償無償の資金協力や、**国際協力機構（ＪＩＣＡ）**が派遣する**青年海外協力隊**などの活動を通じて、発展途上国に対する**政府開発援助（ＯＤＡ）**を行ってきました。ＯＤＡは、わが国の重要な国際貢献の一つであり、援助額も世界でトップクラスになっています。

これまでの日本のＯＤＡには、三つの特徴があります。第１に、中国やインドネシアなどの東アジア諸国を中心に援助してきました。第２に、道路、橋梁、鉄道、港湾、ダム、発電所、ＩＴ通信網などの社会インフラにＯＤＡ資金援助をしてきました。第３に、無償援助によって被援助国を支配下に置く米ソのような方法をとらず、**「自助努力支援」**の原則を掲げ、インフラの建設資金としては元本と利子の返済を要する借款が用いられてきました。これは、戦後の日本が外国からの援助を「自助努力」により効率的に使用して経済発展を行った経験をもとにした原則です。

東アジア諸国は、元本と利子を返却するために懸命の努力を行い、自助努力の精神を身につけていきました。その結果、奇跡といわれた経済発展を遂げていき、しかも人口増加も抑制されていったのです。今日では、ＯＤＡ資金援助の中心的な対象国はインドなどの南アジア諸国に移ってきています。アジア諸国では、個々人の生存、生活の条件を保障する**「人間の安全保障」**はかなり達成されるようになりました。

さらに１９９３（平成５）年以降には、日本政府主導のアフリカ開発会議が開催されており、ＯＤＡの対象国としてはアフリカ諸国がアジア諸国に次いで大きくなっています。

【日本型ＯＤＡの改革】

しかし、援助額がＧＤＰ比で少ない、援助が借款中心であると批判され、無償援助を増やしました。ところが、無償援助には軍事用に使われ国際社会における地域紛争の多発につながるという問題があります。そこで、軍事的なことに転用されないようにすること、国益を重視したものにすることに加えて、独立行政法人国際協力機構（ＪＩＣＡ）法の改正により、これまでＪＩＣＡが実施していた技術協力に加え、有償資金協力および無償資金協力を新しいＪＩＣＡが一元的に担う体制が構築されることになりました。そして、ＮＧＯや企業による援助との連携をはかるなど、国をあげた総合的な新体制をつくりました。新しい体制では、例えば、水不足が深刻なバングラデシュでの上下水道整備に、資金提供とＪＩＣＡによる技術提供および技術者養成協力とが一体に行われています。またアフリカなどでは、青年海外協力隊やＮＧＯによる農業技術協力と農作物を販売する民間企業とが協働する官民提携が考えられています。

そして２０１５（平成27）年、政府は、非軍事的協力による平和と繁栄への貢献、人間の安全保障の推進、開発途上国の「自助努力支援と日本の経験と知見を踏まえた対話・協働による自立的発展に向けた協力」、という３つの基本方針を確認しました。

ミニ知識 ネリカ米振興計画プロジェクトとＪＩＣＡ

ネリカ米とは、New Rice for Africa の略。文字通り、アフリカ向きの稲である。１９９４年にシエラレオネのモンティ・ジョーンズ博士が、病気や雑草に強いアフリカ稲と多収量のアジア稲をかけ合わせてつくった。ＪＩＣＡは、天水稲作（雨水のみを使う）の技術を導入してコストをおさえることに貢献し、ウガンダにおけるネリカ米普及に尽力している。

ミニ知識 アフリカ「緑の大壁」運動と青年ボランティア

２００５年、アフリカ国家元首会議は「緑の大壁プロジェクト」を決定した。大西洋に面した西のセネガルから東のジブチまで９ヵ国７１００㎞以上にわたって平均幅15キロほどの森林を作っていく計画である。この計画に従い、２００６年以来毎年、アフリカの青年が日本の青年とともに植林運動すなわち「緑の大壁」運動を展開した。

直接の目的は砂漠化の波を阻止することであるが、土壌の劣化防止や水質改善を通じた農業振興によって、サハラ砂漠南縁のサヘル地域の貧困を解消し持続可能な生活形態を作るという目的もある。実際、植林されたアカシアの花や実は飲食品原料となり、ゴムの木からはゴムが採取され、ともに地域住民の新たな収益となっている。

単元4　地球環境問題と国際協力

地球環境問題の解決のために、国際社会はどのように取り組んでいるだろうか。

【地球規模の環境問題】

資源枯渇問題、貧困問題に加えて、**地球環境問題**も現代の人類がかかえている重大な課題です。地球環境問題とは、大気汚染、海洋汚染、水質汚染、土壌汚染、森林の破壊、砂漠化、黄砂、野生生物種の減少などのことです。これらは人類の活動で生じている地球環境の悪化現象で、国境に関係なく地球規模で発生している国際的な問題です。わが国は、中国の大気汚染、アフリカ、東南アジアなどの水質汚染など環境汚染対策や、島嶼国の環境保全に対する「島国まるごと支援」などでの援助、協力を進めています。

現在、最も重大な問題とされているのが、**地球温暖化問題**です。２００７年、国連の専門機関である気候変動に関する政府間パネル（ＩＰＣＣ）は、人間の活動によりCO_2などが急激に増加し、最悪では、２１００年までに地球の気温を約４℃上昇させると予想しました。このため、洪水や干ばつの多発、食料生産の減少など、人類の生存をおびやかす深刻な事態をまねく可能性が高いと警告しました。今日、CO_2など温室効果ガスの排出量削減が、人類の緊急の課題とされています。

【京都議定書】

人類の共有財産である地球環境を守るため、1992年の国連環境開発会議（地球サミット）では、地球温暖化防止を目的に**気候変動枠組条約**が結ばれました。そして1997年の**京都議定書**では、先進国だけがCO_2の削減義務を負う取り決めが行われました。2012年までに1990年に比べて、EU諸国が8％、アメリカが7％、日本やカナダが6％を削減することを目標としました。目標が達成できない場合には未達成分の1・3倍の削減義務を負うことになりました。これに対して中国、インド、アフリカ諸国などだけではなく、ロシアや韓国、シンガポールなども削減義務を負わないことになりました。

このように議定書は不公平なものだったため、2001年にアメリカが、2011年にはカナダが京都議定書から離脱しました。CO_2排出量の多いアメリカ、中国、インド3国（2012年のCO_2排出量合計は世界の48・8％）が削減義務を負わないことになったため、世界全体のCO_2排出量は減りませんでした。

【パリ協定】

そこで、2015年のCOP21（気候変動枠組条約第21回締約国会議）で採択された**パリ協定**では、産業革命前と比べた気温上昇を世界全体で2℃未満におさえる目標を立て、2020年以降、中国やインドなどもふくむ197か国・地域が削減目標を作成する義務を負うことになりました。ただし、目標達成義務は負っていません。2021年、わが国は、**「日本のNDC（国が決定する貢献）」**を国連に提出し、2030年に2013年比で46％削減し、他の先進国と同じく2050年までに排出量を実質ゼロにする目標を掲げています。そして削減目標の達成のため、すぐれた環境保全と省エネ技術を途上国を中心に、ODA資金などで積極的に提供しようとしています。しかし、最大のCO_2排出国である中国は発展途上国に分類されているため、2030年から排出量削減を始めるという目標を表明しているだけであり、その時までCO_2排出量を増やし続けることが認められています。

ミニ知識　森の恩恵と循環型社会の構築

森林は、①その保水力によって②砂漠化や洪水・山崩れなどを防止し、③CO_2を吸収して気温の上昇を抑制するとともに、④大量の酸素を製造・放出して空気を浄化することによって、⑤人類をふくむ動植物などの生態系を維持している。持続可能な循環型社会の要というべき存在である。さらに森林には⑥木材や食料・浄水などの有用資源の生産、⑦美しい景観の創出、⑧森林浴などによる心身の健康増進、⑨霊性の復活・再生（聖なる森、鎮守の森）といった効用がある。だが、各地で行われる森林破壊は、湿潤な森林地帯でも砂漠化を進行させている。森林の維持によって砂漠化を食い止め、持続可能な循環型社会を構築していかなければならない。

ミニ知識　京都議定書と国益

京都議定書（１９９７年12月採択、２００５年2月発効）をめぐって、各国は国益をかけて争ってきた。８％の削減義務を負ったEUは１９９０年を基準年にすることを主張し、その通りとなった。ドイツは、旧東ドイツの発電所を更新していたため、１９９７年時点で、１９９０年比でCO_2排出量を14％も減らしていた。英国も同時期に石炭から天然ガスに燃料を切り替え、10％もCO_2排出量を減らしていた。そして、EUでは、削減目標を再分配する仕組みにより、１９９０年比でCO_2を増やしてもよい国もあった。EU外交の勝利である。

いっぽう、7％の削減義務を負ったアメリカは、途上国がCO_2排出削減義務を負わないことが不公平だとして、２００１年に議定書から離脱した。

対して、最も省エネを進めていた日本は、1990年比0・5%削減の目標で会議に臨んでいた。ところが、議長国としての体面もあり、6%削減目標を掲げることになったが、2012年にはCO_2が1990年比で1・4%増加してしまった。そこで、日本は、6%の目標を達成するため、CO_2排出枠未満の国から排出権を買うために1兆円を超えるお金を使った。国益意識の薄い日本外交の敗北である。

単元5　地球温暖化問題への対処の仕方

地球環境問題は確かに存在するが、地球温暖化問題は本当に存在するのだろうか。その対処策は、特にわが国の対処策は正しいのであろうか。

【地球温暖化とCO_2】

人類をはじめとした生物は、大気中の温室効果ガス（水蒸気とCO_2）のはたらきで適温が保たれ、CO_2のはたらきで**光合成**が行われているから生存しています。CO_2の増加は、人類及び生物全体にとってありがたいことです。しかし、産業革命期以降、人類が化石燃料を燃やし続けた結果CO_2は増え続けていますし、1980年代以降は温暖化傾向にあり、それが原因でさまざまな地球環境問題が生じているとされます。したがって、人間活動によるCO_2増加が地球温暖化をもたらし人類の生存を脅かしているという仮説は一応成り立ちます。

世界は今この仮説に基づき動いていますが、この仮説が正しいのか大いに疑問があります。人間の活動、とりわけ化石燃料の使用によってCO_2が増加していることは本当ですし、温室効果ガスであるCO_2の増加が気温上昇要因であることは本当です。しかし、同じく温室効果ガスである水蒸気はCO_2の十数倍以上存在しますから、CO_2の増加は気温上昇要因としては問題にならないものであることが分かります。

気温は太陽活動を主な原因とする**自然変動**で決まるものです。短期的には数十年ごとに、中長期的には数百年ごとに温暖期と寒冷期を繰り返してきました。短期的な周期に注目すれば、1960年代から1970年代には、CO_2が激増中だったにもかかわらず、気温は低下しており、人々は寒冷化を心配していました。こういう周期に注目すれば、温暖化し始めた1980年代から数十年経過しつつありますから、いずれ寒冷化が始まることになります。

【地球温暖化問題はなぜ生まれたのか】

にもかかわらず、なぜ、**地球温暖化問題**は生まれたのでしょうか。振り返ると、1980年代中期には環境関係者の献身的な活動で先進国の環境が清潔になった結果、環境関係者の仕事がなくなってしまいました。しかし、あちこちの官庁や企業、大学や研究所に多くの環境関係者が増えていましたので、彼らは次の仕事を求めました。そして見付けたのが地球温暖化問題だったのです。そして温暖化のせいでホッキョクグマが減少しているとか、ツバルという島国が水没してしまうとか危機を煽っていましたが、今日ではいずれも嘘であることが明白になっています。

また、1988年11月につくられた地球温暖化問題の旗振り役であるIPCCは、終わりつつある**東西問題**から貧富の差という**南北問題**に舵を切りました。IPCCの狙いは、脱炭素政策を通じて、富裕国である先進国の発展を止め、貧困国である途上国にお金を移動させて経済発展させることです。この狙いは成功しています。

アメリカやEUなどは、このような事情を知っている人が多数いますから、日本ほど真面目に取り組んではきませんでした。これに対してわが国では、メディアが温暖化問題のおかしさを報道しませんから、本当のことを知っている人が極めて少数です。その結果、脱炭素運動が狂信的に進められており、毎年5兆円規模の予算が温暖化対策に使われています。この予算が防衛予算に使われておれば日本の安全保障体制は相当に充実していたでしょう。また1兆円でも農業予算に使われていれば、ここまで農業が衰退することは無かったでしょう。何ともおかしなことです。

もっと知りたい　SDGsの暴走を止めるにはどうしたらよいか

SDGsの掛け声の下、環境破壊どころか、農牧業への攻撃とともにコオロギ食への転換などが叫ばれている。こうしたSDGsの暴走を止めるにはどうしたらよいであろうか。

【石炭・石油を目の敵にする】

テレビコマーシャルを見ると、**SDGs**という言葉が盛んに登場する。世の中はSDGsの掛け声であふれている。SDGsとは持続可能な開発目標のことであるが、これは《開発》と《持続可能性》の二つを中心目的とするものである。しかし、徐々に《持続可能性》という目的に重心が偏り始めてきた。《持続可能性》に関わり一番世界で重視されているのが「13気候変動に具体的な対策を」という目標である。この目標を達成するために、二酸化炭素などの温室効果ガスが目の敵にされ、脱炭素ということが世界中で叫ばれてきた。脱炭素達成のためにまず行われたのが、石炭や石油などの**化石燃料の使用削減**である。そのために火力発電から**太陽光発電**や**風力発電**などの再生可能エネルギー発電への転換が推進されてきた。そして、ガソリン車から**電気自動車**に強引に転換がはかられてきた。要するに、太陽光発電・風力発電の推進と電気自動車への転換がはかられてきたのである。これが脱炭素のために、SDGsのために行われてきた第一のことである。

【農牧業への攻撃とコオロギ食・培養肉の推奨】

次に脱炭素達成のために目を付けられたのが、特に**牧畜業**である。ビル・ゲイツらにより「牛のゲップが吐き出すメタンガスが地球温暖化の原因である」という理屈が唱えられ、数年前から牧畜業に対する弾圧が西欧中心に始まっている。さらに例えば2024年のダボス会議では「水田稲作はメタンガスを発生させる」と攻撃され、農業も否定すべきだという論理が登場している。既に西欧では、農家から土地を取り上げる政策を進める国も出てきている。さらに脱炭素思想からする攻撃は漁業にも及んでいる。

では、農牧業や漁業をやめるならば、人類は何を食べたらよいのか。**グローバリスト**たちが推奨するのがコオロギやゴキブリなどの**昆虫食**であり、人工肉や培養肉である。要するに、脱炭素思想は、第二に、農牧畜業・漁業の破壊と昆虫食や培養肉などへの転換を強引に進めようとしているのである。農業まで否定されていけば当然に食糧危機が訪れるだろうし、多数の人の命が奪われることになろう。つまり、持続可能性など全く存在しないのであるが、食糧危機が訪れれば、彼らにとっては、それは昆虫食などを売り込むチャンスにもなるわけである。

しかし、前述のように、温室効果ガスによる地球温暖化という物語は嘘である。この嘘話を基に、グローバリストたちは、自分たちの金儲けのために食糧危機まで作り出そうとしているわけである。

【なぜSDGsの暴走が生じるのか】

なぜ、こんな現実離れした、おかしなことに一生懸命になるのか。それは、彼らが道徳心を持たず**〈今だけ、金だけ、自分だけ〉**の価値観に染まっているからである。次から次に金儲けの題材を求めるのである。

また、フランス革命以来の人工主義思想に染まっているからでもある。彼らは宗教と神を否定した結果、所詮人間は不完全で賢くない存在であることを忘れてしまった。そして、頭の中でこしらえあげた理想を実現しようとする人工主義的な態度で物事に臨み、現実を無視するのである（第2章の「もっと知りたい　国民主権、人権思想と立憲主義の矛盾対立」）。

このSDGsの暴走、地球温暖化対策の暴走は、フランス革命やロシア革命のように、毛沢東の文化大革命のように、いやそれら以上に多くの人の生命を奪い、人類を悲惨な境遇に叩き落すことになろう。何としても、この暴走を止めなければならない。

【SDGsの暴走を日本的価値観によって止めよう】

暴走を止めるのに力を発揮するのは、案外、**日本的価値観**の復活かもしれない。序章単元6では、わが国の文化的伝統として、寛容の心、和の精神・合議の精神、仕事に対する忠誠心、八百万の神々の精神といったことを挙げてきた。これらの精神がグローバリストたちにあれば、彼らの暴走もなかったのではないか。

そもそも環境学者たちに仕事に対する忠誠心があれば、地球温暖化をめぐる多くの嘘話を振りまくことはなかっただろう。寛容の心や和の精神・合議の精神があれば、これほど強引に太陽光発電などへの転換が行われることはなかったであろう。そして、八百万の神々の精神があれば、自然に対する畏敬の念も生まれ、人間が未熟で不完全な存在であることを思い知ることになり、人工主義的に物事を進めることの愚を悟ることになろう。

単元6　日本が生き残るために

今後の日本は生き残りが危ぶまれている。わが国が生き残っていくためにはどうしたらよいか考えよう。

【核兵器と我が国】

世界で唯一の核被爆国である我が国は、**核廃絶**を掲げています。２００９年４月には、最大の核兵器保有国の一つであるアメリカのオバマ大統領も「核兵器のない世界」を目指すことを表明しました。しかし、我が国の隣国である中国や北朝鮮は、核兵器を保有し、我が国に照準を合わせています。最近情勢では、ロシアの核による脅威も考慮の一つに入れなければならなくなりました。しかも、我が国は、核攻撃された場合に核兵器で反撃する手段をもっておらず、世界の中でも最も核攻撃を受ける危険性をもった国です。それゆえ、我が国は、自国の安全のために、日米安全保障条約を結び、アメリカによる**「核の傘」**を維持し続けてきました。

しかし、決してアメリカは、日本を守るために中露や北朝鮮と核戦争を行う覚悟はありません。つまり、「核の傘」など、実際には存在しないのです。ですから、日本は、中露や北朝鮮の核から自国を防衛するために**核小国**になることが求められます。少量の核兵器を持つ核小国は、核超大国と対等な立場で交渉できるようになります。核超大国といえど、少量の核爆弾を自国に打ち込まれたら大変な被害を生みますから、核小国を対等に扱わなければならなくなります。

さらに言えば、外国から核攻撃を受けた唯一の国家であるわが国は、世界で唯一核兵器を保有する権利を持っています。広島・長崎への原爆投下は、軍事的理由からというよりも、米英の両指導者がもつ人種差別主義から行われていたことに鑑みれば、なおさら権利を持っていると言えます。１９４４年9月18日にハイドパークで、ルーズベルトとチャーチルは、原爆を日本国（Japan）に対してではなく、日本人(Japanese)に対して使用する合意を行っていたのです（岡井敏『原爆は日本人には使っていいな』早稲田出版、２０１０年)。このことは歴史教科書で広く教えられなければなりません。

【わが国の生き残りを】

日本の**食料自給率**は2008（平成20）年で41％、2021（令和3）年で38％であり、主要国のなかで最低となっています。わが国には、食料自給の面で弱点があるといえます。それゆえ、世界の持続可能性以前に、我が国家社会の持続可能性、生き残りが問題だといえるでしょう。日本の伝統的な水田農業は、土地の生産力を維持しながら行われる資源循環型または環境保全型の農業です。それゆえ食料自給率を高めるためにも、環境保全型農業を復活拡大させていくべきでしょう。

【人間の安全保障を】

現代の世界では、アメリカと中国が最も力のある国家です。しかし、両国は世界で最も多く資源とエネルギーを消費しており、社会主義国の中国は、少数民族や宗教を抑圧する等の人権問題を多くかかえています。この両国に対抗できる潜在的国力をもった国は、わが国だけです。

わが国は世界の先進国のなかで、最も環境保全技術と省エネ技術を備えた地球環境問題に最も先進的な国家です。また、自由民主主義体制をとった世界で最も人権が保障された国家です。それゆえ、わが国は、地球環境問題など人類がかかえている諸問題を解決し、**「人間の安全保障」**を実現するリーダーとなっていくことができます。その意味で、わが国の生き残りこそ国際貢献の第1歩といえるでしょう。

ミニ知識　**核シェルターの整備を**

2004年制定の国民保護法では、武力攻撃から国民の生命・身体・財産を保護するために必要な避難指示が出される。だが、どこに避難すればよいのだろうか。核戦争の危険性を意識してきた諸外国では、国民保護のため核攻撃にも備えた避難所（核シェルター）を用意している。いっぽう、わが国は、周りの核保有国から超高速または複数のミサイル等で攻撃された場合の防御は不可能であるといわれる。にもかかわらず全く核シェルターを用意できていない。異常なことである。

以下に、各国の核シェルター普及率を掲げる。

イスラエル、スイス　100%
ノルウェー　98%
アメリカ　82%
ロシア　78%
イギリス　67%
日本　0・02%（データは産経新聞平成29年9月18日より）

ミニ知識　**人間の安全保障**

「人間の安全保障」とは、民族紛争や人権問題、人口爆発、貧困・飢餓、資源・エネルギー問題、地球環境問題とともに登場した考え方である。これらの問題は、個々の人間の生存や安全をいちじるしく脅かす。この脅威を取り除く責任は、本来、国家にあるが、この責任を果たすことができない国家も存在している。そこで、国際社会が協同して、個々の人間の安全を守るべきであるという考え方が出てきた。そのために、本来国家について使われる「安全保障」という言葉の意味を拡大して、「人間の安全保障」という言葉が作られた。

単元7　持続可能な日本と世界

持続可能な日本と世界を築くということはどういうことか、最後に考えてみよう。

【国境の維持】

私たちは、持続可能な日本と世界を築き、人類が幸せになることを願っています。そのためには、世界でも国内でも**平和**を守っていくことが重要です。しかし、イギリスやフランスなどが勝手に自分たちの都合で国境線を決めたアフリカや中東の地域では、その地域の人たちが納得できる国境線になっていないため、戦争や内戦が頻発しています。

また、近年のアメリカやヨーロッパでは、国家というものを軽視する**グローバリズム**が広がった結果、国境という観念が極めて希薄となり、不法入国の外国人を含めて多数の外国人を受け入れてきました。そして、多様な歴史的・文化的背景を有する人たちが同じ国内で暮らすようになった結果、文化的摩擦が強くなり、国内で暴動やテロ事件、レイプ事件などが多発し、国内平和が保てなくなっています。

ですから、平和を守るには何よりも国境をしっかり定めて、その壁を物理的にも法制度的にもしっかり維持していくことが必要です。そうすれば、国境を接する国同士の武力衝突や戦争は起きにくくなりますし、外国人が自国に不法侵入することも防ぐことができます。国境をしっかり守ることこそが治安の維持、平和の維持をもたらすのです。そうすれば、例えば国を失い日本に逃れてきたウイグル民族などの保護も十分に行えます。つまり、世界や国内の平和のためには、国民と領域内の人々の生命や身体の安全を守り、家族や財産の保護を行う国家というものが必要なのです。

【複数の国民国家からなる世界秩序】

しかし、いくら国境をしっかり定めておいたとしても、戦争は起こりえます。では、どのように世界平和を維持したらよいのでしょうか。世界平和の維持のためには二つの方法が考えられます。一つは圧倒的に強力な軍事力や経済力を備えた超大国が世界を取り仕切る**帝国型の秩序**を築く方法です。もう一つは、同程度の軍事力・経済力の国家が多数存在し、国際協調をはかりながら**勢力均衡**を実現する方法です。この方法は、国内政治における権力分立と同じように、国家同士が互いに抑制均衡し合いますから、国際政治における独裁政治・専制政治の出現を防ぐことができます。

米ソ冷戦終結後の30年間は前者の時代でした。アメリカはグローバリズムを世界に広め全世界を取り仕切る一極体制の構築に力を注いできました。しかし、前述のように、BRICSの台頭に伴い、アメリカ一極体制から多極体制（多数の国民国家からなる世界秩序）に転換しつつあります。多極体制への転換に伴い、グローバリズムから**ナショナリズム**への思想的転換が世界的に起きつつあります。

【国家の再建を】

この30年間、発展途上国を中心に目覚ましい経済発展はありましたが、序章単元1で展開したように、いろいろな問題が生じてきました。グローバリズムの時代には、家族や国家などの共同体に属さず、それらの共同体に愛着心も忠誠心も持たない人たちが、世界全体でも世界の主要国でも権力を握ってきました。彼らは**道徳心**を失っており、〈今だけ、金だけ、自分だけ〉の価値観に染まってしまい、自己利益を追求して世界的に極端な経済的格差を生み出してきました。また、自己利益の拡大のため、安い労働力を求めて正規労働から非正規労働へ、国民の労働から移民労働へ、合法移民労働から不法移民労働へ、急速な切り替えをはかってきました。その結果、国内治安が悪化し、国内が分断され、共同体などが破壊されていき、自国の伝統文化が崩されてきました。

しかも、彼らは、実は国民に選ばれたわけでもないのに権力を握っていますから、**民主主義**の手続きを無視して物事を進めます。例えば日本では、TPPやRCEPなどの各種協定についても、きちんと国民と議会に情報開示を行わないまま締結・批准まで進めてしまいます。そして、強引に、自己利益を追求するために、彼らにとって不都合な事実が拡散されないようにするために、表現の自由などの国民の自由を奪ってきました。それればかりか、新型コロナワクチンの例に見られるように、生命・身体の自由さえも奪うことを行ってきました。特に新型コロナ騒動以来、世界は悲惨な状況に陥っています。

世界が悲惨な状況から抜け出すにはどうしたらよいでしょうか。防衛、社会資本の整備、法秩序・社会秩序の維持、国民一人ひとりの権利保障という主権を持った**国民国家**の役割を再確認し、その役割を復活させることです。少なくとも防衛、社会資本の整備、法秩序・社会秩序の維持という3つの役割を各国が復活させることです。国内でも世界でも安定した秩序をつくり、自由と民主主義を最も可能にするのは国民国家なのです。

【各国各文明の競い合い→それが人類の生き残りにつながる】

主権を持った国民国家が多数存在すれば、いろいろな種類の文明・文化が生き残っていきます。そして各種の文明文化が平和的に競い合うこととなります。そのような競い合いが人類の進歩につながったり、衰退を食い止めたりして、人類の生き残りにつながっていくことになるのではないでしょうか。

グローバリズムが国境の壁を無くしてしまえば、各種の文明文化は直接的にぶつかり合うようになり摩擦を生じます。それがテロや戦争を生み出します。各種の文明文化は暴力的に競い合うことになります。そのようなことを防ぐためにも、主権国家の復権が必要なのです。

主要参考文献

序章

石川英輔『大江戸リサイクル事情』講談社、1997年

渡辺京二『逝きし世の面影』平凡社、2005年

中山恭子『ウズベキスタンの桜』中央出版、2005年

野村進『千年、働いてきました――老舗企業大国ニッポン』角川書店、2006年

嶌信彦『日本兵捕虜はシルクロードにオペラハウスを建てた』角川書店、2015年

第1章

フェルディナンド・テンニエス『ゲマインシャフトとゲゼルシャフト』岩波書店、1957年

福沢諭吉『学問のすすめ』岩波書店、1978年

富永健一『社会学講義』中央公論新社、1995年

藤岡信勝「〈government of the people〉の解釈と民主主義の理解」(『新日本学』平成19年秋季刊6)

南出喜久治・水岡不二雄『児相利権――「子ども虐待防止」の名でなされる児童相談所の人権蹂躙と国民統制』八朔社、2016年

槇泰俊『ルポ・児童相談所――一時保護所から考える子ども支援』筑摩書房、2017年

水岡不二雄「民法822条「懲戒権」の廃止・改悪を許すな!」2021年2月、児相被害を撲滅する会HP

第2章

井上孚麿『憲法研究』政教研究会発行、東京堂発売、1959年
菅原裕『東京裁判の正体』時事通信社、1961年(2001年、国書刊行会から復刻発行)
菅原裕『日本国憲法失効論』時事通信社、1961年(2002年、国際倫理調査会から復刻発行、制作・発売は国書刊行会)
勝俣鎮夫『一揆』岩波書店、1982年
小森義峯『天皇と憲法』皇学館大学出版部、1985年
小山常実『天皇機関説と国民教育』アカデミア出版会、1989年
古関彰一『新憲法の誕生』中央公論社、1989年
芦部信喜・高見勝利編著『日本法資料全集1 皇室典範』信山社出版、1990年
鈴木浩三『江戸の経済システム』日本経済新聞出版、1995年
衆議院事務局編『衆議院帝国憲法改正案委員小委員会速記録』衆栄会発行、1995年
エドマンド・バーク『フランス革命の省察』みすず書房、1978年初版、1997年新装版
増田弘『公職追放論』岩波書店、1998年
西修『日本国憲法はこうして生まれた』中央公論社、2000年
伊藤哲夫『憲法かく論ずべし』日本政策研究センター発行、高木書房発売、2000年
中川八洋『正統の憲法 バークの哲学』中央公論新社、2001年
八木秀次『反「人権」宣言』筑摩書房、2001年
長谷川三千子『民主主義とは何なのか』文藝春秋社、2001年
中山太郎編『世界は「憲法前文」をどう作っているか』TBSブリタニカ、2001年

小山常実『「日本国憲法」無効論』草思社、2002年
佐藤和男監修『世界がさばく東京裁判』改訂版、明成社、2005年
三笠宮寛仁親王「天皇と日本」(『日本人の歴史教科書』自由社、2009年)
南出喜久治『占領憲法の正体』国書刊行会、2009年
太平洋戦争研究会編著『東京裁判の203人』ビジネス社、2015年
小山常実『「日本国憲法」・「新皇室典範」無効論——日本人差別体制を打破するために』自由社、2016年
高尾栄司『日本国憲法の真実』幻冬舎、2016年
高尾栄司『ドキュメント　皇室典範』幻冬舎、2019年

第3章

立作太郎『戦時国際法論』日本評論社、昭和19年
美濃部達吉『日本国憲法原論』有斐閣、1948年
佐々木惣一『改訂日本国憲法論』有斐閣、1952年
石本泰雄『中立制度の史的研究』有斐閣、1958年
大石義雄『日本国憲法の法理』有信堂、1965年
小田村寅二郎、小柳陽太郎編著『歴代天皇の御歌―初代から今上陛下まで二千首』1973年
宮沢俊義『全訂日本国憲法』芦部信喜補訂、日本評論社、1978年
佐藤幸治『憲法』青林書院、1981年
小島和司『憲法概観〔第3版〕』有斐閣、1986年

小山常実『戦後教育と「日本国憲法」』日本図書センター、1992年（現在は学術出版会より発行）
衆議院事務局編『衆議院帝国憲法改正案委員小委員会速記録』衆栄会発行、1995年
山本雅人『天皇陛下の全仕事』講談社、2009年
小山常実『公民教育が抱える大問題』自由社、2010年
芦部信喜『憲法　第五版』高橋和之補訂、岩波書店、2011年
長尾一紘『日本国憲法　全訂第4版』世界思想社、2011年
皿木喜久編、小山常実他『「ヘイトスピーチ法」は日本人差別の悪法だ』自由社、2016年
斎藤康輝・高畑英一郎編『憲法［第2版］』弘文堂、2017年
小山常実『自衛戦力と交戦権を肯定せよ』自由社、2017年
中村秀樹『日本の軍事力　自衛隊の本当の実力』KKベストセラーズ、2017年
矢部宏治『知ってはいけない――隠された日本支配の構造』講談社、2017年
矢部宏治『知ってはいけない2――日本の主権はこうして奪われた』講談社、2018年
阿羅健一・杉原誠四郎『吉田茂という反省』自由社、2018年
村田春樹『ちょっと待て!!　自治基本条例』青林堂、2018年
すべてのヘイトに反対する会編『日本を滅ぼす欠陥ヘイト条例』展転社、2020年
公益社団法人国民文化研究会『歴代天皇の御製集』致知出版社、2023年

第4章

関岡英之『拒否できない日本――アメリカの日本改造が進んでいる』文藝春秋社、2004年
ロナルド・ドーア『誰のための会社にするか』岩波書店、2006年

「判決確定「消費税は対価の一部」――『預り金』でも『預り金的』でもない」全国商工新聞2006年9月4日
近藤大介『「中国摸式」の衝撃』平凡社、2012年
青木泰樹『経済学者はなぜ嘘をつくのか』アスペクト、2016年
堤未果『日本が売られる』幻冬舎、2018年
ダグラス・マレー『西洋の自死』東洋経済新報社、2018年
佐藤健志『平和主義は貧困への道あるいは対米従属の爽快な末路』ベストセラーズ、2018年
中野剛志『奇跡の経済教室【基礎知識編】』KKベストセラーズ、2019年
三橋貴明『知識ゼロからわかるMMT入門』経営科学出版、2019年
三橋貴明『竹中平蔵教授の「反日」経済学』経営科学出版、2021年
岩尾俊兵『日本式経営の逆襲』日本経済新聞出版本部、2021年
鈴木宣弘『世界で最初に飢えるのは日本』講談社、2022年
大石久和『「国土学」が解き明かす日本の再興』経営科学出版、2022年
三橋貴明『経済大国ニッポンの不自然な没落』経営科学出版、2023年
トマ・ピケティ『自然、文化、そして不平等』文藝春秋社、2023年

第5章

神谷龍男『国際連合の安全保障〔増補版〕』有斐閣、1971年
荒木和博『拉致救出運動の2000日』文藝春秋社、2004年
下條正男『「竹島」その歴史と領土問題』竹島・北方領土返還要求運動島根県民会議発行、2005年

東郷和彦・保阪正康『日本の領土問題』角川書店、2012年、
林建良『中国ガン』並木書房、2012年
山田吉彦『海から見た世界経済』ダイヤモンド社、2016年
山田吉彦『日本の領海がわかる本』実業之日本社、2016年
兵頭二十八『日本の武器で滅びる中華人民共和国』講談社、2017年
田村重信『防衛政策の真実』育鵬社、2017年
冨澤暉『軍事のリアル』新潮社、2017年
色摩力夫『日本の死活問題――国際法・国連・軍隊の真実』グッドブックス、2017年
植木安広『国際連合――その役割と機能』日本評論社、2018年
小室直樹『国民のための戦争と平和』ビジネス社、2018年
楊海英『墓標なき草原――内モンゴルにおける文化大革命・虐殺の記録』(上)(下)、岩波書店、2018年
近藤大介『未来の中国年表――超高齢大国でこれから起こること』講談社、2018年
石平・黄文雄『中国が日本に仕掛ける最終戦争』徳間書店、2018年
ムカイダイス『在日ウイグル人が明かすウイグル・ジェノサイド――東トルキスタンの真実』ハート出版、2021年
チベット亡命政権ジュネーブ支局『チベット侵略　中国共産党100の残虐行為』飛鳥新社、2021年
馬渕睦夫『ディープステート　世界を操るのは誰か』WAC出版、2023年

終章
渡辺利夫・三浦有史『ＯＤＡ（政府開発援助）日本に何ができるか』中央公論新社、２００３年
アマルティア・セン『人間の安全保障』集英社、２００６年
日下公人・伊藤貫『自主防衛を急げ！』李白社、２０１１年
渡辺正『「地球温暖化」狂騒曲――社会を壊す空騒ぎ』丸善出版、２０１８年
杉山大志編著『ＳＤＧｓの不都合な真実――「脱炭素」が世界を救うの大嘘』宝島社、２０２１年
ヨラム・ハゾニー『ナショナリズムの美徳』東洋経済新報社、２０２１年
西尾幹二『日本の希望』徳間書店、２０２１年
渡辺正『「気候変動・脱炭素」14のウソ』丸善出版、２０２２年

あとがき

5つの嘘物語

ようやく、『大人のための公民教科書』を書き上げた。書き上げて思ったことは、現代日本は数々の嘘物語を前提にして成り立っているということだ。その中でも、以下に挙げる5つの物語が特に重要だ。

第一　日本は侵略戦争を行い、数々の国際法違反を行った戦争犯罪国家である
第二　「日本国憲法」は憲法として有効に成立した
第三　「新皇室典範」は皇室典範として有効に成立した
第四　日本政府が発行している大量の国債は借金だから日本は財政破綻する
第五　人間活動により地球温暖化問題が生じている

第一の嘘に基づき、いわゆる自虐史観が生まれた。自虐史観に基づき、日本は、占領期のアメリカによる数々の横暴に対して今に至るまで異議申し立てを行わず、中韓の誤った歴史認識にも異議を唱えてこなかった。そして、日本に生じてくる不幸を何となく受け入れていくばかりか、「従軍慰安婦」強制連行や慰安婦性奴隷説という虚構まで自らこしらえ挙げてきた。狂気の沙汰であるが、ともかく、日本は、名実ともに経済大国となった1980年代から、自らを傷つけて自殺への道をひた走るようになっていった（拙著『公民教育が抱える大問題』自由社、2010年）。

第二の嘘を基本にして、更に第9条で日本は自衛戦力と交戦権を否定したという間違った解釈を日本国家は維持してきた。その結果、自主防衛体制を構築できず、今や軍事的・外交的に存亡の危機を迎えている。

第三の嘘によって、日本は国体とは何か分からなくなってしまっている。その結果、11宮家の復活という当たり前のこともできず、万世一系の天皇制（いわゆる保守世界では皇室制度という言い方が最近行われるが、国家にとって直接意味のある存在は天皇の方なのでこの語を用いることにする）の危機を迎えている。

第四の嘘に基づき、緊縮財政を20数年間にわたって続けてきた結果、アメリカにも迫ろうかというほど経済力のあった日本は、全く経済成長せず今や世界第4位に落ちぶれてしまっている。軍事的に侵略されずとも、経済的に発展途上国化していき、大国の経済的植民地になりつつある。

第五の嘘に基づき、カーボンニュートラルを唱え太陽光発電などを進めている。その結果、電力供給が不安定化して経済力を更に落としていったばかりか、太陽光パネルや風車の設営により景観を壊すとともに、山地の保水力を低下させ洪水などの被害を拡大させている。要するに、この嘘は、日本の経済力とともに自然をも破壊してきているのである。

自虐史観より危険な反国家的な公民教育

これら5つの嘘物語を維持していけば、理論的に日本の滅亡は定まってくる。特に第一の嘘物語に基づく自虐史観は、外交や歴史戦だけではなく、あらゆるところに顔を出している。第二から第五までの嘘物語の背景にはすべて第一の嘘物語がひそんでいる。それればかりではなく、移民推進や日本の少子化その他の背景にも存在する。

それゆえ、一般には、学校教育やマスコミによってなされる反日的な歴史教育、自虐史観が日本を壊していくと言われる。この指摘自身は間違っていないが、直接的に日本を破壊してきたのは、実は、特に学校教育が施す反日的かつ反国家的な公民教育の方である。

公民教科書は、いろいろな弊害を日本社会にもたらしてきたが、分かりやすい弊害は、結果の平等を求める余り逆差別をもたらす思想的根拠である平等権という概念を、１９６５（昭和40）年前後に、憲法学より20年ほど先に広げたことがある。その結果、平成に入って以降の公民教科書は、女性差別、障害者差別、韓国・朝鮮人差別などの外国人差別、アイヌ差別など差別問題に異様に頁数を割くようになった。この反差別ないし逆差別思想は、日本人一般に広がり、２０１６年には「本邦外出身者に対する不当な差別的言動の解消に向けた取組の推進に関する法律」（所謂ヘイトスピーチ解消法）が成立した。何度も言うが、この法律は日本国民から外国人に対するヘイトスピーチを禁止しながら、外国人から日本国民に対するヘイトスピーチを禁止しないものであり、堂々と「法の下の平等」を無視した日本人差別法である。

また、２０１９年にはアイヌ新法が成立し、アイヌが先住民族と虚構されたばかりか、アイヌ差別がことさらに禁止されることになった。アイヌ差別だけを特別に法律で禁止することは、逆に言えばアイヌ以外の日本人を差別することであり、やはり「法の下の平等」に反することだった（どうしても法律が必要だとしたら、時限法でつくるべきである）。この問題は、性的少数者に対する差別を禁止したＬＧＢＴ理解増進法（２０２３年）にも言えることである。これは単なる理解増進法ではない、明確に反差別法である。これらの反差別法は、国民を分断し、お互いに角突き合わせる社会を作り出していく危険性が大きい。端的に、日本社会の「和の精神」に反する法律である。

今回の教科書検定で「政治に従う立場」と「親権者の懲戒権」が削除された

さて、去る3月22日、令和5年度検定に臨んでいた『新しい公民教科書』第5版は検定合格した。信用貨幣論を紹介した「二つの貨幣論」や地球温暖化論への疑問を記した「地球温暖化とＣＯ²」という小コラムには、何の検定意見もつかなかった。また、曲がりなりにも「グローバリズムと反グローバリズム」という小コラムや、「わが国の安全保障の課題」という大コラムの中で「日米合同委員会」について記した部分が、大きく修正されながらも何とか合格した。これらのことに筆者は喜ぶとともに少々驚いた。

ところが、公民教育にとっては極めて基本的な部分で落胆することが二つ存在した。一つは、「民法と家族」という単元の本文で、親権者は「養育上、必要と思われる範囲内で叱ったり、罰をあたえることができます（懲戒権）」という一文を記していたのだが、全面的に削除されてしまった。代わりに作られた本文は「親権者は、社会的に許容される正当なしつけを監護及び教育として行うことができます」というものであった。教科書調査官との議論の中で、筆者は「懲戒権は削除されたが廃止されてはいない」と主張した。このことを調査官は初めて知ったようで驚いていたが、この時もその後も「いや懲戒権は廃止されたのだ」という反論はなかった。にもかかわらず、調査官は、「罰をあたえる」や「叱ったり」という言葉にも否定的に反応した。びっくりしたのは、修正された右記本文に付けた「正当なしつけの中には、子供に問題行動のあった場合に必要と思われる範囲内で叱ったり小遣いを減らしたりするなどのことがふくまれる」という新側注も認められなかったことだった。

もう一つは、国民と国家の政治との基本的関係を記した「国家と私たち国民」という単元の中で、「政治に参加する立場」「政治から利益を受ける立場」「政治に従う立場」「政治から自由な自主独立の立場」と4つの国民の立場を記していたのだが、「政治に従う立場」に検定意見が付き前回に続いて削除されてしまったことである。検定申請本では、「国民は、法に従い社会の秩序に従う義務があり、政治のための費用を負担するために、納税の義務があります。すなわち政治に従う立場に立ちます」と書いていたのだが、これが全面的に消えてしまったのである。

この二点のことを知って、皆さんはどう思われるだろうか。これは、無政府主義思想ではないか。叱ることも問題行動に対する罰も与えられないで家庭教育は成立するのだろうか。いや、家庭の秩序は成立するのだろうか。国民が選んだ議員たちがつくる法律に従わないでよいならば、国家秩序・社会秩序は壊れてしまうのではないか。教科書調査官をはじめとした公民教科書検定を行う人たちは、完全に家庭における無政府主義、国家における無政府主義思想に染まっているのではないだろうか。家族破壊、国家破壊の思想に汚染されているのではないか。改めて、公民教育の危険性を思った。

なぜ、こんなおかなしことが生ずるのか。結局は、9条で自衛戦力と交戦権が否定されたという誤った思想に由来するものであろう。戦力・交戦権否定の思想は、いきすぎた平和主義、無責任主義を生み出し、社会における強制、国家における強制を嫌がる思想につながる。だからこそ、「親権者の懲戒権」も「政治に従う立場」も削除されてしまうのであろう。結局、とりわけ第二の嘘から由来する戦力・交戦権否定の思想を破壊しない限り、公民教育の再建も、ましてや日本国家の復興もあり得ないのではないか。

この『大人のための公民教科書』は、5つの嘘のうち、第二から第五までの4つの嘘に挑戦した書である。4つの嘘を叩き壊すことを通じて、国民一般が公民として学んでおくべき知識・思想をまとめた書である。多くの人にこの本の考え方が広がることを望むものである。

いろいろな人の仕事の上につくられた『大人のための公民教科書』

以上で思想的に書くべきことは書いたが、改めて思ったことがある。本書は筆者の単著として書いたものだし、本書のような考え方は明らかに現代日本では少数派のものであるが、それにもかかわらず、いろいろな人の仕事の上に立ってなされたものであると言わねばならない。

そもそも本書の作り方としては、『新しい公民教科書』の現行版（令和4年版）を土台にして、一部は令和5年度検定申請本と検定合格本を基にして新たに執筆したものである。執筆に当たっては、これら三著の執筆者である安藤豊、皿木喜久、澤井直明、杉原誠四郎、高池勝彦、服部剛、松浦明博、三浦小太郎、吉永潤、渡辺眞、以上10氏の文章も利用させていただいた。お礼を申し上げたい。ただし、文責はもちろん筆者にある。

また、本書は、検定過程における教科書調査官の指摘が反映している個所を基にした箇所もあるし、そもそも3回の検定過程における調査官との論争がなければ生まれなかったものである。その意味では、調査官諸氏の仕事にも拠った点がある。

思想的には、過去の先人たちの思想的営為に拠った点が数多いが、決定的に筆者及び本書に大きな影響を与えたのは「日本国憲法」無効論の元祖である井上孚麿（1891〜1978）である。井上からはもちろん無効論の概要を学んだことも大きいが、それ以上に独立国家の理論ないし精神というものを学んだ。筆者が井上から学んだきっかけは、『憲法研究』（政教研究会、1959年）という日本初の憲法無効論の本に偶然出会ったことだった。1990（平成2）年のことである。当時は無効論の存在を全く知らなかったから、驚くとともに、その論理運びにどんどん引き寄せられていった。人生の中で一番知的興奮を覚えた読書だった。

特に一番印象に残っているのは、井上が英米やスイスなどの政治を見倣うべきものと捉えながらも、これらの国から第一に学ぶべき精神は「まねをしないといふ精神」だと断言していることだった。「英国に就いても、革命もせず空理空論にも眩惑せられず外制の模倣移植もせず正直一途に自家固有の伝統を堅持して来たといふ精神をこそ学ぶべきである」「他の形骸をまねすべきではなく、まねをしないといふ精神をこそまなぶべきである」（39頁）と井上は述べている。欧米が失敗した数々の改革を猿真似しては没落し続ける現代日本人は、井上のこの言葉に耳を傾けるべきであろう。こうした井上の精神に影響を受けたからこそ、筆者は公民教科書の中に国家論を持ち込むことになったのであろう。公民教科書に国家論を持ち込むのは本来当たり前のことであるが、非武装平和主義に浸る戦後日本の言語空間ではなかなか困難なことでもあった。

井上以外に本書が大きな影響を受けているのは、第4章を読んでいただいたらすぐに分かるように三橋貴明氏である。氏とは面識がないが、氏の著作や動画からは経済学及び現代経済の諸問題について大いに勉強させていただいた。氏から学ばなければ、本書は経済分野抜きに著さなければならないところだった。しかし、経済分野なしに公民教科書は成立しないから、本書の刊行は不可能だったであろう。

最後になったが、高木書房の斎藤信二氏には、厳しい出版状況の中で商品価値の低い筆者の本を出版していただいた。また、三浦小太郎氏には、出版社とつないでいただいただけではなく、『大人のための公民教科書』という突飛な企画を進めることに躊躇していた筆者の背中を押していただいた。斎藤氏と三浦氏に感謝の意を表したい。

2024（令和6）年3月末日

小山常実

小山　常実（こやま　つねみ）

昭和 24 年（1949 年）、石川県金沢市生まれ。京都大学大学院教育学研究科博士課程単位所得。大月短期大学名誉教授、新しい歴史教科書をつくる会理事。

専攻は日本教育史、日本憲法史、日本政治思想史。

これまでの研究課題は戦前戦後の憲法解釈史、公民教科書史、歴史教科書史、教育勅語解釈史と修身教科書史、南北朝正閏問題と上杉・美濃部論争、天皇機関説事件、井上毅の思想、大正期の国家主義思想、「日本国憲法」成立過程史。

主著に『「日本国憲法」・「新皇室典範」無効論』(自由社)、『天皇機関説と国民教育』（アカデミア出版会)、『戦後教育と「日本国憲法」』（日本図書センター)、『歴史教科書の歴史』（草思社)、『「日本国憲法」無効論』（草思社)、『公民教科書は何を教えてきたのか』（展転社)、『憲法無効論とは何か』（展転社）など。

大人のための公民教科書
日本復興の希望を繋ぐために

令和 6 （2024）年 6 月12日　第 1 刷発行

著　者　　小山常実
発行者　　斎藤信二
発行所　　株式会社 高木書房
〒 116-0013　　東京都荒川区西日暮里 5-14-4-901
電　話　　03-5615-2062　　FAX　03-5615-2064
メール　　syoboutakagi@dolphin.ocn.ne.jp
印刷・製本　株式会社ワコー

乱丁・落丁は、送料小社負担にてお取替えいたします。

定価はカバーに表示してあります。

　Printed in Japan　ISBN978-4-88471-837-4　C0021

服部　剛

教室の感動実況中継

先生、日本ってすごいね

公立中学校の教師が、日本の歴史を否定的に教える教育現場の中にあって、史実に基づいた日本人の姿を生徒と共に追体験する。18項目を収録。その全てが日本人の心を揺さぶる。

四六判　定価１５４０円（本体１４００円＋税10％）

斎藤信二

社会復帰は誰に出会うかで決まる

心の独りぼっちをつくらせない

長原和宣第3弾。重度の覚醒剤中毒だった長原和宣氏が職親プロジェクト北海道支部長として「塀の中に戻さない」を合言葉に前科者雇用に取組む。共に働く前科者が共に支え合う。

四六判　定価１６５０円（本体１５００円＋税10％）

原作　エドワード・マンデル・ハウス

監訳・解説　林　千勝

ロスチャイルド家の代理人が書いたアメリカ内戦
革命のシナリオ『統治者フィリップ・ドルー』

近現代史家林千勝氏が解説。亡国の危機を乗り越え日本を取り戻すためには、世界と日本の運命を握って久しいグローバリズム勢力による支配の構造と巧みな手法を知る必要がある。

四六判　定価２２００円（本体２０００円＋税10％）

池田文子

鳥よ　翼をかして

日本人妻を返して！

拉致問題だけではない。忘れてはならない北朝鮮に渡った日本人妻の心の叫びと、必死で里帰り実現に取組んだ人達のことを。１９７９年発刊した貴重な歴史的記録を復刊。

四六判　定価１８７０円（本体１７００円＋税10％）

国際近現代史研究家　細谷　清

日本が闘ったスターリン・ルーズベルトの革命戦争

戦争と革命の世界から見た昭和百年史

第二次世界大戦（ＷＷⅡ）の主戦場だった日本だけが語れる真《まこと》近現代史。日本は敗戦国だが世界革命戦争には負けなかった。令和７（２０２５）年の昭和百年に贈る、日本と世界の通説を覆す一冊！

四六判　定価１９８０円（本体１８００円＋税10％）